Les journalistes, les médias et leurs sources

Sous la direction de Charron, Lemieux, Sauvageau

Les journalistes, les médias et leurs sources

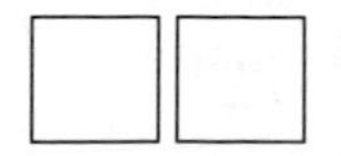

gaëtan morin éditeur

gaëtan morin éditeur
C.P. 180, BOUCHERVILLE, QUÉBEC, CANADA
J4B 5E6 TÉL. : (514) 449-2369 TÉLÉC. : (514) 449-1096

ISBN 2-89105-362-1

Dépôt légal 2e trimestre 1991
Bibliothèque nationale du Québec
Bibliothèque nationale du Canada

Les journalistes, les médias et leurs sources

1 2 3 4 5 6 7 8 9 0 G M E 9 1 0 9 8 7 6 5 4 3 2 1

Révision linguistique : Ghislaine Archambault

COLLABORATEURS

MICHEL CORMIER détient une maîtrise en science politique de l'Université Laval ainsi qu'un baccalauréat en journalisme de l'Université Carleton à Ottawa. Il a été journaliste à la Société Radio-Canada à Moncton de 1980 à 1983, puis à Montréal de 1986 à 1989. Lauréat du prix Judith-Jasmin, il est présentement correspondant parlementaire de la CBC à Ottawa.

FRANÇOISE LE HIR possède un baccalauréat en journalisme et une maîtrise en science politique de l'Université Laval. Elle a œuvré comme journaliste dans divers médias du Bas-Saint-Laurent et exerce depuis 1987 la fonction d'analyste politique auprès de l'Association de la construction du Québec.

CAROLINE RIVERIN BEAULIEU détient un baccalauréat et une maîtrise en science politique de l'Université Laval. Elle poursuit des études de doctorat à l'Institut universitaire des hautes études internationales de Genève. Elle s'y intéresse au transfert de technologie Nord-Sud et au droit du développement.

REMERCIEMENTS

Les auteurs tiennent à remercier les nombreuses personnes ou institutions sans lesquelles ce livre n'aurait jamais pu être publié. Nous voulons, en tout premier lieu, souligner l'apport essentiel de Jean-François Cloutier, actuellement directeur général des communications au Secrétariat d'État du Canada : de 1984 à 1987, grâce à un prêt de service du ministère du Conseil exécutif du Québec au Département d'information et de communication de l'Université Laval, Jean-François Cloutier a pris une part active à notre projet, notamment en contribuant à l'élaboration de la problématique, en produisant des données statistiques mentionnées dans l'introduction générale et en agissant comme animateur des tables rondes sur lesquelles se fonde le chapitre 6.

Nous voulons également mentionner la contribution importante de deux collègues de l'Université Laval, Jean de Bonville et Vincent Lemieux : agissant comme conseillers scientifiques du projet lors de sa phase d'élaboration, ils nous ont prodigué de précieux avis sur les orientations conceptuelles et méthodologiques de notre recherche. Il ne faut pas non plus oublier la participation, à diverses étapes de nos travaux, de Michel Dumas, Laurent Laplante, Gilles Lesage, Bernard Motulsky et Raymonde Saint-Germain, dont l'expérience professionnelle a contribué à enrichir notre point de vue d'universitaires.

Nous tenons aussi à évoquer le travail assidu des auxiliaires-étudiants qui ont, à un moment ou l'autre, œuvré à la réalisation du projet : Jean Bernatchez, Pierre Boutet, Régis Caron, Lise Dionne, Gilles Morin, Jacques Morin, Louis Michon, Marc-André Noël, Benoît Quenneville et Luc Rhéaume. De même, il faut souligner la qualité du travail de traitement de texte effectué, selon les diverses parties, par Marielle Chartrand, Francine Daigle, Ann Fragasso et Christiane Héroux.

Enfin, nous remercions le personnel de la maison Gaëtan Morin, qui a su nous guider dans le long et fastidieux travail de production et d'édition du manuscrit. Cette recherche a également bénéficié de la contribution financière du Fonds FCAR (1983-1985), du Conseil de recherches en sciences humaines du Canada (1984-1986), ainsi que du Budget spécial de recherche de la Faculté des arts de l'Université Laval (1986-1987).

AVERTISSEMENT

Sauf dans les cas où le genre est mentionné de façon explicite, le masculin est utilisé dans ce texte comme représentant des deux sexes, sans discrimination à l'égard des hommes et des femmes.

TABLE DES MATIÈRES

INTRODUCTION

Florian Sauvageau

C H A P I T R E

1

LES MÉDIAS, LES SOURCES ET LA PRODUCTION DE L'INFORMATION

Jean Charron et *Jacques Lemieux*

CHAPITRE 2

POLITIQUE ET TÉLÉVISION : LE CAS DU PARTI CONSERVATEUR LORS DE L'ÉLECTION FÉDÉRALE DE 1984

Michel Cormier

CHAPITRE 3

ALCAN ET LE PROJET DE L'USINE LATERRIÈRE AU SAGUENAY

Françoise Le Hir et *Jacques Lemieux*

C H A P I T R E

4

LES PSEUDO-ÉVÉNEMENTS DE CONTESTATION : LE CAS DU REGROUPEMENT AUTONOME DES JEUNES (RAJ)

Jean Charron

C H A P I T R E

5

QUÉBEC 84 OU DES MÉDIAS « MER ET MONDE »

Caroline Riverin Beaulieu et *Florian Sauvageau*

CHAPITRE

6

LES RELATIONS ENTRE JOURNALISTES ET RELATIONNISTES : COOPÉRATION, CONFLIT ET NÉGOCIATIONS

Jean Charron

CONCLUSION : QUI CONTRÔLE LE QUATRIÈME POUVOIR ?

Jean Charron, Jacques Lemieux et *Florian Sauvageau*

INTRODUCTION

Florian Sauvageau

Les relations qu'entretiennent médias et journalistes avec les divers pouvoirs se sont transformées de façon radicale depuis quelques années. Les divers acteurs sociaux (les gouvernements d'abord, mais aussi les entreprises et les syndicats) se sont donné des moyens considérables pour imposer leur vision du monde. Le journaliste, inondé par ces divers groupes d'intérêts de messages bien présentés et souvent contradictoires, arrive mal à décanter cette masse d'informations. La presse, en déduisent certains, ne serait plus, dans ce nouveau contexte, ce pouvoir autonome, critique et essentiel à la vie démocratique, mais bien plutôt le haut-parleur, la courroie de transmission de la propagande des autres pouvoirs. D'autres acceptent mal cette analyse. Pour ceux-là, les détenteurs du pouvoir font plutôt appel aux relations publiques parce qu'ils se disputent la faveur du grand pouvoir entre tous que constituent désormais les médias[1].

Au moment où nous écrivions ces lignes, en 1982, nous ne soupçonnions pas que le dossier de recherche que nous nous proposions d'ouvrir allait devenir pour les journalistes l'un des enjeux majeurs de la décennie. Depuis quelques années, en effet, le thème des relations des journalistes avec leurs sources, et plus particulièrement avec les relationnistes et les autres communicateurs institutionnels, refait régulièrement surface au gré des dossiers chauds de l'actualité. C'est à se demander si la hantise de la manipulation par les sources n'a pas atteint le stade de la paranoïa chez certains journalistes.

Dès 1983, le journaliste Rodolphe Morissette posait dans le magazine *Le 30* les paramètres du débat, tels que bien des journalistes les perçoivent encore aujourd'hui. Il est utile de rappeler certains éléments essentiels de son article :

> Les professionnels des relations publiques, les chargés de communications et les attachés de presse de tout poil ont pratiquement gagné leur pari : ils ont réussi à manipuler et à encercler la presse quotidienne, électronique et écrite.

1. Document de travail, 1982, Département d'information et de communication, Université Laval.

> Par leur nombre, par le bruit qu'ils font, par l'espace et le temps qu'ils dévorent maintenant dans la presse quotidienne, par journalistes interposés, les relationnistes professionnels définissent maintenant « l'actualité » qui est jour après jour au programme et ce que sont les « nouvelles ».
>
> Encombrer la presse, l'encadrer, la forcer à traiter quotidiennement de ce qu'on veut qu'elle traite et, surtout, la distraire de parler de ce dont on ne veut pas qu'elle parle.
>
> Le système prend le visage d'une machine. Tant que la chose est « déclarée officiellement » par quelqu'un, on publie à peu près n'importe quoi. Se perd la notion de « responsabilité morale » de l'information[2].

Ce discours correspond tout à fait à la culture journalistique traditionnelle, à la « théorie classique » de la méfiance nécessaire vis-à-vis des sources d'information : les sources (et leurs « mercenaires », les relationnistes) ont une image à construire ou à entretenir, des intérêts à défendre, quelque chose à cacher. Au journaliste, au nom des droits démocratiques du public, et de l'intérêt général, de rechercher « l'information véritable », derrière le discours de persuasion et les opérations de charme qui camouflent la défense d'intérêts particuliers.

Les relationnistes n'allaient pas, bien sûr, laisser passer sans réplique la diatribe de Rodolphe Morissette. Quelques semaines après la publication de cet article, la Société canadienne des relations publiques organisait un colloque sur la question. Le journaliste Louis-Gilles Francœur en rend compte en ces termes :

> L'incompétence des journalistes ainsi que la faiblesse et la désorganisation des pupitres[3] expliquent en grande partie l'importance grandissante de l'information « officielle » ou « programmée » dans les médias, que les uns perçoivent comme une manipulation et les autres, comme le signe d'une presse où la facilité le dispute à l'arbitraire[4].

La balle revient dans le camp des journalistes, de la « Cour d'information », selon l'expression de Luc Beauregard, ce tribunal dont les jugements sont « absolument imprévisibles ». Les sources n'auraient-elles pas droit, pardelà les journalistes-juges, de soumettre leur point de vue au tribunal de l'opi-

---

2. R. Morissette, « La presse quotidienne est en train de se faire avoir », *Le 30*, vol. 7, nº 10, décembre 1983, p. 14ss.
3. Expression traduite de l'anglais *desk* et utilisée au Québec pour définir le lieu central d'un journal où se font le tri et la mise en page des informations. On parle en France du « secrétariat de rédaction ».
4. L.-G. Francœur, « Journaliste et relationniste doivent agir en professionnels », *Le 30*, vol. 8, nº 3, mars 1984, p. 12ss.

nion publique. Beauregard, un ancien journaliste devenu PDG du plus important cabinet de relations publiques au Québec, ajoute que le communicateur n'est pas là pour manipuler la presse, « mais bien pour la forcer à aller au-delà, à mieux regarder des deux côtés de la médaille, pour tenir compte de tous les points de vue, bref, à exercer un jugement journalistique plus muri[5] ». Et il invite journalistes et relationnistes, des « partenaires », à jeter les « bases de relations soutenues pour assurer une plus libre circulation de l'information ».

Cette invitation à la collaboration heurte de front la théorie de la « source dont il faut se méfier » et agresse de nombreux journalistes. On l'a bien vu au congrès annuel de la Fédération professionnelle des journalistes du Québec (FPJQ) en 1988, consacré au « contentieux » journalistes-communicateurs et auquel participaient plusieurs relationnistes. L'appel à la coopération lancé par le communicateur-conseil André Sormany devait provoquer des réactions extrêmement vives de la part de plusieurs journalistes :

> On dit souvent que le quatrième pouvoir, ce sont les journalistes. C'est là l'erreur. En fait, le quatrième pouvoir, c'est l'information. Et sur le vaste territoire de l'information, il n'y a pas seulement des journalistes. Qu'on le veuille ou non, nous y sommes et, comme vous, pour y rester. Autant, alors, apprendre à nous connaître et à mieux nous servir les uns *et* les autres, à mieux nous servir les uns *des* autres. Je dis bien *se servir*, pas *s'utiliser*. Toute la différence est là[6].

Cette idée du « partage du quatrième pouvoir » (le président du temps de la Société des relationnistes du Québec, Dominique Ferrand, avait aussi distingué la liberté de la presse et la liberté d'informer en prônant l'équilibre entre les deux) a fait bondir plusieurs journalistes qui en ont déduit que les propos d'André Sormany et de ses collègues confirmaient la différence d'optique quasi insurmontable entre les « frères ennemis » de la communication.

On peut s'étonner que les relations journalistes-relationnistes soulèvent à ce point les passions. Le phénomène des relations de presse n'est en effet pas nouveau. « Les gouvernements recourent tous plus ou moins à la propagande, mais ils ne sont pas les seuls », écrivait en 1955 le journaliste Paul Sauriol ; « on peut en dire autant, ajoutait-il, de tous les groupes qui utilisent les grandes techniques de diffusion pour créer un courant d'opinion[7] ». De tout temps, les sources ont cherché des façons de passer leur message. De tout temps, les

5. L.G. Francœur, *op. cit.*, p. 12ss.

6. FPJQ, « Des nouvelles sans relations de presse, est-ce possible ? », Actes du 20e congrès annuel, tenu à Québec les 2, 3 et 4 décembre 1988, p. 95ss.

7. P. Sauriol, « Le civisme et les techniques de diffusion », Semaine sociale du Canada (section française) XXXIIe session, Cornwall, 1955, Institut Social Populaire, p. 130ss.

ses relations avec les médias, et qui n'ait recours aux services tout au moins occasionnels d'un attaché de presse, d'un agent d'information ou autre conseiller en communications.

En 1959, Paul Sauvé avait été le premier chef de gouvernement québécois à s'adjoindre un attaché de presse, Jean Pelletier, qui devint plus tard maire de Québec. En 1960, quelques rares fonctionnaires se consacraient à la publicité gouvernementale. En 1983, moins de 25 ans plus tard, le secteur des communications du gouvernement du Québec représentait, selon une étude du Conseil du Trésor, 1 867 années-personnes et comptait 623 professionnels[12]. Évidemment, ces communicateurs font de tout ; ils s'occupent des publications gouvernementales, de l'information (renseignements) au public, d'audiovisuel, de publicité gouvernementale, de relations publiques, d'information de presse, etc.

L'histoire de la Société canadienne des relations publiques permet aussi d'apprécier le chemin parcouru en quelques décennies[13]. À sa création en 1948, la Société canadienne des relations extérieures, comme on l'appelait à l'époque, regroupait 26 membres fondateurs, des employés de grandes entreprises de Montréal. En 1965, elle comprenait 177 relationnistes. En mai 1978, au moment où elle venait de célébrer ses trente ans d'existence, la Société comptait 282 membres. Dix ans plus tard, la Société des relationnistes du Québec (née en 1984 d'un regroupement avec l'Association des relationnistes du Québec, créée au début des années 1970 par quelques dissidents qui trouvaient la Société canadienne « trop anglophone et trop montréalaise ») réunissait 600 personnes et cela ne représentait toujours qu'une minorité des relationnistes et des communicateurs institutionnels québécois.

En 1986, dans leur livre intitulé *Les relations publiques*[14], Doin et Lamarre évoquaient le chiffre de 3 000 relationnistes travaillant au Québec autant dans le secteur privé que dans la fonction publique ou parapublique. D'où tiennent-ils ce chiffre ? Quelle est leur définition du relationniste ? Combien de ces relationnistes font des relations de presse et deviennent ainsi des sources potentielles pour les médias ? La nuance est importante. Il ne faut pas confondre relations publiques et relations de presse. André Sormany affirmait lors du congrès de la FPJQ, en 1988, que, contrairement à ce que plusieurs croient,

12. Conseil du Trésor, « Le coût et la productivité du secteur des communications au gouvernement du Québec, 1982-1983 », Québec, mars 1984, vol. 1, p. 42-49.

13. Document de la Société canadienne des relations publiques (B. Brouillet), « De la Société canadienne des relations extérieures (1948-1963) à la Société des relationnistes du Québec (1984) en passant par la Société canadienne des relations publiques (Québec) inc. (1963-1984) », mars 1984.

14. R. Doin et D. Lamarre, *Les relations publiques*, Montréal, Les Éditions de l'homme, 1986.

les relations avec les médias ne représentent qu'environ 10 % des activités normales d'une maison de relations publiques. Les relations de presse ne sont qu'un des outils qu'utilisent les relationnistes ; les médias ne sont qu'un des nombreux publics avec lesquels l'entreprise ou l'institution doit entretenir de bons rapports ou de bonnes « communications » (les autres étant, selon le cas, ses actionnaires, les gouvernements, les autres institutions, les autres pouvoirs, etc.).

Compte tenu de l'évolution récente du monde des communications, des dimensions variées du phénomène, et de l'absence de documentation et de données statistiques dans ce secteur, il nous a semblé utile, dès le début de nos travaux, d'évaluer l'importance réelle qu'avaient prise au Québec, depuis quelques années, les communicateurs, les relationnistes, et les relations de presse.

Le recensement des communicateurs

En 1983, l'étude du Conseil du Trésor nous avait appris que plus de 620 professionnels de la communication étaient au service du seul gouvernement du Québec. Nous savions aussi, en décembre 1983, qu'il y avait au Québec 196 professionnels au service de 34 cabinets de relations publiques[15]. Mais nous savions que ces chiffres étaient bien en deçà de la réalité ; ils ne comptaient ni les communicateurs au service du gouvernement fédéral et travaillant au Québec, ni ceux des entreprises privées, ni les communicateurs, relationnistes et attachés de presse des divers groupes et associations : syndicats, corporations professionnelles, partis politiques, organismes culturels, etc.

Nous avons donc contacté, entre juin 1984 et février 1985, les responsables de l'information, des communications ou des relations publiques de 1 090 organisations que nous avions identifiées comme susceptibles d'employer des communicateurs professionnels[16]. Nous avons ainsi recensé, sur la base année-personne, 2 604,5 postes de communicateurs (voir tableau 1). En

15. Compilation faite par le journal *Les Affaires* ; première d'une série de compilations annuelles, de 1983 à 1988. En décembre 1988, le journal avait recensé plus de 600 employés à temps plein (on ne parlait plus de professionnels) dans 46 cabinets comptant 4 employés ou plus. Le journal *Les Affaires* a abandonné cette compilation en 1988, parce qu'on s'interrogeait sur la fiabilité de certaines des données recueillies auprès des cabinets eux-mêmes.

16. L'enquête, réalisée sous la direction de Jean-François Cloutier, s'adressait aux responsables des communications des organisations suivantes :
    1) **Secteur public** : l'ensemble des ministères et organismes du gouvernement du Québec, ainsi que les établissements du réseau des Affaires sociales et du réseau de l'Éducation ; les ministères et organismes du gouvernement du Canada installés au Québec ; les cinquante municipalités de plus de 20 000 habitants, de même que les organismes supramunicipaux (MRC, communautés urbaines...). (Au total, 653 organismes.)

TABLEAU 1
Ventilation des postes de communicateurs par fonctions, par secteurs et par catégories d'employeurs

Secteurs et catégories d'employeurs	Cadres	Profes-sionnels	Techni-ciens	Autres	Total	Taux de réponse (%)
Secteur privé						
Entreprises	63,0	68,5	42,0	13,0	186,5	37,3
Agences de publicité	168,0	445,5	–	31,0	644,5	23,4
Cabinets de relations publiques	18,0	12,0	–	–	30,0	30,0
Sous-total	249,0	526,0	42,0	44,0	861,0	28,9
Secteur public						
Gouvernement du Québec	101,0	572,0	140,5	193,5	1 007,0	65,5
Gouvernement du Canada	55,0	83,0	28,5	18,0	183,5	70,2
Réseau des Affaires sociales	15,5	19,0	4,5	1,0	40,0	59,4
Réseau de l'Éducation	22,0	71,0	15,0	–	108,0	66,6
Municipalités	44,5	59,5	21,0	4,0	129,0	55,5
Sous-total	238,0	803,5	209,5	216,5	1 467,5	63,3
Secteur coopératif						
Sous-total	11,0	45,5	7,0	4,0	67,5	47,3
Autres secteurs						
Associations patronales	23,0	22,0	18,0	–	63,0	50,0
Monde de la culture	10,0	10,0	5,0	–	25,0	60,0
Corporations professionnelles	15,5	11,0	–	–	26,5	57,5
Organisations syndicales	5,5	25,0	3,0	–	33,5	46,1
Partis politiques	4,0	3,5	1,0	–	8,5	85,7
Sports	8,0	14,0	4,0	–	26,0	75,0
Divers	10,0	9,0	7,0	–	26,0	44,4
Sous-total	76,0	94,5	38,0	–	208,5	53,3
Total	574,0	1 469,5	296,5	264,5	2 604,5	54,2

2) **Secteur privé** : les 90 entreprises québécoises répertoriées par le *Financial Post* dans sa liste des 500 plus grandes entreprises canadiennes, de même que les agences de publicité et de relations publiques (221 organisations au total).

3) **Secteur coopératif** : les coopératives de production et de services, les fédérations coopératives et les institutions financières coopératives (38 organismes).

4) **Autres secteurs** : organismes culturels ou sportifs, syndicats et associations professionnelles, partis politiques, groupes de pression, associations religieuses ou de bienfaisance (178 organismes).

Des 1 090 organisations contactées, 632 ont accepté de répondre à nos questions ; 41 questionnaires incomplets n'ont pas été traités. Les 581 questionnaires valides donnent un taux de réponse global de 54,2 %.

Le questionnaire visait à répertorier l'ensemble des cadres, professionnels ou techniciens exerçant des fonctions de communication, telles que définies par Jean-François Cloutier, à tenant compte du taux de réponse de 54,2 % (plus élevé dans le secteur public que dans le secteur privé et particulièrement faible dans le cas des agences de publicité et des cabinets de relations publiques, qui ont peu répondu à notre questionnaire), on peut affirmer sans peine qu'il y a beaucoup plus que 3 000 communicateurs au Québec. Comme le montre le tableau 1, plus de la moitié des 2 600 communicateurs recensés travaillent dans le secteur public ; quoique le faible taux de réponse obtenu du secteur privé oblige à relativiser ces résultats, cette première constatation n'est quand même pas dénuée d'intérêt.

Le tableau 2 montre, et cela est particulièrement important dans le cadre de nos travaux, qu'un tiers de ces communicateurs font des relations de presse. C'est plus qu'on veut parfois le laisser croire. En outre, plusieurs de ceux dont les activités sont d'abord consacrées à des publics autres que les journalistes ou aux communications internes de l'organisation peuvent aussi faire des relations de presse, puisque 41,5 % des postes de communicateurs recensés ont été décrits comme polyvalents. En outre, le tableau 2 montre que près de 90 % des postes axés sur les relations de presse appartiennent à des cadres ou à des professionnels plutôt qu'au personnel technique ou autre ; par rapport aux autres activités de communication, c'est dans les relations de presse qu'on trouve le plus de cadres et de professionnels.

TABLEAU 2
Ventilation des postes de communicateurs selon les tâches principales et les fonctions des titulaires

Fonctions/ tâches	Relations de presse		Relations publiques		Communications internes		Total		Relations polyvalentes
	N^bre^	%	N^bre^	%	N^bre^	%	N^bre^	%	N^bre^
Cadres	292,0	(39,5)	224,5	(30,4)	221,0	(30,0)	735,5	(100,0)	339,5
Professionnels	472,5	(35,4)	436,5	(32,7)	427,0	(32,0)	1 336,0	(100,0)	638,5
Techniciens	67,0	(20,7)	145,5	(45,1)	110,0	(34,1)	322,5	(100,0)	113,5
Autres	33,5	(11,8)	232,5	(82,0)	17,5	(6,2)	283,5	(100,0)	22,5
Total	865,0	(32,3)	1 039,0	(38,8)	775,5	(30,0)	2 679,5	(100,0)	1 113,5

NOTES :
a. L'écart entre le nombre total des postes recensés au tableau 1 sur la base année-personne (2 604,5) et le nombre total des postes recensés ici selon les fonctions et les tâches (2 679,5) provient du fait que quelques informateurs ont comptabilisé un même poste dans différentes tâches.
b. L'expression « relations publiques » signifie ici « relations avec des publics autres que les médias ».

---

partir des catégories suggérées par le Conseil du Trésor du Québec en 1983 : « Les fonctions de communication visent soit l'analyse des besoins en communication, soit l'organisation, la coordination ou la réalisation d'opérations d'information, de relations publiques ou de publicité, en vue d'exercer une influence sur un ou plusieurs publics internes ou externes. » (Cloutier, 1988, p. 35.)

Bien que les données que nous avons recueillies soient partielles, ce recensement nous donne tout de même une image plus précise du monde des relations publiques et nous permet, tout en tenant compte du fait que certains secteurs sont mieux nantis que d'autres, de confirmer la pénétration de la fonction communication dans toutes les sphères d'activité. Que peut-on en conclure ? Une chose est certaine. Il y a, comme nous le verrons, beaucoup plus de relationnistes et de communicateurs institutionnels que de journalistes au Québec. D'autant que leur nombre a sans doute augmenté depuis notre enquête. Par contre, le nombre de ceux qui font des relations de presse et dont les activités peuvent influencer directement l'information produite par les médias, est plus limité. Mais il ne faut pas non plus restreindre « l'effet médias » des relations publiques aux seules relations de presse. Bien qu'elles ne s'adressent pas directement à la presse, les autres activités de relations publiques pourront viser certaines retombées médiatiques et obligent les journalistes à rester vigilants (salons, expositions, commandites d'événements sportifs ou artistiques, etc.).

Bref, bien que le nombre de médias (radios, télévisions, magazines) se soit aussi accru de façon considérable depuis les années 60, les journalistes ne sont plus qu'une des composantes du vaste secteur de la communication, de ce fourre-tout aux contours flous, qui comprend, outre le secteur traditionnel de la publicité, les relations publiques, la promotion, la commandite, etc.

Les journalistes

Les journalistes au service des médias québécois les plus importants étant pour la plupart syndiqués, il est plus facile d'évaluer leur nombre que celui des communicateurs, en contactant les divers syndicats dont ils sont membres. En janvier 1991, la Fédération nationale des communications (FNC-CSN), qui regroupe la grande majorité des journalistes syndiqués du Québec, dont ceux de 8 des 10 quotidiens francophones (y compris *Le Droit*, d'Ottawa), de Radio-Canada et de Télé-Métropole, comptait 1 650 journalistes. Il y a 60 % des journalistes membres de la FNC qui sont au service de médias montréalais. D'autres journalistes sont membres de la Newspaper Guild (ceux du quotidien *The Gazette*, environ 125, et ceux de l'agence Presse canadienne, une centaine au Québec), d'autres, environ 75, font partie du Syndicat canadien de la fonction publique (ceux du *Journal de Québec*, par exemple) ou de NABET, l'Association nationale des employés et techniciens en radiodiffusion (moins de 100). Les journalistes de *La Tribune* de Sherbrooke (une trentaine) appartiennent au Syndicat des typographes (FTQ). Au total, plus de 2 000 journalistes sont syndiqués.

La Fédération professionnelle des journalistes du Québec comptait, quant à elle, un peu plus de 1 000 membres, dont 150 pigistes. Il y a 60 % des membres de la FPJQ qui font aussi partie d'un syndicat de journalistes. Par contre, plusieurs journalistes, en particulier ceux qui travaillent en région, ne sont pas syndiqués et ne sont pas non plus membres de la FPJQ. Seulement 15 % des membres de la FPJQ viennent de l'extérieur de Montréal. Un document[17] de la FPJQ daté de 1983 évaluait à 661 le nombre de journalistes réguliers travaillant à temps plein à l'extérieur des villes de Montréal et de Québec ; parmi eux, 54 % étaient syndiqués.

Ces chiffres nous permettent d'estimer à environ 2 500 le nombre de journalistes occupant un poste à plein temps au Québec. Toutefois, puisque personne ne recueille, de façon régulière, de données sur l'emploi dans le monde du journalisme, on ne connaît pas leur nombre exact, encore moins celui des pigistes (surnuméraires, rémunérés à la pièce ou occupant un emploi pour une courte période)[18]. On sait toutefois que le nombre de pigistes s'accroît sans cesse avec le flot des aspirants journalistes que diplôment annuellement les diverses maisons d'enseignement.

Dans le cas des médias et des journalistes, certaines constatations que nous avions faites dès le début de nos travaux, en 1983-1984, sont toujours actuelles ; les chiffres peuvent avoir légèrement varié, mais les caractéristiques générales des médias restent inchangées :

1) La presse quotidienne demeure le principal employeur des journalistes (en particulier, *La Presse* (150 journalistes) et *The Gazette* (environ 150 avec les cadres), mais aussi *Le Soleil* (une centaine) et *Le Journal de Montréal* (80, y inclus les photographes) et sans doute aussi le meilleur outil d'information[19] ;

---

17. « Pour que cesse l'exploitation des journalistes en région », Rapport du comité spécial sur les conditions de travail des journalistes en région, *Les documents de la FPJQ*, nº 1, septembre 1983, p. 10.

Notons que la FPJQ reconnaît comme journaliste celui ou celle qui a pour occupation principale, régulière et rétribuée l'exercice de l'une ou plusieurs des tâches suivantes, pour le compte d'une entreprise de presse ou d'une entreprise assimilable (radiotélédiffusion, agence de presse) : recherche de l'information, reportage, interview ; rédaction ou préparation de comptes rendus, d'analyses, de commentaires ou de chroniques spécialisées ; traduction et adaptation de textes ; photographie de presse, reportage filmé ou électronique ; secrétariat de rédaction (affectation du personnel, vérification des textes, titrage et mise en page, et l'équivalent dans la presse parlée) ; dessin de caricatures sur l'actualité ; dessin et graphisme d'information ; animation, réalisation ou supervision d'émissions ou de films sur l'actualité ; direction des services d'information, d'affaires publiques ou de services assimilables.

18. En 1983, nous avions identifié 995 postes de pigistes dans les médias québécois. Notons qu'il s'agit de **postes** de pigistes, et que le nombre de journalistes occupant ces postes était très certainement moins élevé, le même journaliste pigiste pouvant occuper à la fois un poste dans plusieurs entreprises de presse.

19. Données recueillies auprès des diverses rédactions.

2) La radio et la télévision publiques ont des effectifs journalistiques nettement supérieurs à ceux de la plupart des stations privées ; en 1983, à la radio privée, à l'extérieur de Québec et de Montréal, le nombre de journalistes par station était de 1,7[20] ;
3) Le personnel type de l'hebdomadaire régional moyen comprenait 2 journalistes réguliers en 1983[21] ;
4) Les revues et magazines utilisent surtout les services de pigistes que leur statut précaire peut rendre vulnérables aux pressions du milieu et des sources ; plusieurs d'entre eux s'occupent aussi à des travaux de rédaction qui ont souvent plus à voir avec la publicité ou la promotion qu'avec le journalisme.

Si l'on ajoute aux 650 journalistes et plus de la presse quotidienne les 340 employés de Radio-Canada qui correspondent à la définition de journaliste de la FPJQ (1990-1991), on a une bonne idée du « désert » que représentent les effectifs journalistiques des autres médias.

Ces données et caractéristiques ont une incidence directe sur la nature du journalisme pratiqué d'un média à l'autre et, conséquemment, sur les relations des journalistes avec leurs sources. Le relationniste n'agira évidemment pas de la même façon avec le journaliste d'une station de radio, qui couvre plusieurs conférences de presse par jour, dans différents secteurs, et avec le reporter spécialisé d'un grand quotidien qui a tout le temps requis pour suivre ses dossiers. La stratégie du relationniste tiendra compte des forces et faiblesses des médias et des journalistes. De la même manière, les ressources à la disposition de la source ne seront pas sans effet sur la relation de celle-ci avec les journalistes. On peut penser que la source qui est conseillée par des communicateurs connaissant bien les attentes des médias et des journalistes a plus de chance de passer son message que celle qui en est à ses premières armes avec la presse et qui n'a pas de relationniste ou de communicateur-conseil à son service.

Nos hypothèses de travail

Le nombre des communicateurs, leur présence croissante dans tous les secteurs de l'activité sociale, le caractère multiforme de leurs stratégies, de même que le sentiment d'encerclement ressenti par plusieurs journalistes,

---

20. « Pour que cesse l'exploitation des journalistes en région », *op. cit.*, p. 10.

21. *Idem*, p. 9. Le document souligne qu'en région, les journalistes ont parfois à remplir des tâches qui dépassent ce qu'on entend habituellement par un travail journalistique. « Parfois même ils passent une bonne partie de leur temps à des fonctions peu compatibles avec le traitement de l'information (publi-reportages obligatoires, animations radio directement de chez les annonceurs, etc.). »

venaient étayer ce que nous avions postulé dès le départ : l'influence de plus en plus grande des communicateurs sur le travail des journalistes et sur l'information produite par les médias.

Ces premières observations sur les « forces » en présence, une analyse préliminaire de la recherche, surtout américaine, sur les relations des journalistes avec leurs sources, ainsi que deux études exploratoires menées lors de la phase d'élaboration de notre recherche[22] nous ont conduits à élaborer un certain nombre de propositions et d'hypothèses conformes à l'esprit de notre postulat général et regroupées autour de trois concepts fondamentaux : stratégies des sources, politiques et stratégies des médias, nature du débat public.

Ces propositions et nos hypothèses principales sont les suivantes:

- Les institutions et les communicateurs qu'elles emploient disposent de moyens d'action diversifiés : leurs **stratégies de communication** sont de plus en plus raffinées et efficaces ;
- Les médias et les journalistes disposent rarement de **politiques d'information** structurées, pouvant faire fonction de « contre-stratégie » de communication ; ils ne disposent plutôt que de stratégies de marketing ;
- Les **débats publics** issus de l'interaction des médias et des institutions sont de plus en plus fréquemment définis par les institutions sociales dotées des meilleurs instruments de communication ;
- Plus les journalistes occupent une place importante comme relais stratégique dans une opération de communication, plus le traitement journalis-

---

22. L'une de ces études, réalisée par Benoît Quenneville, traite de la couverture de l'Exposition régionale de Trois-Rivières de l'été 1983. L'auteur vérifie le degré de conformité de la couverture de l'événement par les médias locaux avec les orientations de la stratégie de communication de la Corporation de l'exposition. Selon Quenneville, deux facteurs expliquent le caractère général de conformité qui se dégage du traitement de l'événement : en premier lieu, l'existence d'un fort sentiment de solidarité régionale, en fonction duquel les médias estiment qu'il est de leur devoir de faire la promotion d'activités jugées bonnes pour la région ; à cela se greffent les stratégies de marketing des médias trifluviens dont le public s'intéresse à **son** exposition.

    L'autre étude, de Luc Rhéaume, a trait à un dossier fort différent : le débat autour du projet de restructuration scolaire déposé à l'été 1982 par le gouvernement du Parti québécois (projet de loi 40). Rhéaume a analysé le contenu de cinq quotidiens francophones pour la période correspondant au temps fort du débat (juin-octobre 1982) et a interrogé des journalistes et des communicateurs, qui avaient travaillé dans ce dossier. Il constate que, de la vingtaine de sources citées ou mentionnées dans le corpus, ce sont trois sources bien organisées du point de vue de la communication institutionnelle qui dominent nettement : le gouvernement, les commissions scolaires et les syndicats d'enseignants. Rhéaume remarque aussi que la conformité du message de presse avec les messages des sources est moindre chez les chroniqueurs spécialisés en éducation que chez les reporters généralistes. Cela rejoint les travaux de Gans (*Deciding What's News*, 1978).

tique sera conforme aux objectifs de communication des sources ;
- Plus la politique d'information d'un média est structurée, moins le traitement journalistique est conforme aux objectifs de communication des sources ;
- Plus le point de vue de la source fait l'objet d'un fort consensus social, plus le traitement journalistique sera conforme aux objectifs de communication de cette source[23].

Nous souhaitions vérifier la pertinence de nos propositions et hypothèses, en analysant quelques cas concrets d'interaction entre les journalistes et communicateurs institutionnels et en évaluant l'influence réelle des stratégies de communication sur l'information diffusée par les médias. Toutefois, nous devions vite nous rendre compte de la lourdeur de cet appareil (grand nombre d'hypothèses formulées dans l'abstrait) et de la difficulté de l'adapter à la réalité des diverses situations. Il faut donc seulement considérer ces hypothèses comme un cadre de référence général (voir méthodologie, chapitre 1).

Nos travaux des dernières années nous ont aussi obligés à nuancer plusieurs de ces hypothèses et nous ont démontré que les relations entre les journalistes et leurs sources sont plus complexes qu'on ne veut souvent l'imaginer. Les journalistes ne sont pas ces marionnettes que certains d'entre

---

23. Ces hypothèses principales étaient accompagnées d'un ensemble d'hypothèses dites secondaires :
    1) Le traitement journalistique est plus conforme aux objectifs de communication des sources dans le cas d'entreprises publiques que dans le cas d'entreprises privées ;
    2) Plus le communicateur institutionnel occupe une place stratégique dans l'organisation, plus le traitement journalistique sera conforme à ses objectifs de communication ;
    3) Plus un communicateur institutionnel connaît bien le mode de fonctionnement des médias, plus le traitement journalistique sera conforme à ses objectifs de communication ;
    4) La conformité du traitement journalistique avec les objectifs de communication des sources varie selon les types de médias ; le traitement est plus conforme :
       - à la télévision que dans la presse écrite ;
       - dans la presse régionale que dans les médias nationaux ;
       - dans les médias élitistes que dans les médias « grand public », du fait que ces derniers maximisent le traitement des aspects périphériques des dossiers ;
    5) Le traitement journalistique est plus conforme aux objectifs de communication des sources par l'intermédiaire des journalistes généralistes que par l'intermédiaire des journalistes spécialisés ;
    6) Plus il y a adéquation entre les stratégies de communication des sources et les politiques de marketing des médias, plus ce traitement journalistique sera conforme aux objectifs de communication de ces sources ;
    7) Plus il y a de sources en compétition dans un dossier, moins le traitement journalistique sera conforme aux objectifs de communication de l'une d'entre elles ;
    8) Plus les journalistes d'entreprises de presse différentes et concurrentes travaillent régulièrement ensemble, et de façon concertée, à la couverture d'événements, plus l'information transmise à la population devient uniforme ou quasi uniforme.

eux décrivent ; mais ils n'ont pas non plus le pouvoir que bien des relationnistes leur octroient. S'ils contrôlent l'accès des sources aux médias, les journalistes — *Les Rois mendiants*, selon la belle image du romancier Jean Lartéguy — ont aussi besoin de leur ration quotidienne d'information, et de sources pour les alimenter. C'est dans ce contexte d'interdépendance que journalistes et communicateurs et sources, ces « partenaires obligés », plutôt que de s'affronter comme ils le font sur la place publique, négocient quotidiennement autour de l'information. Mais n'anticipons pas sur les conclusions.

C H A P I T R E

1

LES MÉDIAS, LES SOURCES ET LA PRODUCTION DE L'INFORMATION

Jean Charron et
Jacques Lemieux

INTRODUCTION
La fabrication de la réalité

Les travaux dont rend compte cet ouvrage portent essentiellement sur l'influence que les sources d'information (en particulier, celles qui confient leurs relations de presse à des professionnels de la communication publique) exercent, ou tentent d'exercer, sur la couverture de l'actualité par les médias.

Cette problématique s'inscrit dans les tendances récentes de la sociologie de l'information. En effet, des auteurs réputés de ce champ d'études, tels que Herbert J. Gans (1983) ou Oscar Gandy (1982), ont suggéré d'orienter la recherche en communication publique vers des problèmes qui se situent en amont des médias et des relations entre ceux-ci et leurs publics. Selon ces auteurs, la production de l'information journalistique est largement déterminée par la nature des relations entre les médias et les sources d'information ; celles-ci sont de plus en plus en mesure de contrôler la diffusion publique de leurs messages en exerçant une influence déterminante sur le contenu de l'information produite par les médias. Cela les rend capables d'influencer la formation de l'opinion publique et la construction de la réalité publique.

Ce genre d'hypothèse, s'il dénote une évolution de la problématique de recherche dans le champ de la communication de masse, se situe par ailleurs dans le prolongement de deux axes thématiques fondamentaux de la recherche américaine dans ce domaine : 1) le rôle social des médias et les effets de ceux-ci sur les individus et les collectivités ; 2) les rapports entre la « réalité sociale » et la « réalité médiatique », c'est-à-dire le réel tel qu'il est vu par les médias.

Ces deux grands thèmes sont en interaction constante dans la tradition américaine de recherche, dans la mesure où ils découlent d'une même interrogation : **si** l'influence sociale des médias est importante, et **si** le portrait de la réalité tracé par les médias est partiel, partial ou les deux, doit-on craindre que la fonction sociale des médias soit beaucoup plus mystifiante que cognitive ?

Centrée sur la relation médias-sources, notre recherche ne recouvre certes pas toutes les dimensions de ce vaste problème. Mais elle se situe bien dans cette problématique, dans la mesure où l'on peut se demander jusqu'à quel point certaines sources d'information, disposant de plus de pouvoir et de plus de moyens que d'autres, sont en mesure d'imposer aux médias et à leurs publics une vision de la réalité sociale conforme à leurs intérêts.

1.1 LA RÉALITÉ VUE PAR LES MÉDIAS ET SES EFFETS SUR L'OPINION PUBLIQUE

Avez-vous déjà adressé la parole au pape, au président des États-Unis ou même tout simplement au maire de Montréal ? Avez-vous déjà voyagé en sous-marin nucléaire, en navette spatiale... ou en Ferrari ? Avez-vous déjà marché dans les rues de Manille, de Beyrouth... ou de Natashquan ?

Quelques « privilégiés » pourront répondre par l'affirmative à l'une ou l'autre de ces questions ; une minorité un peu plus importante affirmera être en contact, dans son entourage personnel ou professionnel, avec des personnes qui ont vécu de telles expériences ; mais pour le plus grand nombre, ces personnages, ces lieux et ces objets seront quand même familiers, grâce aux médias écrits et électroniques. En d'autres termes, pour la majorité des citoyens des pays occidentaux, la perception de la réalité qui s'étend au-delà de l'environnement quotidien tient essentiellement aux représentations produites par les médias. De là à croire que les médias exercent sur les attitudes individuelles et les comportements collectifs une influence puissante, uniformisante et « massifiante » — au sens où on l'entend en parlant de communication de « masse » — il n'y a qu'un pas.

Il faut se rappeler que l'apparition des médias dits de masse — grande presse, cinéma, radio, puis télévision — a coïncidé avec une époque de bouleversements sociaux : Première Guerre mondiale, montée du communisme et du fascisme, crise des années 30, Deuxième Guerre mondiale, guerre froide... Les nouveaux médias ont d'ailleurs été mis à contribution assez tôt aux fins d'endoctrinement et de propagande, non seulement par les dictatures, mais aussi par les démocraties, particulièrement en période de guerre, chaude ou froide. Il s'est dégagé de cette période un sentiment vif que les médias pouvaient modifier de façon déterminante les attitudes et comportements de leurs auditoires. Ce sentiment est d'ailleurs demeuré très présent jusqu'à nos jours dans le raisonnement de sens commun, ainsi que dans un certain discours de gauche qui voit dans les médias un nouvel « opium du peuple ».

Toutefois, des recherches empiriques menées depuis une quarantaine d'années aux États-Unis suggèrent d'écarter l'hypothèse d'un effet trop direct et « massifiant » des médias. Ainsi, les travaux de Lazarsfeld et de son équipe sur les « leaders d'opinion » et sur le modèle de la « communication à deux étages » (*two-step flow of communication*) soulignent le rôle de médiateur que jouent les groupes primaires (famille, milieu de travail, voisinage...) entre les citoyens et les moyens d'information (Katz et Lazarsfeld, 1955 ; Katz, 1957, 1973 ; Lazarsfeld, 1944, 1954). De même, l'approche des « usages et gratifications » (*uses and gratifications*) indique que la réception des messages médiatiques par les citoyens varie selon les attentes et les besoins de ceux-ci (voir notamment Gurevitch, Haas et Katz, 1973 ; Missika et Wolton, 1983).

Cela ne signifie pas pour autant que l'influence des médias sur la formation de l'opinion publique soit négligeable ou nulle — auquel cas la question de l'influence des sources sur les médias ne serait plus qu'un problème mineur et sans grand intérêt.

Dans les années 70 et 80, les recherches se réclamant du modèle de l'« établissement de l'ordre du jour » (*agenda-setting*) ont toutefois renouvelé la problématique de l'influence sociale des médias. Ce modèle repose sur le constat suivant : une grande part de l'univers qui nous entoure échappe à notre expérience directe ; ce que nous en savons correspond davantage à ce qu'on nous en dit qu'à ce que nous avons pu constater nous-mêmes par l'expérience. Selon cette thèse, les médias jouent un rôle de premier plan dans ce processus d'information sur l'environnement en influençant la représentation que nous nous faisons de cet environnement.

McCombs et Shaw (1972), qui furent les pionniers de ce courant de recherche, ont voulu vérifier cet effet des médias en posant comme hypothèse que, dans le processus d'apprentissage par les médias, le public ne faisait pas que recueillir des informations sur les problèmes de l'actualité, mais apprenait également quelle importance accorder aux différents problèmes en fonction de l'importance que les médias eux-mêmes y accordent. Ces chercheurs ont cru pouvoir affirmer l'existence d'une relation causale entre l'ordre du jour des médias et celui des débats publics.

C'est en effet ce qui ressortait de la mise en rapport des résultats d'une enquête effectuée auprès d'électeurs de Chapel Hill (Caroline du Nord) avec les données de l'analyse de contenu de neuf médias (cinq locaux et quatre nationaux), lors de la campagne présidentielle de 1968 : on y observait une très forte relation entre l'importance accordée par les médias aux différents thèmes de la campagne et les jugements exprimés par les électeurs quant à la pertinence de ces mêmes thèmes (McCombs et Shaw, 1972, p. 181). Ces résultats venaient confirmer l'intuition de Bernard Cohen, qui affirmait en 1963 : « La presse ne réussit qu'assez rarement à imposer ce qu'il faut penser (*what to think*) ; mais elle réussit de façon sensationnelle à suggérer ce sur quoi on doit réfléchir (*what to think about*)[1]. » (Cohen, cité par McCombs et Shaw, 1978, p. 18.)

McCombs et Shaw remettaient ainsi en question la thèse des effets limités des médias, en déplaçant l'attention des analyses des effets, du domaine des opinions et attitudes, au domaine des connaissances, c'est-à-dire à un stade antérieur à la formation des opinions. Toutefois, les recherches qui ont suivi celle de McCombs et Shaw ont indiqué que cet effet d'*agenda-setting* ou d'« établissement de l'ordre du jour » ne se faisait pas sentir de façon uniforme et systématique, et qu'il fallait raffiner le modèle.

C'est ainsi qu'on s'est interrogé sur les variations de cet effet selon le type de média, le secteur d'actualité et le degré de complexité du sujet. Ainsi, les résultats d'une étude menée en 1973 à Toledo (Ohio) par Palmgreen et Clarke (1977) suggèrent que l'influence des médias sur l'ordre du jour des citoyens est moins grande sur le plan local que sur le plan national. Palmgreen et Clarke observent également que la presse écrite s'avère plus efficace sur le plan local, alors que la télévision — même la station locale non affiliée à un réseau — exerce plus d'influence sur le plan de l'actualité nationale (Palmgreen et Clarke, 1977, p. 443, 445-446).

Toutefois, selon une autre étude menée en 1975 à Minneapolis par Benton et Frazier (1976), il est démontré que la télévision agit surtout comme élément de prise de conscience d'un enjeu public (*issue-awareness*), alors que, pour ce qui est d'une compréhension en profondeur du problème et de ses solutions, la presse écrite s'avère plus efficace.

On pourrait allonger considérablement la liste d'exemples, puisque McCombs (1981, p. 210) souligne que, dans la seconde moitié des années 70, au-delà de cinquante rapports de recherche ont été publiés sur la base de l'hypothèse de l'« établissement de l'ordre du jour ». Certains travaux suggèrent même une synthèse de cette dernière hypothèse et de celle des « usages et gratifications » (McCombs et Weaver, 1985).

On peut cependant reprocher à l'hypothèse de l'« établissement de l'ordre du jour » de constituer un modèle trop partiel, en ce sens qu'on se contente d'observer des effets sans pour autant s'intéresser à leurs causes, c'est-à-dire aux influences qui s'exercent sur la formation de l'ordre du jour des médias. En effet, même si cette hypothèse était fondée, il serait nettement exagéré de

---

1. Toutes les citations de l'anglais présentées dans cet ouvrage ont été traduites par les auteurs.

parler d'un pouvoir des médias quant à la détermination de l'ordre du jour des débats publics, si les médias ne font que véhiculer ou transmettre des priorités définies par d'autres. La question est de savoir qui, à l'intérieur comme à l'extérieur du système d'information, a les capacités de déterminer l'ordre du jour des médias.

C'est ainsi que des auteurs tels que Weaver et Elliott (1985), Lang et Lang (1983), Gandy (1982) et Gans (1983) ont suggéré une hypothèse qu'on pourrait résumer ainsi : l'ordre du jour des débats publics se construit à partir des interactions entre les médias et d'autres institutions de la société qui, à travers ces interactions, créent ou sélectionnent les enjeux d'intérêt public.

Appelée en anglais *agenda-building*, cette approche situe son objet de recherche dans la relation sources-médias et s'intéresse particulièrement au fonctionnement interne des médias comme facteur déterminant de cette relation. Cela conduit à l'analyse de l'accès aux médias en tant qu'instrument de pouvoir. Il apparaît en effet que la dynamique de la relation entre les sources d'information et les médias s'appuie sur une conception de l'information ainsi que sur un mode d'organisation des médias qui tendent à privilégier certains types de sources ; cela permet à ces sources privilégiées d'exercer une influence déterminante sur l'opinion publique, ne serait-ce que parce qu'elles savent se faire plus visibles... sinon plus « montrables ». C'est cette perspective que nous tracerons dans les deux sections suivantes.

1.2 LA SÉLECTION DES MESSAGES ET LA PRODUCTION DE L'INFORMATION

Le « flux événementiel » (Marc Paillet, 1974), l'infinité des « choses qui se produisent », n'est pas susceptible d'un compte rendu complet de la part des médias d'information. C'est une vérité d'évidence. De fait, les messages qui parviennent quotidiennement aux salles de nouvelles sous la forme de communiqués de presse ou de dépêches d'agences, sans compter la production des journalistes maison, constituent une quantité d'informations telle qu'elle dépasse très largement les possibilités de diffusion. Aussi trouve-t-on, entre l'entrée et la sortie du système d'information, certains mécanismes dont la fonction essentielle consiste à filtrer et à sélectionner les informations. En somme, le processus de construction de l'actualité consiste au départ en une opération de repérage et de sélection, en fonction des critères à partir desquels les milieux journalistiques décèlent les « bonnes » nouvelles, celles qui méritent d'être publiées.

Mais qu'est-ce qu'une « bonne » nouvelle ? L'univers n'est pas organisé en événements simples et clairs qui possèdent intrinsèquement leur propre signification et qui attendent d'être perçus et retenus par l'observateur-journaliste. Une littérature abondante (Molotch et Lester, 1974, 1975 ; Tuchman, 1973-1974, 1978 ; Fishman, 1980, 1982 ; Altheide, 1978 ; et d'autres) avance l'idée fondamentale que la nouvelle n'est pas l'événement, mais seulement une construction symbolique de l'événement : c'est en fonction du travail journalistique de production de comptes rendus des événements que ceux-ci sont littéralement construits. En ce sens, on peut dire que les nouvelles sont davantage le reflet des pratiques des journalistes et du cadre organisationnel des médias que le simple reflet d'une quelconque réalité « vraie » (Fishman, 1982).

Si la nouvelle est une construction, quels en sont les matériaux ? Robert Park (1967), l'un des pères de la sociologie américaine, s'est employé à chercher les caractéristiques principales de la nouvelle en tant que forme spécifique de connaissance. Son analyse s'appuie sur une distinction — empruntée au psychologue James Williams et désormais classique — entre deux formes extrêmes de connaissance : celle appelée *acquaintance with*, la forme la plus superficielle de connaissance, qui correspond à peu près au fait d'être au courant de l'existence d'un objet, et la forme appelée *knowledge about*, qui correspond à une compréhension en profondeur d'un objet. Il a ensuite comparé la nouvelle et l'histoire comme formes de connaissance en tentant de les situer sur le continuum entre les deux extrêmes. Il a conclu que la nouvelle se situait davantage du côté de la forme de connaissance appelée *acquaintance with* et il en a dégagé une série de caractéristiques qui distinguent la nouvelle de l'histoire :

1) La nouvelle est étroitement liée au temps présent (*timely*) ;
2) Elle est non systématique, car, contrairement à l'histoire, elle « isole » les événements ; elle ne vise pas — ou très peu — à établir de liens entre les événements ;
3) Du fait de sa liaison au présent, la nouvelle est éminemment périssable ;
4) Elle traite des événements susceptibles d'éveiller la curiosité du public ; dans la nouvelle, l'intérêt public se conjugue à la curiosité publique ;
5) Elle ne fait qu'attirer l'attention sur les événements ;
6) Elle traite de ce qui est inattendu, inhabituel, inédit ;
7) Elle est néanmoins prévisible dans sa structure, quelles que soient les variations de son contenu.

Les caractéristiques de la nouvelle en tant que forme de connaissance concrète, non systématique, liée au présent et aux événements ponctuels font que les phénomènes, les problèmes, les malaises qui traversent le champ social ne font l'objet de nouvelles que lorsque des événements spécifiques et notables viennent ponctuer la lente évolution des choses ; et encore, il est loin d'être certain qu'on établira des liens entre ces événements et la situation profonde qui leur a donné naissance.

Selon Barbara Phillips (1976), cette conception de la nouvelle comme « nouveauté sans changement » (*novelty without change*) continue de s'appliquer au journalisme nord-américain contemporain. Qui plus est, soutient Phillips, ces caractéristiques identifiées par Park correspondent non seulement à la nouvelle comme produit, mais aussi à la manière dont les journalistes abordent le réel.

Cela nous ramène au problème de la sélection des informations, qui a favorisé le développement d'un important courant de recherche basé sur la notion de *gatekeeper*. Ce terme, conçu par le psychologue Kurt Lewin (1947), désigne un acteur qui possède le pouvoir de filtrer l'information. Les journalistes semblant de toute évidence posséder ce pouvoir, on a très vite voulu examiner comment ils effectuaient ce travail de « garde-barrière » ou de sélectionneur de la communication publique.

La première recherche dans cette direction a été celle de D.M. White (1950), qui a tenté d'identifier les critères qu'utilisait le secrétaire de rédaction[2] d'un quotidien pour sélectionner les dépêches d'agences de presse. White conclut que la sélection consiste en une opération hautement subjective, dans laquelle le sélectionneur exerce son jugement en fonction de ses préférences et de ses expériences personnelles.

On s'est toutefois rendu compte ultérieurement que la sélection était loin de se faire de façon aussi subjective et individualiste que ne le suggérait White. En analysant à nouveau ces données dans une perspective organisationnelle, Hirsch (1977) ainsi que McCombs et Shaw (1978) ont en effet constaté que les proportions attribuées par le sélectionneur à diverses catégories de nouvelles (politique, économie, sport, fait divers, etc.) correspondaient nettement aux proportions de ces mêmes catégories dans l'information fournie par le fil des agences de presse. Ce qui porte à penser que la sélection repose davantage sur des facteurs liés à l'organisation du système d'information qu'aux préférences personnelles du « garde-barrière ».

Dans la même optique, les travaux de Lemert (1974), de Fowler et Showalter (1974) ainsi que de Donohue et Glasser (1978) ont infirmé l'hypothèse de la subjectivité de la sélection, en montrant l'uniformité des informations diffusées par différents sélectionneurs œuvrant dans un même type d'organisation de presse.

---

2. *Secrétaire de rédaction* est l'équivalent de l'expression « chef de pupitre », que l'on emploie familièrement sous l'influence de l'anglais (*desk editor*).

En outre, l'approche individualiste de White suggère que le sélectionneur est dans la position passive de celui qui ne fait que réagir d'une manière imprévisible aux stimuli que représentent les dépêches des agences. Elle tend à ignorer le fait que le processus de la nouvelle n'est pas uniquement un processus de sélection, mais aussi un processus de production ; premièrement, parce que le sélectionneur ne fait pas qu'attendre la nouvelle, il va aussi la chercher ; en second lieu, parce que la sélection ne se fait pas qu'au regard des qualités intrinsèques des questions à sélectionner, mais aussi et peut-être surtout au regard des buts, des contraintes et des ressources de l'organisation qui emploie le sélectionneur.

L'analyse de la fonction de sélection est donc passée d'une approche individualiste à une approche plus sociologique qui tient compte des dimensions organisationnelles et institutionnelles du processus de sélection des messages.

C'est dans cette perspective que Paul Hirsch (1977) a proposé d'aborder l'étude du sélectionneur en distinguant trois niveaux complémentaires d'analyse :

1) Le niveau individuel, qui correspond au rôle du sélectionneur à l'intérieur de l'organisation ;
2) Le niveau organisationnel, qui correspond au cadre de l'organisation formelle dans lequel est produit le contenu des médias ;
3) Le niveau sociétal, qui correspond à l'environnement culturel, politique et économique dans lequel les médias évoluent en tant qu'organisations.

Les premières études portant sur les *gatekeepers* ne tenaient pas compte de cette hiérarchie de niveaux. Par la suite, le modèle individualiste du *gatekeeper*, tel qu'il a été élaboré par White et perfectionné par d'autres auteurs (Pool et Shulman, 1959 ; McNelly, 1959), a été progressivement remplacé par le modèle du *gatekeeping*, lequel intègre le niveau organisationnel (Howitt, 1982, p. 19-20). Selon ce modèle, l'organisation-média et les professionnels de l'information qui en font partie constituent une instance de *gatekeeping* qui remplit à la fois une fonction de sélection et de production (Whitney, 1981). Les études traitant du *gatekeeping* — par opposition à celles portant sur les *gatekeepers* — définissent le sélectionneur comme un acteur qui joue un rôle à l'intérieur d'un cadre bureaucratique qui détermine en partie ses décisions (Gieber, 1964, p. 178 ; Boone et Winkin, 1979, p. 110). En situant son objet d'analyse au niveau organisationnel, cette approche tend à éliminer la distinction entre les rôles de sélectionneurs (secrétaires de rédaction, directeurs de l'information, affectateurs) et les rôles de producteurs (reporters, chroniqueurs libres, etc.), puisqu'on considère que tous ces rôles impliquent des décisions, c'est-à-dire des choix qui modifient le produit final.

La perspective organisationnelle ne nie pas que le sélectionneur jouisse d'une certaine marge de manœuvre, elle insiste plutôt sur le fait que la performance individuelle ne peut être comprise en dehors du cadre organisationnel qui oriente et limite cette performance.

À partir de cette distinction entre les niveaux individuel, organisationnel et sociétal, Gans (1979), McQuail (1983), Roshco (1975) et Tuchman (1978) ont tenté d'expliquer les comportements de sélection des journalistes. Pour ce faire, ils proposent divers facteurs, que résume la liste suivante :

- les coûts de production de l'information ;
- les contraintes techniques du média utilisé ;
- les normes collectives et les règles internes des organisations-médias ;
- les attitudes personnelles du journaliste ;
- les valeurs dominantes du milieu de diffusion ;
- les goûts et attitudes des consommateurs tels qu'ils sont perçus par le personnel journalistique ;
- les pressions exercées par les annonceurs ;
- le mode de propriété des médias ;
- les pressions exercées par les sources.

L'ensemble de ces facteurs constitue un modèle explicatif extrêmement large, qui peut s'avérer fort utile pour la réflexion, mais avec lequel il est difficile de travailler de façon empirique. Il est en effet compliqué de pondérer l'action de ces différents facteurs, c'est-à-dire de montrer quelle est l'influence respective de chacun d'eux, d'autant plus que cette action peut se révéler extrêmement variable selon les circonstances. Mais surtout, on peut dire que ce modèle reste à la surface du processus de construction de la nouvelle : il énumère une série de facteurs qui influent sur le processus, sans en décrire les principaux mécanismes.

De plus, une analyse détaillée de ce problème complexe risque de nous éloigner de notre objet d'analyse principal : la relation médias-sources. Il est toutefois possible de lier plus directement la question des sources et celle des critères de sélection des nouvelles, en examinant deux impératifs fondamentaux du processus de sélection : la standardisation obligée du processus, ainsi que ce qu'on a appelé la « rhétorique de l'objectivité » (Padioleau, 1976).

L'examen de ces impératifs devrait permettre de mieux comprendre l'une des principales opérations qu'implique la production des nouvelles : la sélection des sources d'information.

1.2.1 La standardisation de la production de nouvelles

Les médias d'information sont des organisations complexes qui produisent des messages selon le mode industriel ; en conséquence, ils doivent suivre une logique de rationalisation de la production : standardisation des procédés de fabrication et des produits, bureaucratisation de l'appareil de production et division de plus en plus précise des tâches. Autrement dit, concevoir les médias d'information comme des organisations complexes orientées vers la production industrielle de nouvelles implique qu'on trouve, à l'intérieur de ces organisations, des méthodes rationnelles et standardisées de résolution des problèmes et de prise de décision, méthodes qui s'incarnent dans des pratiques courantes et quotidiennes de repérage, de sélection et de traitement des informations susceptibles de devenir des nouvelles. Ces méthodes découlent de la nécessité de produire, de façon rationnelle et efficace et dans des délais très courts, un journal ou un bulletin de nouvelles, à partir d'une matière première aussi fluctuante et insaisissable que les « événements de l'actualité ». Cet impératif fondamental empêche de traiter chaque question sur une base individuelle, ce qui nécessiterait, pour chacune, une nouvelle définition des opérations à effectuer. La compréhension du processus de la nouvelle peut donc débuter par cette question : comment ce système est-il organisé pour réduire et structurer les informations que nous recevons en informations diffusées de façon uniforme et cohérente ? Plusieurs auteurs se sont intéressés à cette question, notamment Gans (1979), Epstein (1973), Tuchman (1978), Molotch et Lester (1975, 1981), Roshco (1975) et Graber (1980). Il ressort de leurs recherches que le processus de la nouvelle est fondé sur la prévision, la planification des opérations et sur une catégorisation des questions à traiter qui permettent aux médias de structurer et d'organiser les informations reçues en un flot continu de matière première standardisée et d'assurer ainsi une organisation rationnelle des opérations sur la base d'un rapport coûts-bénéfices acceptable.

Selon Tuchman (1978), le fonctionnement et l'organisation de la procédure inhérente au repérage, à la cueillette et au traitement des nouvelles reposent sur trois postulats qui concernent l'intérêt des consommateurs de nouvelles, tel qu'il est perçu par les journalistes et les médias :

1) Les consommateurs de nouvelles s'intéressent à des événements qui se produisent à des endroits spécifiques ;
2) Ils s'intéressent aux activités relevant d'organisations spécifiques ;
3) Ils s'intéressent à certains sujets spécifiques.

À partir de ces postulats, les médias opèrent une sorte de quadrillage du champ social dont la fonction est de définir et de sélectionner au préalable les questions susceptibles de devenir des nouvelles. Ce quadrillage est établi selon des secteurs de spécialisation géographique, institutionnelle ou thématique, qui rendent possibles un repérage et une cueillette rapides et efficaces des nouvelles : on crée des catégories préétablies, qui imposent un certain ordre au chaos des événements et qui indiquent la procédure à suivre dans chaque catégorie. Concrètement, ce système crée une division précise des tâches à l'intérieur des salles de nouvelles. L'aire de travail des journalistes est répartie selon des secteurs géographiques (local, national et international), institutionnels (Parlement, tribunaux, organisations internationales, Bourse, etc.) ou thématiques (le « général », la politique, l'économie, la santé, les sports, etc.). La division du travail tient également compte du processus de traitement (reporter, photographe, recherchiste, secrétaire de rédaction, etc.) et des divers emplois journalistiques (chroniqueur, éditorialiste, etc.).

Gaye Tuchman souligne aussi que le quadrillage du social ne s'effectue pas seulement en fonction des catégories d'événements, mais aussi en fonction de la manière dont se produisent ces événements. Elle distingue ainsi les catégories de nouvelles (plan national, plan local, politique, économie, culture...) et ce qu'elle nomme les *typifications*, qui classent les événements en fonction de méthodes de travail standardisées :

> Les organisations de presse peuvent faire face à des événements apparemment inattendus, y compris à des urgences et à des catastrophes : c'est qu'elles classent préalablement par catégories les nouvelles potentielles (*events-as-news*), selon la façon dont elles se produisent, ainsi que selon les options que cela implique pour l'organisation du travail journalistique. Chacune des catégories[3] est liée à une question fondamentale (*basic issue*) concernant le contrôle du travail. (Tuchman, 1973, p. 129.)

Le classement d'un événement particulier dans l'une ou l'autre de ces catégories (*soft news, hard news, spot news, developing news, continuing news*) implique, en fait, une série de jugements sur cet événement en tant que nouvelle potentielle (*event-as-news*) : sa prévisibilité, l'urgence de sa diffusion, les contraintes qu'il implique pour la technologie du média écrit ou électronique... (Tuchman, 1972, p. 117).

En somme, ces opérations préliminaires de classement des matières premières de l'information de presse ont pour fonction, en balisant et en « apprivoisant » l'imprévisible (*routinizing the unexpected*), de maximiser la productivité et de minimiser la subjectivité de la sélection et du traitement. Nous verrons que, couplée à l'autre impératif fondamental, celui de « l'objectivité », la standardisation de la production peut avoir pour effet de privilégier certains événements, ainsi que les sources qui en font la promotion.

1.2.2 La rhétorique de l'objectivité

L'information de presse doit être crédible ; or, dans le journalisme nord-américain, la crédibilité est associée à la notion, par ailleurs assez confuse, d'objectivité. Dans la mesure où la presse d'Amérique du Nord est avant tout

---

3. Le mot « catégorie » est ici une traduction de *typification*, terme qui s'est imposé dans la littérature anglophone sur le sujet.

une presse d'information — par opposition à une presse d'opinion –, elle doit offrir un produit marqué du sceau de l'objectivité. L'information journalistique n'a de crédibilité et, par conséquent, de valeur sociale, que parce qu'elle repose sur le postulat d'un rapport de vérité entre le réel et le discours journalistique sur le réel. Il ne s'agit pas de savoir si le journaliste est objectif ou non ; son témoignage reste témoignage. C'est plutôt dans l'écriture même de la nouvelle que le journaliste cherche à inscrire ce rapport d'objectivité, par l'utilisation de techniques discursives particulières : mode indicatif, formules neutres, catégories de sens commun, identification et citation des sources, etc.

C'est dans ce sens que Jean Padioleau (1976, p. 269) parle de « rhétorique de l'objectivité » ; dans une perspective similaire, Gaye Tuchman voit dans le discours journalistique sur l'objectivité un « rituel stratégique » destiné à protéger le journaliste des risques du métier, notamment des critiques de ses supérieurs ou des menaces de poursuites judiciaires (Tuchman, 1972)[4]. Or, cette rhétorique de l'objectivité n'implique pas seulement des règles d'écriture, mais aussi des règles relatives au choix des objets et des acteurs qui peuvent être mis en scène dans la nouvelle. Le journaliste crédible est aussi celui qui met en scène des événements et des sources crédibles dans l'esprit populaire. Ainsi, certains objets et certains acteurs peuvent être jugés trop risqués ou trop difficiles à mettre en scène de manière crédible et « objective ». C'est ainsi que ce critère de crédibilité défavorise certains acteurs qui ne jouissent pas du statut de source autorisée.

Ces deux impératifs fondamentaux – standardisation et objectivité « rituelle » ou « rhétorique » — font ressortir le caractère « autistique » des comportements de contrôle et de sélection adoptés par les professionnels de l'information. Les critères de sélection des sources et des messages sont d'abord définis en fonction des besoins du système d'information ; ils constituent des réponses rationnelles aux impératifs de standardisation du processus de production de la nouvelle et de légitimation de la fonction journalistique. Cela implique au moins une conséquence majeure en ce qui concerne l'accès aux médias : le processus de la nouvelle s'effectue en fonction d'un ordre hiérarchique qui s'établit dans la sélection des sources.

Le quadrillage du champ social opéré par les médias repose en somme sur une évaluation des sources d'information potentielles, en fonction de leur « rentabilité », du point de vue de la cueillette et de la mise en forme de la nouvelle. Plusieurs critères entrent en ligne de compte pour évaluer l'importance d'une source. En premier lieu, la sélection d'une source est fonction de sa productivité : celle-ci dépend de l'évaluation faite par le média quant à la quantité

---

4. Barbara Phillips (1977) et François Demers (1983) émettent des points de vues analogues à ceux de Padioleau et de Tuchman.

et à la qualité des nouvelles que la source peut lui fournir au moindre coût possible ; elle dépend également de la capacité qu'on reconnaît à la source de se soumettre au code des médias. En plus de tenir compte de la productivité de la source, le média considérera également sa crédibilité, sa visibilité sociale, son degré d'autorité et sa proximité sociale et géographique par rapport aux journalistes. Ces facteurs sont, bien sûr, interdépendants et sont évalués par les journalistes en fonction de leurs expériences antérieures avec cette source.

Ces critères risquent donc d'établir une hiérarchie entre les sources d'information, hiérarchie qui permettrait aux médias d'accéder régulièrement aux divers détenteurs de pouvoir : les décideurs, les élites, les experts, bref, ceux qui ont les ressources suffisantes pour alimenter les médias sur une base régulière, et dont le statut facilite la rhétorique de l'objectivité, dans la mesure où ces sources sont reconnues d'emblée comme importantes et crédibles dans l'esprit populaire.

Certes, il arrive aux médias de s'intéresser à des sources moins puissantes ou moins prestigieuses, dans la mesure où ces sources se situent au centre d'événements qui correspondent à la conception que se font les médias de ce qu'est une « bonne nouvelle ». Il peut arriver aussi que ces sources réussissent à exploiter à leurs propres fins cette définition de la nouvelle, pour accéder aux médias. Mais comme nous le verrons, de la même façon que **l'accès des médias aux sources** privilégie les détenteurs du pouvoir, inversement, **l'accès des sources aux médias** favorise les sources bien organisées (Tuchman, 1973, p. 129).

1.3 L'ACCÈS AUX MÉDIAS COMME INSTRUMENT DE POUVOIR

Nous nous sommes intéressés jusqu'ici à deux grands thèmes : la relation médias-public (section 1.1) et les déterminismes internes des médias dans la production de l'information (section 1.2). Nous avons constaté que la sociologie de l'information suggère que l'influence sociale des médias ne s'exerce pas de façon massive et unidimensionnelle, mais à travers la médiation des groupes primaires et de leurs mécanismes de socialisation (*two-step flow, uses and gratifications*).

En somme, si on accepte l'hypothèse de l'« établissement de l'ordre du jour » (*agenda-setting*), les médias réussissent assez mal à nous indiquer **comment** il faut juger la réalité, mais ils nous influencent fortement dans le **choix des questions** sur lesquelles on se doit de réfléchir.

En ce sens, les médias exerceraient tout de même un pouvoir social considérable, comme le note McQuail :

> Les médias ont tendance à servir de coordonnateurs, de points de repère communs, pour diverses parcelles isolées d'expériences personnelles et de savoirs spécialisés ; à tout ce que nous apprenons ou expérimentons nous-mêmes ils ajoutent un supplément massif d'expérience et d'interprétation. En outre, c'est ce supplément qui est le plus largement partagé et qui procure un terrain d'entente (*common ground*) en ce qui a trait au discours social. (McQuail, 1983, p. 57.)

Mais nous avons aussi observé que ce « lieu partagé du discours social » constitue le produit d'une série d'opérations de classement et de sélection des événements qui peuvent amener les médias à privilégier — en s'en rendant plus ou moins compte — les détenteurs du pouvoir par rapport aux autres sources. Les médias, « une fenêtre sur le monde » ? Oui, dans la mesure où une fenêtre ne laisse voir qu'une partie du paysage.

Nous allons constater maintenant que les sources elles-mêmes jouent un rôle actif dans le système de production de l'information, par diverses actions qui visent à promouvoir les événements auxquels elles participent. Dans la mesure où l'accès aux médias constitue pour les uns un moyen d'influencer les visions du monde des autres acteurs sociaux, cet accès constitue potentiellement un instrument de pouvoir important.

Ce pouvoir peut toutefois s'exercer de plusieurs façons : il peut s'agir d'abord de promouvoir des événements qui, par l'action des médias, acquièrent un caractère public, s'imposent à l'actualité et influencent ainsi l'ordre du jour des débats publics. Mais l'accès aux médias constitue aussi un moyen d'accéder indirectement aux centres de décision, de faire parvenir des informations ou des demandes à des décideurs ; dans ce cas, il s'agit d'un recours utilisé par ceux dont l'accès direct aux centres de décision n'est pas adéquat ou qui ne disposent pas des ressources nécessaires. On remarquera à ce propos que certains acteurs ont les ressources nécessaires pour accéder aux centres de décision et influencer directement les décisions sans avoir jamais recours à la communication publique et en évitant systématiquement les médias. Ce peut être le cas de grands financiers, de hauts fonctionnaires ou de l'*establishment* militaire. En somme, vu sous l'angle de l'accès aux médias, le pouvoir prend au moins deux formes : 1) le pouvoir d'influencer la définition de la réalité par un accès continu et régulier aux médias ; 2) le pouvoir de ne pas faire parler de soi, de disparaître de la réalité publique en contrôlant l'information par la rétention ou le silence.

Comme certains pouvoirs et certaines activités s'accommodent mieux de l'invisible que du visible, on doit conclure que ceux qui « font l'actualité » ne sont pas nécessairement les plus puissants ; ce sont plutôt les porte-parole de ces pouvoirs qui ont un intérêt quelconque à figurer sur la scène de la réalité publique et qui ont les capacités d'agir positivement sur la production de l'information publique.

Cette façon d'envisager les relations entre médias, sources et pouvoir n'a rien de nouveau ; en fait, comme nous allons le voir, on observe ce point de vue aux différentes étapes de l'histoire de la recherche en sociologie de l'information. Ainsi, afin de réconcilier l'approche psychosociologique des études sur les leaders d'opinion et les groupes primaires (famille, voisinage, milieu de travail...) avec la reconnaissance de la distribution inégale du pouvoir dans la société, Katz et Menzel (1955) ont suggéré l'idée d'une communication non pas à deux mais à plusieurs paliers (*multistep flow of communication*) : grâce à leur accès privilégié aux médias, les élites influenceraient ceux-ci qui, à leur tour, par l'intermédiaire des leaders d'opinion, atteindraient les groupes primaires.

Les travaux sur le *gatekeeping* comportent aussi des études de la relation médias-sources. Ainsi, Carter (1958) examine les relations entre les journalistes et deux groupes de membres de professions libérales, soit des médecins de Caroline du Nord et des cadres scolaires de Californie. Cette étude révèle notamment que la perception qu'ont des journalistes les membres de professions libérales varie selon l'utilité que la presse représente pour eux :

> Bref, pour les médecins, la notoriété (*publicity*) médiatique semble n'offrir que peu de valeur en ce qui concerne leur statut dans la collectivité, mais elle se révèle, par contre, menaçante en ce qui a trait aux relations avec leurs collègues. Quant aux cadres scolaires de Californie, ils ont beaucoup à gagner et peu à perdre d'une telle notoriété, sauf, occasionnellement, en cas de critiques provenant d'un groupe de pression. (Carter, 1958, p. 138.)

Carter souligne par ailleurs que plus l'écart est grand entre journalistes et membres de professions libérales en ce qui concerne les modes de cueillette et de transmission de l'information (l'information scientifique et professionnelle par rapport à l'information de presse ; le langage hermétique du spécialiste par rapport au langage vulgarisé de la presse...), plus la méfiance des membres de professions libérales à l'égard de la presse sera grande : c'est le cas des médecins par rapport aux cadres scolaires (*ibid.*, p. 140-141). Enfin, selon le type d'information publique valorisé par les membres de professions libérales, on privilégiera un média en particulier : si les cadres scolaires préfèrent nettement les journaux et périodiques à la presse électronique, on observe une préférence inverse (télévision et radio préférées aux magazines et quotidiens) chez les médecins (*ibid.*, p. 141-142).

L'étude de Carter s'attache à l'analyse des perceptions des acteurs, et non à l'analyse de leurs pratiques ; dans ce sens, l'étude menée au début des années 60 par Gieber et Johnson (1961) dans une petite ville californienne pousse plus loin l'examen des relations médias-sources. Cette étude examine les rapports entre un groupe de chroniqueurs municipaux et les fonctionnaires et politiciens qui constituent leurs sources. Gieber et Johnson en dégagent trois types de relations possibles, selon que les cadres de référence et les rôles sociaux des journalistes et de leurs sources sont totalement autonomes, partiellement assimilés ou totalement intégrés. Ces relations sont illustrées dans la figure 1.1.

FIGURE 1.1
Les relations possibles entre les journalistes (J) et leurs sources (S) selon Gieber et Johnson

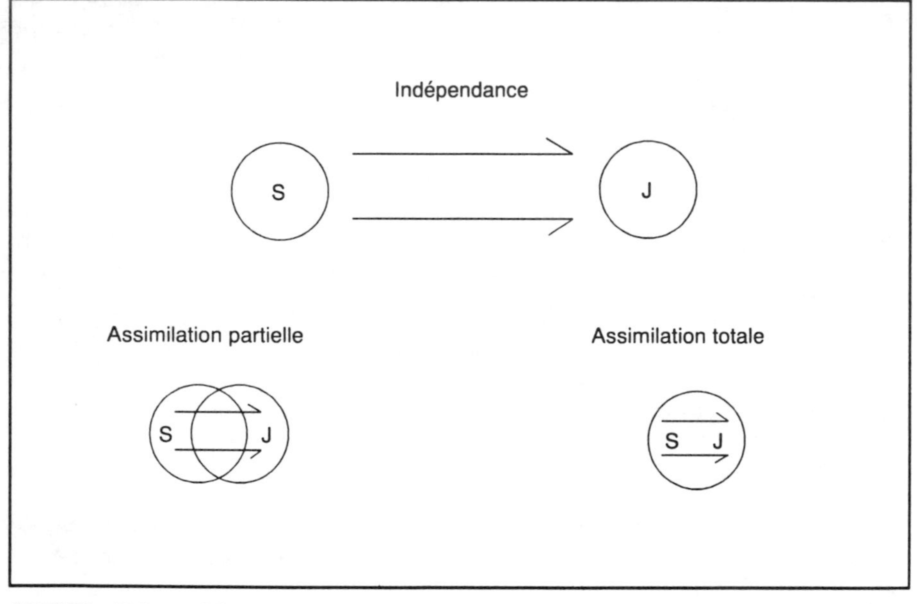

SOURCE : Gieber et Johnson, 1961, p. 290-291.

Selon Gieber et Johnson, la première de ces trois possibilités d'interaction caractérise la situation considérée comme idéale (par les journalistes) d'une presse « indépendante » de ses sources ; la seconde représente la situation ambiguë d'une presse « complice » ou « coopérative », selon le point de vue ; enfin, la dernière désigne la situation condamnable d'une presse « asservie », comme c'est le cas dans les sociétés totalitaires. Les résultats de la recherche de Gieber et Johnson indiquent une oscillation entre le modèle 1 (indépendance), valorisé par les journalistes du *City Hall Beat*, et le modèle 2 (coopération), favorisé par le personnel politique et administratif de la mairie (Gieber et Johnson, 1961, p. 297).

Cette étude, tout comme celle de Carter, fait cependant porter l'analyse sur le plan des relations interpersonnelles et tend à minimiser l'importance des facteurs organisationnels et sociétaux. Ce sont des aspects auxquels vont s'intéresser des études plus récentes relevant de ce que les chercheurs ont nommé *agenda-setting* ou *agenda-building*.

C'est ainsi que Mark Fishman, analysant la couverture, réalisée par trois médias new-yorkais, d'une vague de criminalité dirigée contre les personnes âgées, conclut que cette « vague » a été amplifiée sinon construite de toutes pièces par les médias. Selon Fishman, trois facteurs auraient contribué à ce résultat : l'habitude qu'a chaque média de s'appuyer sur l'information des autres pour sélectionner ce qui est digne de diffusion (Fishman, 1978, p. 537) ; la dépendance des médias à l'égard d'une même source, en l'occurrence le service d'information de la police (*ibid.*, p. 538), et le *lobbying* de l'unité spéciale de la police responsable de la prévention et de la répression des crimes commis contre les personnes âgées (*ibid.*, p. 541). En somme, tout média constitue pour ses concurrents une source privilégiée ; cette tendance au mimétisme peut faciliter les opérations d'« intoxication » de la part d'une source habile et bien placée.

Dans cette optique, l'utilisation par la source de spécialistes des relations publiques constitue un atout précieux : c'est ce que soutiennent Manheim et Albritton (1984), à partir de l'analyse comparative de la couverture accordée de 1975 à 1979 par le *New York Times* à sept nations, dont six avaient conclu un contrat avec une firme américaine de relations publiques, alors que la septième avait refusé un tel contrat. Les résultats observés par les deux chercheurs suggèrent qu'il y a eu une nette amélioration de l'image publique des six nations contractantes, ainsi qu'une détérioration de l'image de la septième (Manheim et Albritton, 1984, p. 652-654).

Ainsi, en utilisant les services de spécialistes des relations de presse, une source peut améliorer sensiblement son accès aux médias, et ce, même dans le champ de l'information internationale, où la distance géographique et culturelle risque de susciter de la part des médias un traitement superficiel et stéréotypé (Galtung et Ruge, 1965, p. 84-85).

À partir de leurs données, Manheim et Albritton en viennent à suggérer un réaménagement du schéma de l'*agenda-setting*, où les trois éléments distingués depuis les premiers travaux de Shaw et McCombs — l'ordre du jour des débats publics (*public agenda*), l'ordre du jour des décideurs (*policy agenda*) et l'ordre du jour des médias (*media agenda*) — seraient désormais accompagnés d'un quatrième élément, les relations publiques, comme le montre la figure 1.2.

À notre avis, ce schéma proposé par Manheim et Albritton se révèle nettement insatisfaisant. D'abord, parce que les relations publiques ne sont pas nécessairement extérieures à l'institution-source : comme l'indique l'intro-

FIGURE 1.2
Relations publiques et « établissement de l'ordre du jour » (*agenda-setting*)

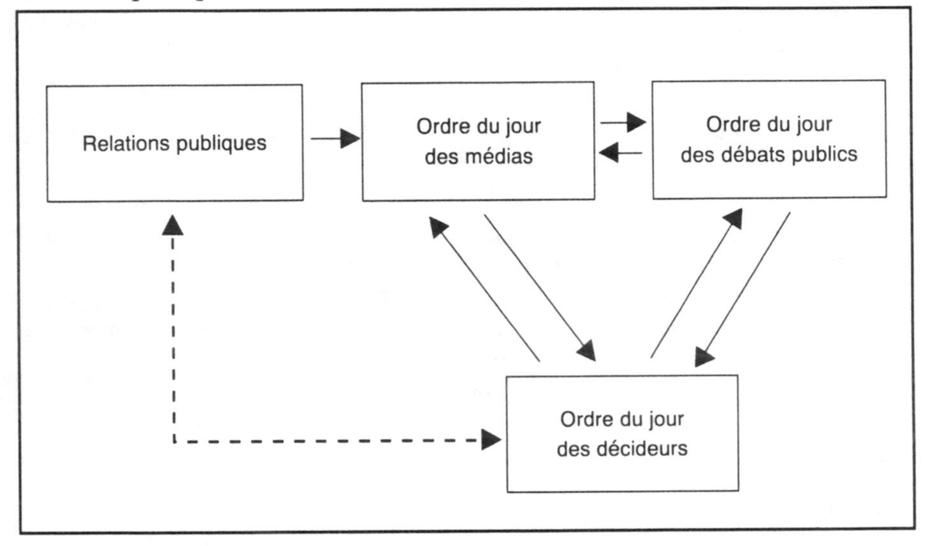

SOURCE : Manheim et Albritton, 1984, p. 642.

duction générale de cet ouvrage, de nombreuses institutions tant privées que publiques possèdent d'importants services de communication. De plus, ce schéma sous-estime les formes d'intervention possibles des communicateurs institutionnels auprès du public : si la figure 1.2 comporte une ligne brisée pour indiquer les relations de *lobbying*, elle pourrait aussi être complétée par d'autres mises en rapport : la **publicité** (commerciale ou sociétale) ainsi que la **communication directe** avec un public cible peuvent parfois constituer pour les relations publiques des moyens plus efficaces que les **relations de presse**.

Or, les données de Manheim et Albritton, tout comme les travaux précédemment cités de Carter, de Gieber et Johnson, ainsi que de Fishman, ne concernent, dans chaque cas, qu'un secteur limité de l'information. Il est donc illusoire d'essayer d'en dégager un modèle général, à moins de pouvoir comparer plusieurs types de journalistes et de médias dans plusieurs secteurs de l'actualité.

C'est ce qu'a fait Jeremy Tunstall au tournant des années 70, lors d'une enquête menée auprès de quelque 200 chroniqueurs spécialisés œuvrant dans 23 médias écrits et électroniques britanniques. Tunstall s'y est particulièrement intéressé aux relations entre le journaliste et son média, ses sources et ses « compétiteurs-collègues », c'est-à-dire les autres journalistes ; il a de plus examiné l'interdépendance de ces trois séries de relations, dans neuf différents secteurs de l'actualité.

Tunstall suggère que les médias poursuivent trois séries d'objectifs : maximiser leur auditoire (*audience-revenue goals*), accroître leurs revenus publicitaires (*advertising-revenue goals*) ou atteindre des fins non monétaires, telles que l'influence, le prestige ou la réputation de l'entreprise (Tunstall, 1972, p. 260). Selon les secteurs, l'une ou l'autre de ces séries d'objectifs prédominera ; ce qui entraînera diverses conséquences en ce qui concerne l'autonomie du journaliste à l'égard de son média, de ses sources ou des autres journalistes.

Selon la situation des médias et des institutions britanniques de 1970, Tunstall répartit les neuf groupes de chroniqueurs interviewés en cinq catégories, en fonction des objectifs poursuivis par leurs médias dans leurs secteurs de l'actualité.

Les correspondants à l'étranger (dans quatre capitales : Washington, New York, Bonn, Rome) œuvrent dans un **secteur à objectifs non monétaires** : entretenir un bureau à l'étranger coûte cher, et l'information n'intéresse souvent qu'une faible fraction de l'auditoire. Un deuxième groupe, celui des chroniqueurs parlementaires (au Parlement de Westminster), représente un **secteur à objectifs mixtes, mais à dominance non monétaire** : les considérations d'auditoire, bien que présentes, y cèdent le pas aux questions de prestige et d'influence. Le troisième groupe, celui des **secteurs à objectifs mixtes, mais à dominance monétaire**, regroupe les chroniqueurs à l'éducation, aux relations de travail et à l'aéronautique : ici, les considérations relatives à l'auditoire sont importantes ; dans le secteur de l'aviation apparaissent même certains objectifs publicitaires. Les quatre derniers groupes de journalistes interrogés par Tunstall et son équipe œuvrent dans des secteurs où les médias poursuivent des objectifs à forte dominance monétaire : le football professionnel et les affaires judiciaires (criminelles) constituent des secteurs où dominent les **considérations relatives à l'auditoire** ; l'automobile et la mode représentent des champs où dominent des **considérations relatives aux revenus publicitaires** (Tunstall, 1972, p. 264-267).

Pour chacun de ces cinq groupes de journalistes, on a mesuré les perceptions des informateurs en ce qui concerne : le **prestige** de chaque groupe de chroniqueurs dans la profession ; leur autonomie professionnelle par rapport au **choix** (*story-choice*) et au **traitement** (*story-use*) de l'information ; leur autonomie (ou leur dépendance) à l'égard de leurs **sources** ; et enfin, le type de relations de **solidarité** (ou de concurrence) avec les collègues des autres médias. Le tableau 1.1 résume de façon schématique les résultats observés par Tunstall.

Comme l'indique le tableau 1.1, le prestige professionnel d'une catégorie de chroniqueurs peut s'expliquer par le degré d'autonomie professionnelle par rapport aux médias, mais surtout par rapport aux sources ; et la solidarité entre collègues de différents médias constitue un moyen de préserver cette

TABLEAU 1.1
Relations des journalistes avec leurs médias, leurs sources et leurs collègues, selon les secteurs de l'actualité et les objectifs visés par leurs médias

Objectifs	Secteurs	Prestige dans la profession	Autonomie professionnelle			Solidarité entre les collègues
			Choix	Traitement	Sources	
Non monétaires (influence, réputation)	Correspondants à l'étranger	+	+/−	−	+	−
Mixtes à dominance non monétaire	Chroniqueurs parlementaires	+	+	+	+	+
Mixtes à dominance monétaire (auditoire, publicité)	Éducation Relations de travail Aviation	+/−	+/−	−	+/−	+/−
Monétaires relatifs à l'auditoire	Affaires judiciaires Football	−	−	+	−	+
Monétaires relatifs à la publicité	Automobile Mode	−	+	+	−	−

SOURCE : Tunstall, 1972, p. 277-278.

autonomie. Dans ce sens, il n'est pas étonnant de constater que, chez les groupes étudiés par Tunstall, l'autonomie et le prestige sont plus grands chez les journalistes des secteurs où les objectifs sont fortement non monétaires (correspondants à l'étranger et surtout chroniqueurs parlementaires). À l'inverse, le prestige et l'autonomie par rapport aux sources sont au plus bas chez les chroniqueurs des secteurs où prévalent les considérations relatives à l'auditoire ou aux revenus publicitaires ; en particulier, dans les deux derniers secteurs (automobile et mode), où la compétition pour la publicité empêche la création de liens de solidarité entre collègues.

Il n'est certes pas évident que les médias nord-américains et en particulier québécois poursuivent, pour les mêmes secteurs, les mêmes objectifs que les médias britanniques étudiés par Tunstall il y a plus de vingt ans ; il n'est pas évident non plus que la situation n'ait pas évolué entre temps en Grande-Bretagne. L'intérêt de cette étude demeure néanmoins, dans la mesure où celle-ci permet de constater que, pour les sources, l'accès aux médias ne s'effectue pas de façon uniforme, mais doit s'adapter aux besoins des médias et aux stratégies professionnelles des journalistes.

Dans ce sens, on peut s'attendre à ce que, dans certaines circonstances, certaines sources aient un accès privilégié à certains médias. C'est ce que permettent d'observer les travaux de Harvey Molotch et de Marylin Lester (1974, 1975, 1981) à propos de « la grande marée noire de Californie », en 1969.

Dans le processus de production de l'information publique, Molotch et Lester (1974) distinguent deux groupes : les « promoteurs d'événements » (*news promoters*), qui se disputent l'accès aux « monteurs de nouvelles » (*news assemblers*) que constituent les journalistes et les autres professionnels et techniciens de l'information. Les promoteurs sont ceux qui, pour une raison ou pour une autre, ont intérêt à ce qu'un événement quelconque devienne un événement public. C'est ainsi que la réalité extérieure qui dépasse les limites de notre propre expérience directe des choses constitue cette réalité publique construite jour après jour par ceux qui ont le pouvoir de promouvoir et de transformer des événements quelconques en événements publics. Parmi les détenteurs de ce pouvoir figurent, bien sûr, les « monteurs de nouvelles », puisque, pour qu'un événement quelconque devienne un événement public, il faut que cet événement ait fait l'objet d'un compte rendu public, c'est-à-dire d'une nouvelle. Et si cet événement fait effectivement l'objet d'une nouvelle, c'est que les « monteurs de nouvelles » y ont trouvé leur intérêt. Le passage de l'événement à la nouvelle implique donc qu'il y ait une sorte de correspondance ou de complémentarité entre les besoins ou les intérêts des promoteurs d'événements et ceux des « monteurs de nouvelles » ; lorsque tel est le cas, il peut s'établir une sorte d'alliance entre les deux parties, la source et le média, qui se concrétise dans la nouvelle (Molotch et Lester, 1974, en particulier p. 104-106).

C'est dans cette perspective que ces deux chercheurs ont analysé la couverture de presse de « la grande marée noire de Santa Barbara ». En 1969, un accident sur une plate-forme de forage pétrolier, située au large de cette localité californienne, crée un désastre écologique ; cet événement déclenche un débat national où s'affrontent deux camps : les citoyens de Santa Barbara, appuyés par leurs administrations municipale et régionale (État de Californie) ainsi que par les mouvements écologistes nationaux, s'opposent aux multinationales du pétrole et à leur alliée, l'administration du président Nixon.

Analysant la couverture de ce débat, réalisée par dix-neuf importants quotidiens nationaux (incluant quatre quotidiens californiens), Molotch et Lester (1975) ont démontré que l'accès global aux médias a favorisé, dans l'ordre, les intervenants suivants : l'administration fédérale, le Congrès, les compagnies pétrolières, les politiciens californiens, les citoyens de Santa Barbara, les groupes écologistes et les politiciens locaux (Molotch et Lester, 1975, p. 244). Par ailleurs, les points de vue des citoyens, des écologistes et des politiciens locaux ne totalisent que 44,7 % de la couverture de presse locale, par rapport aux 55,3 % obtenus par les compagnies pétrolières et l'administration fédérale ; cet accès minoritaire des opposants à la presse locale est néanmoins bien supérieur à ce qui se passe dans les médias nationaux : l'opposition se contente de seulement 9 % de la couverture, face aux 91 % dévolus aux pouvoirs économique et politique (*ibid.*, p. 247). De plus, l'analyse diachronique de la couverture de presse révèle que l'événement local ne devient événement national que pour un court laps de temps, la presse nationale n'accordant que peu de suivi (*follow-up*) au dossier (*ibid.*, p. 255). Nous observerons une situation analogue au chapitre 3 (ALCAN et l'usine Laterrière).

Selon Molotch et Lester, cette inégalité d'accès aux médias ne doit pas être imputée à un effort concerté de la part des entreprises pétrolières et du gouvernement américain, mais plutôt au fait que ces sources puissantes disposent d'un accès régulier au système de production de l'actualité : ce qui confirme le point de vue de Tuchman (1972), selon lequel certains groupes sont jugés par les médias plus « aptes à fournir de la bonne nouvelle » (*newsworthy*). Les résidents de Santa Barbara peuvent même se féliciter d'avoir pu faire de cet événement un débat national, même si leur point de vue est demeuré minoritaire : si une telle catastrophe s'était produite dans une localité moins riche et moins connue des touristes que l'opulente Santa Barbara, il n'est pas certain que l'événement aurait eu autant d'ampleur (*ibid.*, p. 256). Quant aux pouvoirs, ils ont pu limiter les dommages causés à leur image en minimisant l'importance des dégâts écologiques :

> La marée noire n'a certes pas aidé les firmes pétrolières ; de leur point de vue, la meilleure couverture de presse possible aurait été l'absence totale de couverture. Mais la façon dont s'est précisément effectuée cette couverture a vraisemblablement eu pour effet de limiter les dommages dus au fait que l'événement a pris un caractère public ; ce qui a, par le fait même, minimisé l'impact de cet événement sur la foi du public en la légitimité du mode actuel d'exploitation des ressources aux États-Unis. (Molotch et Lester, 1975, p. 257-258.)

En somme, les sources dont la situation ou les actions correspondent aux attentes des médias, en ce qui concerne leurs conceptions de la « bonne » nouvelle, sont bien placées pour faire prévaloir leur point de vue et, partant de là, pour accroître leur pouvoir ou leur influence.

Les sources puissantes ou habiles peuvent même miser consciemment là-dessus, en fournissant aux médias ce qu'Oscar Gandy (1982) appelle des « subsides à l'information » (*information subsidies*) : un acteur A prend à sa charge le coût de production de certaines informations (par exemple, par la préparation de communiqués de presse ou la remise d'informations toutes prêtes, que le média peut utiliser telles quelles) ; disponibles à peu de frais, ces informations sont reprises par les médias et diffusées aux acteurs B ; utilisant ces données pour prendre des décisions, les acteurs B seront ainsi susceptibles d'entreprendre des actions favorables à l'acteur A.

Certes, les journalistes ne sont pas dupes de ces tentatives des sources d'orienter en leur faveur la production de l'actualité. Et la relation journalistes-sources est fréquemment perçue comme une relation conflictuelle : de fait, la vision romantique du reporter-espion ou du journaliste-détective, véhiculée par la fiction télévisuelle, se trouve parfois confirmée de façon spectaculaire dans la réalité ; qu'on songe aux affaires du Watergate ou de « l'Irangate ». Herbert Gans (1979) semble donc opter pour cette vision conflictuelle de la relation médias-sources, en la comparant à une partie de souque-à-la-corde (*tug of war*) :

> La relation journalistes-sources est en somme un jeu de souque-à-la-corde : tandis que les sources essaient de «contrôler » (*manage*) les nouvelles, en se présentant sous leur meilleur aspect, les journalistes tentent concurremment de « contrôler » les sources, de façon à leur soutirer les informations qu'ils désirent. (Gans, 1979, p. 117.)

Mais cette métaphore s'avère ambiguë : si elle suggère l'idée d'un **affrontement**, d'une compétition, elle suggère aussi celle d'un **jeu** où deux équipes s'entendent préalablement sur le respect de certaines règles. La relation entre les médias et les sources n'est donc pas seulement **conflictuelle**, elle est aussi et surtout **contractuelle**. Médias et sources ont besoin les uns des autres ; et si, dans cette relation, les médias se laissent parfois dominer par les sources, c'est qu'ils y trouvent intérêt et satisfaction. Ce que laisse entendre cette autre métaphore utilisée par Gans dans le même ouvrage :

> La relation entre les sources et les journalistes ressemble à une danse, car les sources cherchent à atteindre les journalistes, et les journalistes, les sources. Même s'il faut être deux dans un tango, aussi bien les sources que les journalistes peuvent mener la danse ; mais, le plus souvent, ce sont les sources qui dirigent. (*Ibid.*, p. 116.)

Cette double dimension conflictuelle et contractuelle de la relation médias-sources est toutefois perçue différemment par les deux principaux groupes d'agents de cette relation, soit les journalistes et les praticiens des relations publiques. C'est notamment ce qui ressort de deux articles produits par Ryan et Martinson (1985, 1988) à partir d'enquêtes menées auprès de membres de la Public Relations Society of America.

Dans un premier texte, Ryan et Martinson observent l'importance qu'attribuent les relationnistes à leur fonction d'intermédiaire entre les médias et l'intérêt public d'une part, et la direction de l'organisation qui les emploie d'autre part. Bref, le discours professionnel des relationnistes met l'accent sur la collaboration avec les médias, ainsi qu'avec les divers « publics » internes et externes de l'organisation (Ryan et Martinson, 1985, p. 113).

Par ailleurs, les relationnistes sont conscients de la méfiance, voire de l'hostilité que les journalistes éprouvent à l'égard de leur profession. En effet, dans un second article (1988), Ryan et Martinson notent que la défiance envers les relations publiques est solidement implantée dans la culture journalistique. Selon les deux auteurs, il s'agirait d'une forme extrême de la méfiance systématique que « tout journaliste doit manifester » à l'égard de toute source. Toutefois, les relationnistes interrogés par Ryan et Martinson estiment que cette méfiance excessive des journalistes envers les relations publiques provient d'expériences négatives vécues par beaucoup de journalistes, auprès d'une minorité de relationnistes incompétents ou malhonnêtes, que la profession se devrait de policer (Ryan et Martinson, 1988, p. 139-140).

Comme on l'observera dans les chapitres 2 à 6, ces points de vue divergents des journalistes et des relationnistes sur leurs interactions se retrouvent pratiquement dans chacune de nos séries de données. De plus, des propos semblables à ceux des informateurs de Ryan et Martinson ont été exprimés à l'occasion du congrès de 1988 de la Fédération professionnelle des journalistes du Québec, dont il a été fait mention dans l'introduction générale de cet ouvrage. Cela étant dit, nous exposerons, dans une dernière section de ce chapitre, la méthodologie de cueillette et d'interprétation de nos données.

1.4
DE LA THÉORIE AUX TRAVAUX SUR LE TERRAIN

De cette revue de la littérature en sociologie de l'information, il ressort que les relations entre les médias et leurs sources sont tributaires de deux ordres de facteurs : d'une part, une série de déterminismes internes des médias, que nous avons regroupés sous les deux thèmes de la standardisation de la production (section 1.2.1) et de la rhétorique de l'objectivité (section 1.2.2), d'autre part, les facteurs relatifs aux sources elles-mêmes, en tant que promotrices d'événements et dispensatrices de subsides à l'information (section 1.3). De plus, la littérature suggère comme hypothèse globale que l'effet cumulatif de ces deux séries de facteurs consiste en une inégalité d'accès aux médias, qui favorise les divers pouvoirs.

De prime abord, ce point de vue rappelle la proposition de départ de notre recherche, selon laquelle « les journalistes québécois seraient de plus en plus tributaires des messages fournis par leurs sources, et n'y apporteraient que des modifications mineures ». Comme Florian Sauvageau l'a indiqué dans l'introduction générale de cet ouvrage, cette hypothèse générale de même que les hypothèses plus spécifiques qui en découlaient provenaient à la fois de notre examen des recherches sur l'évolution des médias au Québec, de certains travaux antérieurs des membres de notre équipe (Langlois et Sauvageau, 1982) ainsi que d'études exploratoires entreprises à la phase d'élaboration de notre recherche (Quenneville, 1984a, 1984b ; Rhéaume, 1984, 1985).

Mais notre examen plus approfondi des travaux effectués en sociologie de l'information révèle, par ailleurs, une réalité plus complexe que celle suggérée par notre perspective de départ : une source puissante n'est pas assurée d'un accès facile et automatique aux médias, pas plus qu'il n'est impossible à une source marginale d'avoir accès à l'ordre du jour des débats publics. Le modèle des relations médias-sources devrait être envisagé comme un système complexe devant tenir compte des **niveaux** et des **secteurs** d'interaction.

Les niveaux d'interaction sont ceux distingués par Hirsch (1977 ; voir section 1. 2) : niveau interpersonnel des rapports entre les journalistes et leurs informateurs ; niveau organisationnel des relations entre les journalistes ou les communicateurs et leurs organisations (médias ou groupes sociaux promoteurs d'événements) ; niveau sociétal des rapports entre les médias et les promoteurs d'événements, compte tenu du contexte économique, politique et culturel de l'ensemble social envisagé. Ce découpage « vertical » entre les niveaux doit par ailleurs être complété « à l'horizontale » par la distinction entre les secteurs, qui fait référence à diverses catégorisations examinées dans la section 1.3 : types de sources (Carter, 1958 ; Gieber et Johnson, 1961 ; Fishman, 1978...), types de médias (Molotch et Lester, 1975), types de journalistes et de domaines de l'actualité (Tunstall, 1972).

Nous ne disposions pas des moyens considérables qu'aurait exigés l'examen systématique de chacune des nombreuses situations impliquées par le croisement des niveaux d'interaction et des secteurs de l'actualité. Aussi avons-nous opté pour une approche exploratoire s'appuyant sur quatre études de cas ainsi que sur une série d'entrevues de groupe (*focus groups*), l'objectif étant de déboucher sur une esquisse de modèle des relations entre médias et sources qui tienne compte de la relation plus spécifique entre le journaliste et le communicateur de l'organisation-source. Les paragraphes qui suivent préciseront les orientations méthodologiques poursuivies dans chacune de ces deux démarches de recherche.

1.4.1 Le cadre conceptuel des quatre études de cas

Certaines des études préliminaires dont il est question dans l'introduction générale de cet ouvrage — celles de Quenneville (1984a, 1984b) et de Rhéaume (1984, 1985) — nous ont permis d'élaborer une méthodologie d'étude de cas combinant les **analyses de contenu** thématique des messages de presse et des documents produits par les sources (plans de communication, pochettes de presse, communiqués...), et les **entrevues** semi-directives de journalistes et de communicateurs engagés dans un dossier.

À partir de l'esquisse de modèle suggérée par la littérature, il a été possible de déceler les facteurs explicatifs susceptibles de s'avérer les plus productifs. Nous avons donc établi que la sélection et l'analyse des cas devraient s'effectuer en tenant compte des dimensions organisationnelles et institutionnelles suivantes :

- **l'importance stratégique du dossier** pour le média ou la source : dans le cas du média, cela concerne notamment l'importance attribuée au secteur de l'actualité concerné ; dans le cas de la source, l'importance stratégique du dossier dépend en grande partie de l'importance qu'attribue l'organisation-source à la fonction de communication publique comme outil de gestion ;
- les contraintes, ainsi que les moyens financiers et techniques liés au **type d'organisation** : dans le cas des médias, on distinguera, par exemple, presse écrite ou électronique, presse régionale ou nationale ; dans le cas des sources, on tiendra compte, notamment, de la taille de l'organisation, du secteur (entreprise privée, service public, mouvement social ou culturel...) et de sa notoriété (ou marginalité) ;
- **l'ampleur du dossier** (dossier national ou régional ; de courte ou de longue durée ; intervenants peu nombreux ou multiples...) ;
- **l'aspect conflictuel ou consensuel** du dossier, ainsi que le pouvoir ou le prestige social de la source promotrice de l'événement, de même que celui des sources alliées et antagonistes.

Cette liste d'éléments d'interprétation s'inspire aussi de nos hypothèses de départ de 1983-1984, que Florian Sauvageau a exposées dans l'introduction générale de cet ouvrage. La manipulation de ce réseau d'hypothèses nous a semblé, par la suite, trop complexe pour l'envergure réelle de la recherche ; de plus, certains de ces énoncés, peu validés par les résultats d'autres recherches, risquaient d'être considérés comme purement spéculatifs. Néanmoins, l'exercice nous a permis de déterminer quelques grandes variables à privilégier dans la sélection des quatre études de cas de 1984-1985.

Le premier de ces cas, la campagne électorale du Parti progressiste-conservateur du Canada lors de l'**élection fédérale de 1984**, qui fait l'objet du chapitre 2, avait été planifié à l'avance : profitant de l'accession de Brian Mulroney à la tête de leur parti, les stratèges conservateurs avaient en effet élaboré dès 1983 une vigoureuse campagne de mise en marché de l'image publique de leur nouveau chef ; il n'était pas nécessaire d'être devin pour prévoir que cette campagne d'image atteindrait son point culminant en 1984 ou en 1985, au moment où aurait lieu la prochaine élection. Compte tenu de l'importance des événements politiques dans les médias, compte tenu également du caractère prioritaire de l'information télévisuelle dans la politique nord-américaine, nous avons sélectionné ce cas en mettant l'accent sur l'analyse de la couverture télévisuelle. À cet effet, nous avions sollicité à l'avance la collaboration du Parti conservateur et des médias concernés. De plus, nous avions profité du congrès au leadership du Parti libéral du Québec, à l'automne 1983, pour expérimenter diverses méthodes d'analyse de contenu de l'information télévisée. Enfin, le responsable de l'étude, Michel Cormier, a effectué un examen de la littérature portant sur les thèmes de la communication politique et de sa diffusion télévisuelle, dont il rend compte dans le chapitre 2.

Un second cas, le dossier des fêtes de la voile de l'été 1984 à Québec, familièrement appelé Québec 84, dont traite le chapitre 5, constituait aussi un cas dont l'étude était prévue bien avant que se produise l'événement : il ne faisait aucun doute, en effet, que cet événement constituerait pour la région de Québec l'un des faits marquants de l'année 1984. Les caractéristiques structurelles du cas nous apparaissaient particulièrement intéressantes dans la perspective des relations médias-sources : s'étendant sur une durée de plusieurs semaines — plusieurs mois, en tenant compte de la phase préparatoire —, touchant à la fois les domaines de la politique au sens large, du sport (nautisme) et des arts et spectacles, appelant la participation non seulement des trois paliers de gouvernement, mais aussi de quelques grandes entreprises privées et d'une foule d'intervenants secondaires, l'événement mobilisait une importante équipe de spécialistes de la communication (relations publiques, marketing, publicité).

Avec Québec 84 et la campagne électorale des conservateurs, nous disposions de deux dossiers majeurs : l'un, d'envergure régionale, socio-culturelle et consensuelle, l'autre, national, politique et conflictuel. C'est, par conséquent, dans une perspective de complémentarité qu'ont été sélectionnés les deux autres cas, soit l'**annonce de la construction d'une nouvelle usine d'aluminium d'ALCAN** à Laterrière, au Saguenay (chapitre 3), ainsi que les manifestations de contestation des politiques sociales de l'État québécois à l'égard des jeunes par le **RAJ** ou **Regroupement autonome des jeunes** (chapitre 4).

Ces deux événements du printemps de 1984 représentent deux dossiers d'envergure plus modeste que Québec 84 et l'élection fédérale. S'ils s'en distinguent aussi par le domaine de l'actualité, ils possèdent par ailleurs des points communs avec les deux premiers. Le cas ALCAN concerne un important projet d'investissement industriel, mis de l'avant par une grande entreprise privée possédant un puissant service de communication, dans une région autre que celles de Montréal ou de Québec. Par contre, le cas RAJ analyse une action de contestation menée par un groupe marginal, peu structuré et disposant de moyens de communication fort modestes, mise en œuvre par des communicateurs non professionnels.

Bien que ces deux dossiers n'aient été choisis qu'au moment même de leur apparition dans l'actualité, il a été possible très rapidement d'y obtenir le même genre de collaboration que celui obtenu préalablement des médias et des sources associés aux deux cas planifiés à l'avance.

En somme, nos quatre études de cas, qui concernent respectivement les domaines culturel, politique, économique et social de l'actualité, peuvent être regroupées par paires, selon les variables contextuelles que constituent l'ampleur du dossier (dossier national ou régional, nombre d'intervenants...) ainsi que le caractère conflictuel ou consensuel de celui-ci ; c'est ce qu'indique le tableau 1.2.

TABLEAU 1.2
Typologie des quatre cas sélectionnés

	Tendance	
	consensuelle	conflictuelle
Ampleur		
considérable	Québec 84 (domaine culturel)	Élection fédérale de 1984 (domaine politique)
modeste	ALCAN (domaine économique)	RAJ (domaine social)

Par ailleurs, au moment même où nous entreprenions ces études de cas en 1984-1985, il nous apparaissait nécessaire de les compléter par une autre démarche méthodologique. En effet, l'étude de cas relève d'une démarche prioritairement inductive : aucune étude de cas prise isolément ne permet d'examiner l'effet de toutes les variables que suppose un modèle théorique. De plus, les particularités de chaque cas (par exemple, en ce qui nous concerne : l'objet central du dossier, les sources concernées, le type de média privilégié) commandent des adaptations méthodologiques qui empêchent une analyse inter-cas par simple addition des données provenant des divers dossiers étudiés. Enfin, il est rarement possible de pousser jusqu'au bout la démarche inductive en multipliant les études de cas.

C'est par conséquent dans le but de situer les résultats des études de cas dans une perspective plus générale qu'a été entreprise la phase finale de la recherche. Il s'agit de reconstituer le tableau général des relations entre médias et sources au Québec, à partir du point de vue des deux groupes directement concernés : les journalistes et les communicateurs institutionnels.

1.4.2 Les perceptions des acteurs en entrevues de groupe

La dernière phase de notre recherche, qui fait l'objet du chapitre 6, a consisté à reconstruire les représentations que journalistes et communicateurs institutionnels se font de trois séries de thèmes :

- les phénomènes marquants de l'évolution des médias québécois depuis le début des années 70 ;

– les effets de ces phénomènes sur les pratiques journalistiques ;
– les conséquences de cette évolution sur les rapports entre les médias et leurs sources d'information.

Cette reconstitution du discours des praticiens de la communication publique sur leur univers professionnel s'est effectuée à partir d'une série d'entrevues de groupe réunissant soit des journalistes, soit des communicateurs (relationnistes, attachés de presse). Près d'une quarantaine d'informateurs au total, soit une vingtaine de chaque profession, ont participé à six entrevues de groupe, réalisées en février et en mars 1986.

Le choix de la méthodologie de l'entrevue de groupe a été fondé sur l'idée que la dynamique interne du groupe de discussion est susceptible de générer, sur un thème spécifique, plus d'information qu'une série d'entrevues individuelles réalisées auprès du même nombre global d'informateurs. Mais surtout, cette méthode de recherche permet, croyons-nous, de saisir la « conscience collective » d'un groupe d'acteurs, c'est-à-dire le consensus idéologique sur lequel se fondent des stratégies d'action collective.

Il est évident que ces entrevues de groupe, tout en situant l'analyse à un niveau plus général que celui des études de cas, ne nous donnent pas pour autant une description globale du phénomène des relations médias-sources. La méthode nous fournit des représentations subjectives ou plutôt intersubjectives qui, comme nous le verrons au chapitre 6, sont parfois en nette contradiction avec des données factuelles aisément vérifiables. Cela n'a rien d'étonnant. En effet, ce n'est pas en fonction de déterminismes « objectifs » que les acteurs sociaux définissent leur stratégie d'action, mais bel et bien à partir de leur propre vision des choses, habituellement empreinte de contradictions, voire de préjugés. Comme le font observer Crozier et Friedberg (1977, p. 391-413), les perceptions subjectives des acteurs constituent sans doute des visions partielles et partiales de la réalité sociale. Néanmoins, ces points de vue parcellaires font partie du réel qu'ils contribuent à produire, puisque c'est à partir d'eux que se construit l'action sociale.

En nous donnant le point de vue des acteurs (journalistes et communicateurs), les entrevues de groupe nous permettent, au chapitre 6, d'une part de mettre en perspective les observations des études de cas, et d'autre part d'élaborer un modèle de la relation médias-sources basé sur l'idée de la **négociation**. Par la suite, en conclusion, nous suggérerons quelques implications de ce modèle pour l'analyse du thème de l'influence sociale ou du pouvoir des médias d'information.

CHAPITRE

2

POLITIQUE ET TÉLÉVISION : LE CAS DU PARTI CONSERVATEUR LORS DE L'ÉLECTION FÉDÉRALE DE 1984

Michel Cormier

INTRODUCTION
Politique et télévision

L'étroite relation qui s'est établie entre la politique et la télévision constitue l'un des phénomènes marquants dans l'évolution de la communication publique depuis près de quarante ans (Nickelson, 1989). Aujourd'hui, la télévision influence non seulement l'ordre du jour des activités politiques, mais également la forme, la nature et la substance mêmes du discours politique (Altheide et Snow, 1979 ; Postman, 1986). Sur le plan de la stratégie, les événements politiques sont conçus de façon à présenter une image favorable des acteurs dans les bulletins de nouvelles à la télévision.

La gestion de ce qu'on peut appeler l'environnement télévisuel n'est toutefois qu'une des composantes de la communication politique à la télévision. Car, si elle a amené les stratèges des partis à consolider le message politique à l'aide d'appuis visuels, la télévision a également provoqué une adaptation du message à ses exigences techniques. Le discours politique, qu'il prenne la forme d'un exposé minutieusement préparé ou d'une déclaration impromptue, doit contenir ces petites phrases-clés qu'on entendra aux bulletins de nouvelles et qui, en vingt secondes, résument un problème complexe dans une image forte, le politicien y exprimant, sans équivoque (?), une position « ferme ».

La « logique médiatique » a entraîné une autre transformation, plus subtile et plus profonde, dans le processus de la communication politique. Il n'est pas suffisant pour le leader politique de tenir un discours crédible et de faire la preuve de sa compétence à gérer les affaires de l'État ; il doit, de plus en plus, par sa carrière, son « style », sa personnalité, son « aura », personnifier le projet politique qu'il propose (Mauser, 1983). Il doit incarner une vision de société. Si cette exigence nouvelle s'applique de plus en plus au contexte quotidien de l'activité politique, elle atteint son paroxysme lors des campagnes électorales.

Les organisations politiques mettent à profit les méthodes d'analyse et l'arsenal technique élaborés par les sciences sociales pour déterminer le projet de société auquel aspirent les électeurs et à partir duquel sera défini le « candidat-concept » qui symbolise et incarne le mieux ce projet. Grâce à des programmes informatiques de plus en plus sophistiqués, les données des nombreux sondages réalisés avant et pendant la campagne sont analysées et combinées à des analyses de tendances socio-culturelles, aux avis d'experts et aux évaluations recueillies auprès de groupes d'électeurs (*focus-groups*). De ces analyses émergent les idées maîtresses de la campagne et l'image du candidat le plus apte à véhiculer ces idées et à susciter l'adhésion du plus grand nombre d'électeurs. Ces idées et ces images sont constamment mises à jour tout au long de la campagne et modulées en fonction des humeurs des clientèles spécifiques auxquelles s'adresse le candidat.

Par les techniques et les stratégies de communication, et en mettant à profit leur connaissance du fonctionnement des médias, les stratèges tentent de vendre à l'électorat cette image mythique du leader politique.

Sur le plan de la communication télévisuelle, les organisations électorales visent principalement un objectif : exploiter au maximum ce que David Altheide (1985, p. 97) appelle le « format » des nouvelles télévisées. En télévision, l'intérêt d'une information est déterminé en grande partie par l'image. La télévision est le média de l'image ; elle n'est réellement efficace qu'avec les images. Les notions abstraites ne « passent l'écran » que si elles sont appuyées par un référent visuel qui leur donne une dimension proprement télévisuelle et qui attire l'œil de la caméra et, ultimement, celui des téléspectateurs.

Les organisations politiques ont compris deux choses fondamentales au sujet de l'information télévisée. Premièrement, que les journalistes sont moins intéressés par les questions de fond de la campagne que par la course électorale elle-même. Deuxièmement, que la télévision n'est pas un média approprié pour traiter des questions abstraites de politique et qu'elle est beaucoup plus efficace pour la transmission d'informations affectives que cognitives (Patterson, 1980, p. 169).

Dans cette perspective, le message politique traditionnel, fondé sur un programme électoral, passe au second plan par rapport à l'ensemble du message politique télévisuel émis par le chef de parti. Si les questions de fond ont toujours une importance, c'est surtout comme points d'ancrage pour quelques slogans généraux habituellement axés sur des notions de changement ou de leadership.

Dans ces conditions, le politicien, devenu « acteur », doit maîtriser les attributs de la télévision : il doit être télégénique, inspirer la confiance, projeter une image de chaleur et d'intrégrité morale, bref faire bonne impression auprès des téléspectateurs. Il doit aussi savoir se soumettre aux exigences techniques du média : il doit maîtriser sa performance sans en avoir l'air, doser son propos avec précision et fournir les indispensables extraits de vingt secondes qui meubleront les « topos » des journalistes.

Ce mariage de la télévision et de la politique, de même que l'évolution des stratégies de communication politique qu'il suscite, fait des campagnes électorales modernes des exercices de communication complexes, sophistiqués et fascinants. Le message électoral ne consiste plus en l'énumération des éléments d'un programme politique, ni en quelques thèmes élaborés intuitivement par les stratèges des partis politiques ; les spécialistes des sciences du comportement et du marketing politique ont fait du discours électoral une matière multiforme et malléable, qui, tout au long de la campagne, évolue au gré des humeurs de l'électorat telles qu'elles apparaissent à travers des sondages d'opinion de plus en plus fréquents et élaborés.

La diversité et la sophistication croissantes des stratégies et des moyens déployés par les organisations politiques lors des campagnes électorales posent un défi de taille aux journalistes qui font la couverture de ces campagnes. Les médias d'information, et particulièrement les réseaux de télévision, sont aux prises avec des organisations politiques qui tentent de contrôler totalement le message politique ainsi que le contexte événementiel et médiatique dans lequel il s'inscrit.

L'importance de l'élection comme rouage essentiel de la démocratie et l'intérêt que suscite un tel événement dans le public engagent à toutes fins utiles les médias dans une couverture quotidienne de la campagne électorale où la présence des chefs des partis est prépondérante. L'élection devient un feuilleton télévisé aux rebondissements quotidiens. Les médias accordent ainsi aux organisations politiques, en tant que sources d'information, un statut privilégié par rapport à d'autres sources qui, elles, doivent consacrer une part considérable de leurs ressources à convaincre les médias d'inscrire leur message à l'ordre du jour des débats publics. La stratégie des partis consiste plutôt à influencer la production journalistique, dans une situation d'accès garanti aux ondes et aux pages des médias nationaux. De plus, le souci de faire fructifier l'investissement technique et financier que la couverture des activités des chefs des partis impose aux réseaux de télévision contribue à garantir aux organisations politiques une place quotidienne dans les bulletins de nouvelles, peu importe la valeur de l'information qu'elles produisent.

C'est ainsi que les journalistes se sentent menacés par une éventualité détestable : celle de devenir une « courroie de transmission » à la merci d'un formidable appareil de manipulation. C'est pourquoi, dans le jeu reconnu des campagnes électorales, les médias cherchent à se dégager de l'emprise des organisations les plus puissantes et à influencer l'ordre du jour de la campagne en abordant des thèmes que les politiciens préfèrent éviter ou en profitant des faux pas de ces derniers pour faire dérailler la statégie des partis.

Pour se soustraire à l'influence des partis politiques et s'assurer d'une relative autonomie dans le jeu électoral, les médias ont tendance à accroître les ressources consacrées à la couverture des campagnes électorales et à mettre au point des plans de couverture plus élaborés qui accordent une large place à l'analyse. Des équipes de recherchistes secondent les reporters affectés à la couverture quotidienne des activités des chefs des partis, et certains journalistes plus expérimentés sont affectés à l'analyse des enjeux de la campagne.

Toutefois, les pratiques et les rituels journalistiques ne changent pas radicalement de nature du seul fait qu'ils s'appliquent à une campagne électorale. Le journalisme politique se caractérise par une tendance à dramatiser les événements, à personnaliser les conflits, à centrer l'attention sur les leaders et sur les rivalités de la vie politique. L'exercice électoral n'échappe pas à ces travers journalistiques. Bref, au cours des campagnes électorales, les journalistes semblent davantage intéressés par la personnalité et le « style » des candidats que par leurs politiques, davantage par la course électorale que par les idées et les débats.

Cela nous amène à une question fondamentale : les stratégies de couverture élaborées par les réseaux de télévision et les ressources que ces réseaux consacrent à cette couverture sont-elles en mesure de mettre en échec les stratégies de communication des partis ? Notre lecture de l'évolution de la communication politique lors des campagnes électorales nous suggère une hypothèse. Dans un souci de se dégager de l'influence des organisations politiques et de leurs experts en communication, les réseaux de télévision, en consacrant davantage de ressources à la couverture de la campagne, vont avoir tendance à produire une couverture plus analytique de la campagne. Les réseaux vont privilégier le déroulement de la compétition elle-même plutôt que le contenu politique des débats et vont s'attarder aux péripéties électorales plutôt qu'aux programmes des partis. De leur côté, les organisations politiques vont axer leurs efforts de communication sur l'image télévisuelle du chef plutôt que sur les questions de fond, sur le contenant plutôt que sur le contenu.

En somme, l'hypothèse consiste à dire que les stratégies des partis et les contre-stratégies des médias ne se rejoignent que très partiellement, comme si les deux n'occupaient pas le même champ de bataille. Les journalistes discourent d'abondance en analysant une course à la manière et avec l'expertise des commentateurs sportifs, alors que les partis politiques parlent directement à l'électeur, et avec un autre langage, celui des images télévisuelles. Les statégies ne semblent se rejoindre que sur un seul point : à la limite, plus personne ne s'intéresse vraiment aux programmes des partis et aux débats de fond.

C'est cette hypothèse que nous avons soumise à une étude de cas, celui de la campagne du Parti conservateur lors de l'élection fédérale canadienne de 1984. Cette campagne, qui a mené au pouvoir les conservateurs de Brian Mulroney avec une majorité d'une ampleur jamais vue au pays, constituait, à l'époque, l'exemple le plus achevé de la campagne électorale moderne en politique canadienne (Davey, 1986 ; Graham, 1986 ; Sawatsky, 1987). L'objet de l'étude est de voir dans quelle mesure le message du Parti conservateur a été retransmis par trois réseaux de télévision (Radio-Canada, CBC et TVA) dans leurs bulletins de nouvelles quotidiens, et dans quelle mesure la couverture électorale correspondait aux objectifs de communication du parti.

Enfin, cette analyse devrait nous permettre, en conclusion, de commenter quelques-unes des hypothèses formulées en introduction de cet ouvrage à propos de la conformité du message de presse aux objectifs de communication de la source.

Nous avons procédé à une analyse du contenu du texte et de l'image des reportages sur la campagne. La grille d'analyse utilisée pour les textes des reportages nous a permis de voir dans quelle mesure les trois réseaux ont traité des thèmes « substantiels » de la campagne et de définir la quantité et le type d'analyse employés. L'analyse de l'image nous a également permis d'évaluer dans quelle mesure les images présentées lors des reportages étaient favorables ou non au Parti conservateur et particulièrement à son chef, Brian Mulroney[1].

Avant de présenter les résultats de cette analyse, il importe, dans un premier temps, de se remettre en mémoire le contexte de la campagne de 1984 et de rappeler certains paramètres dont devaient tenir compte les stratèges conservateurs. Il sera également nécessaire, par la suite, de faire une brève description des plans de couverture élaborés par les trois réseaux de télévision lors de cette campagne.

---

1. En plus de l'analyse de contenu, nous avons procédé à une douzaine d'entrevues auprès de stratèges du Parti conservateur et auprès de journalistes, de secrétaires de rédaction, de réalisateurs, de caméramans et de preneurs de son qui ont couvert la campagne des conservateurs.

2.1 LA CAMPAGNE CONSERVATRICE DE 1984

À la veille du déclenchement de l'élection, en juin 1984, les stratèges conservateurs étaient bien conscients que, de John Turner et Brian Mulroney, le vainqueur serait celui qui réussirait à convaincre les électeurs qu'il constituait un véritable agent de changement. Les données recueillies par le sondeur du parti, Allan Gregg, révélaient un changement majeur dans l'attitude des Canadiens. Un nombre croissant d'électeurs avaient perdu foi dans les moyens traditionnels utilisés par le gouvernement fédéral pour régler les problèmes du pays ; un changement de style, d'approche paraissait nécessaire pour mieux faire fonctionner le gouvernement et l'économie (Gregg, 1985).

Toutefois, selon Gregg, les Canadiens ne remettaient pas en cause les grands objectifs et les programmes sociaux déjà mis en place ; le changement qu'ils souhaitaient concernait davantage le processus même de l'action politique et gouvernementale que sa substance. Ils étaient las des affrontements entre le gouvernement fédéral et les provinces qui avaient caractérisé le règne de Pierre Trudeau. De plus, devant l'échec des modes d'intervention du gouvernement dans l'économie, ils étaient prêts à considérer de nouvelles approches pour la création d'emplois.

Le problème, pour les conservateurs, c'était que les électeurs semblaient prêts à accorder une seconde chance au Parti libéral et à son nouveau chef, John Turner. Celui-ci représentait ce qu'Allan Gregg appelait le « réceptacle du changement », de la réforme souhaitée par les électeurs. C'est ce qui explique qu'au déclenchement de l'élection les libéraux détenaient une avance de onze points sur les conservateurs dans les sondages. Pour les conservateurs, l'élection n'était certes pas gagnée d'avance.

Sur la foi de ces données, les conservateurs élaborèrent une stratégie en trois volets. Il s'agissait de démontrer que le chef libéral n'entreprendrait pas les réformes souhaitées, de concevoir un programme démontrant la volonté de changement des conservateurs, et, enfin, de montrer que Brian Mulroney était sincère lorsqu'il parlait de changement, qu'il était l'incarnation du renouveau.

Le message conservateur visait à permettre au Parti conservateur de se démarquer du gouvernement sortant et de s'imposer dans l'esprit de l'électorat comme la seule solution de remplacement à un régime libéral usé et corrompu. Tel que le commandaient les sondages, le changement proposé par les conservateurs était surtout un changement d'attitude. À ce qu'ils appelaient l'esprit de confrontation des libéraux les conservateurs promettaient de substituer un climat de concertation qui aurait des effets positifs sur le plan des relations internationales, des relations fédérales-provinciales, de la création d'emplois et du climat social. Le programme, le message du parti et tout ce qui en découlait étaient résumés en deux slogans principaux très « comestibles » pour l'auditoire de la télévision : le renouveau économique et la réconciliation nationale. En cela, la campagne conservatrice s'appuyait sur un des mythes classiques, mais combien efficaces, de la politique, celui de la reconstruction d'une communauté idéale laissée en ruine par l'insouciance du régime politique précédent (Nimmo et Combs, 1983, p. 50).

L'extrême simplicité du message conservateur ne doit pas faire oublier le fait que la stratégie du parti était le produit des techniques les plus modernes du marketing politique. La firme Decima Research du sondeur Allan Gregg a bénéficié pendant plusieurs années de l'expertise technique de Richard Wirthlin, conseiller du président américain Ronald Reagan et l'un des analystes de l'opinion publique les plus réputés aux États-Unis (Sawatsky, 1987). Wirthlin, l'architecte de ce qu'on a appelé « la révolution Reagan », a apporté une contribution fondamentale au marketing politique. À l'aide d'un programme informatisé d'analyse de l'opinion publique et de sondages quotidiens auprès d'un échantillon important d'électeurs, il a introduit dans les campagnes électorales modernes le concept d'une stratégie et d'un message adaptables à l'état quotidien de l'opinion publique (Perry, 1984). La réaction des électeurs à un discours de Reagan pouvait être mesurée immédiatement ; le discours pouvait être constamment ajusté aux moindres variations d'humeur de l'électorat. Cette technique extrêmement sophistiquée de « rétroinformation » permettait d'élaborer un discours à géométrie variable, adapté précisément à ce que l'électorat voulait entendre à tel moment de la campagne. Les conservateurs de Brian Mulroney n'auront fait qu'appliquer ces méthodes au Canada lors de la campagne de 1984. Les sondages quotidiens et l'analyse raffinée qu'en faisait Gregg à partir de ses grilles d'« analyse sociétale », ainsi que l'apport logistique de la machine politique des conservateurs de l'Ontario, la *Big Blue Machine*, permettront au Parti conservateur de mettre en œuvre une stratégie de communication souple et efficace.

La clé de la stratégie du Parti conservateur demeurait toutefois Brian Mulroney lui-même. La télévision a fait davantage qu'accroître l'importance déjà considérable des chefs des partis dans les campagnes électorales ; elle leur impose la personnification du message politique. De la même façon que l'*outsider* Jimmy Carter aura personnifié le désir américain de rétablir l'intégrité de la présidence après le scandale du Watergate, Brian Mulroney sera l'incarnation même du changement lors de la campagne de 1984. La ténacité d'un fils d'électricien, son expérience dans les relations de travail, son passage à la présidence d'une société minière faisaient de lui la preuve vivante que l'harmonisation des relations fédérales-provinciales, qu'une saine gestion de l'appareil gouvernemental et qu'une relance de l'économie étaient possibles.

Cette définition d'un « candidat-concept » ainsi que son « positionnement » stratégique sur la base de sondages d'opinion ne sont toutefois possibles que si le profil du politicien et ses positions antérieures correspondent déjà aux caractéristiques du candidat idéal dans une situation donnée (Mauser, 1983, chap. 5). On ne peut façonner le style, les idées et l'image du candidat à l'infini sans compromettre sa crédibilité. Aussi efficaces soient-elles, les techniques de marketing politique ne font pas de miracles.

De même, l'avènement de la télévision n'a pas changé le processus fondamental de la persuasion. Sur ce plan, Aristote, qui, dans sa *Rhétorique*, a énoncé les principes de la persuasion politique, demeure un auteur « moderne » (Soderlund *et al.*, 1984, p. 17). Par le maniement de symboles et de mythes, le politicien construit une « vision rhétorique » du monde, de ses problèmes et de leurs solutions, qu'il tente de faire partager aux électeurs par un langage faisant appel à la fois à la raison et au sentiment (Denton et Woodward, 1985, p. 22-49). Depuis qu'elle est devenue, dans les années 60, le média privilégié des campagnes électorales, la télévision, jointe au marketing politique et aux sondages d'opinion, a plutôt amené un raffinement dans la conception du message politique et dans sa stratégie de diffusion. Ces techniques ont introduit la science dans l'art de la politique. Il s'agit de véhiculer une vision de la société axée sur trois ou quatre notions générales transmises, à la télévision, par un candidat capable de susciter la sympathie des électeurs, de nouer avec eux un lien affectif, tout cela, dans un spectacle politique ambulant haut en couleur, dont l'auditoire principal est celui des informations télévisées.

Pour assurer la transmission la plus fidèle possible de son message électoral, l'organisation conservatrice s'appuiera sur deux principes fondamentaux des campagnes électorales modernes : le contrôle de l'environnement de la campagne et le maintien de l'unité du discours par un accès limité des journalistes à Brian Mulroney. La stratégie des conservateurs était de créer quotidiennement des événements politiques spectaculaires dont le centre d'intérêt était Brian Mulroney lui-même, et d'en faciliter la couverture par une série d'appuis techniques aux médias d'information : disponibilité de taxis pour l'acheminement des reportages, aires et plates-formes réservées aux caméras de télévision, horaires détaillés des événements et copies de discours dont les passages importants étaient mis en évidence.

La plupart des déplacements du chef conservateur se déroulaient selon un scénario et dans un décor conçus davantage pour les caméras de télévision qu'à l'intention des foules locales, peu habituées à un tel déploiement. Par exemple, lorsque l'avion transportant le candidat, son équipe et les journalistes se posait dans un aéroport, les stratèges du parti faisaient attendre les journalistes à bord de l'avion, le temps que les employés du parti montent le décor portatif et que l'orchestre anime la foule. On permettait ensuite aux caméras de s'installer, puis Brian Mulroney descendait de l'avion aux acclamations de la foule et au rythme de la fanfare.

Une telle mise en scène avait une triple fonction. Elle permettait d'abord au parti de déterminer, dans une large mesure, l'image qui serait retransmise aux millions de téléspectateurs. Les organisations politiques présument, en effet, que les journalistes, réalisateurs et caméramans préfèrent ce genre d'événement bien structuré, spectaculaire, qui offre de bonnes images pour la télévision et qui est techniquement facile à couvrir. Comme le fait remarquer ce caméraman qui a couvert la campagne des conservateurs, cette présomption est la plupart du temps fondée :

> Eux autres, de leur côté, sont intéressés à ce que tu donnes la meilleure image possible. Donc, l'événement en soi va être très bien structuré. De cette façon, pour nous, ça simplifie notre travail, parce qu'on sait que, quand on va arriver, la musique commence. On n'a pas besoin de chercher ; tout est là pour la caméra, tout est là pour le son. Puis nous autres, on aime ça, parce que c'est structuré. On travaille mieux comme ça ; on sait quand le scénario va commencer.

C'est cet intérêt commun pour les « bonnes images » télévisuelles qui offre aux stratèges politiques la possibilité d'exercer une influence significative sur la couverture visuelle des événements de la campagne.

En second lieu, un tel déploiement sonore et visuel tend à donner l'impression que le parti a le vent dans les voiles. Un membre du comité de campagne précisait que cela était particulièrement important au Québec. En donnant l'impression que cette province, traditionnellement acquise aux libéraux, accueillait Brian Mulroney avec enthousiasme, on signifiait au reste du pays l'urgence de se rallier à la victoire imminente. Selon un des principes fondamentaux du marketing politique, il doit y avoir une parfaite adéquation entre le discours politique et l'image télévisée. Les déclarations de Mulroney sur l'avance de son parti auraient manqué de crédibilité si elles n'avaient pas été accompagnées d'images de partisans euphoriques qui symbolisaient la victoire. Le directeur des communications du parti, Bill Fox, évaluait de façon non équivoque la performance de la machine électorale : il enlevait le son des bulletins de nouvelles télévisées pour voir si l'image donnait l'impression voulue.

Enfin, le contrôle de l'environnement de la campagne protégeait le parti contre les imprévus. Une foule hostile, la moindre gaffe, même un café renversé sur le pantalon du candidat peuvent éclipser le message aux bulletins de nouvelles. En définissant le contexte visuel de l'événement et en confinant le plus possible les caméras à des aires désignées, les organisations politiques peuvent déterminer en partie l'image qui sera retransmise à la télévision et réduisent le risque que le candidat soit filmé dans des situations non contrôlées et, éventuellement, compromettantes.

Les stratèges conservateurs veillaient également à limiter les contacts des journalistes avec le candidat, de façon à maintenir l'unité du discours de Brian

Mulroney. Les organisateurs du parti voulaient éviter le genre de faux pas qui avait failli coûter cher au chef conservateur en début de campagne, alors que, se croyant protégé par la confidentialité, il avait révélé à quelques journalistes, à bord de son avion, que, malgré son indignation officielle à l'égard du patronage, il en reconnaissait la fonction politique essentielle. La chose a été rendue publique, et seule une rétractation immédiate avait permis de désarmorcer l'affaire. En limitant les déclarations du candidat à des discours préparés, on contrôle le message et on évite les pièges que pourraient lui tendre les journalistes. Cela est d'autant plus important dans un contexte où le processus classique d'*agenda-setting*, c'est-à-dire la définition des enjeux de la campagne et la concurrence à cet égard entre les médias et les organisations politiques, s'est quelque peu transformé. Aujourd'hui, les médias insistent moins sur les questions de politique et, par conséquent, tentent moins d'influencer le choix des thèmes qui sont débattus dans la campagne. Davantage que la position du parti sur des questions controversées, les préoccupations des journalistes concernent la personnalité des candidats, ce qui, depuis l'affaire Gary Hart aux États-Unis, a été désigné sous l'expression de *character-issue*. Il s'agit de « tester » le candidat, de voir s'il dispose des qualités nécessaires pour diriger le gouvernement.

Les journalistes sont donc à l'affût de tout ce qui peut apporter un éclairage sur le caractère du candidat. Et la malencontreuse confidence de Brian Mulroney au sujet du patronage risquait de torpiller son message de changement, de donner l'impression aux électeurs que le candidat n'était pas différent de ceux qu'il prétendait remplacer.

À la suite de cet incident, la restriction de l'accès à Mulroney devint telle que les journalistes, en guise de protestation, bloquèrent l'entrée à son autobus dans le sud de l'Ontario. Cette tactique devait forcer les organisateurs conservateurs à permettre davantage de *scrums*, ces conférences de presse impromptues qui se déroulent dans la bousculade et qui sont devenues typiques de la politique d'aujourd'hui. Mais, comme en témoigne ce journaliste, il devient difficile pour les médias d'influencer l'ordre du jour de la campagne lorsqu'ils sont confrontés à un chef politique discipliné et bien encadré :

> Tous les trois jours, le chef nous parlait pendant neuf minutes. Après la neuvième minute, le secrétaire de presse nous disait :*Thank you very much*. Ils appelaient ça le *gainsburger*. Ils nous disaient : « Vous allez avoir un *gainsburger* aujourd'hui. » Tu pouvais lui poser n'importe quelle question (à Mulroney), ça n'avait pas d'importance, parce qu'il donnait toujours la même réponse : *This campaign is about change*.

Toutefois, les conservateurs se rendront compte que les promesses de changement de Brian Mulroney n'étaient pas suffisantes pour convaincre les électeurs de la sincérité de leur chef. Les sondages d'Allan Gregg montraient qu'il y avait, dans l'opinion publique, un sentiment latent de méfiance à l'endroit de Mulroney ; ce sentiment risquait de nuire sérieusement au parti :

> Plus on sondait, plus il était clair que le facteur de confiance (*trust factor*) ne tenait ni à ce que monsieur Mulroney avait fait, ni à sa personnalité, mais à ce qu'il n'avait pas fait. Et ce qu'il n'avait pas fait, c'était de dire au peuple canadien ce en quoi il croyait. En fait, on craignait que ce gars-là soit trop parfait. (...) Et la réaction était toujours la même : c'est probablement un gentil garçon, mais ça prend plus que ça ! Et puis, la population n'était pas prête à mettre de côté sa méfiance traditionnelle à l'endroit d'un leadership promis, sans avoir la preuve qu'il allait vraiment apparaître. (Gregg, 1985.)

Les engagements de Mulroney à apporter des changements à la direction de l'État ne réussissaient pas, semble-t-il, à créer un lien de confiance, de sympathie entre le chef conservateur et les électeurs. Il fallait donc changer d'approche. Face à cette nouvelle dynamique, le comité de campagne modifia sa stratégie. Jusque-là, les conservateurs s'étaient employés à miner la crédibilité de l'adversaire, John Turner ; les attaques contre Turner furent reléguées au second plan, et on lança une campagne de publicité télévisée de deux millions de dollars dont l'objet était d'effacer le style pompeux de Mulroney et de montrer celui-ci à l'écran comme un homme sensible et bienveillant, qui partageait les craintes des électeurs et qui assurait ces derniers de sa sympathie. Il s'agissait de lancer un nouveau message aux électeurs : Mulroney devait les convaincre qu'il comprenait leurs problèmes, qu'il ressentait leur angoisse devant un avenir économique incertain. Dans les messages télévisés, le chef conservateur apparaissait en gros plan au centre de l'écran, avec, à l'arrière-plan, une bibliothèque neutre pour bien le mettre en évidence. Son message était simple : « Ensemble, nous pouvons faire mieux. »

Pour les conservateurs, la publicité télévisée offrait un grand avantage : elle constituait pour beaucoup d'électeurs la seule occasion de juger Mulroney directement, sans le filtre que constituent les journalistes. Des formes de communication télévisée, la publicité est en effet la moins « médiatisée » ; elle permet à l'organisation politique de contrôler la totalité du message émis (Nimmo et Combs, 1983).

Combinée à la couverture télévisée quotidienne des activités du chef conservateur, à une organisation stratégique qui laissait peu de place aux faux pas, à un message dont la cohérence était contrôlée quotidiennement dans les circonscriptions par voie de courrier électronique[2], et aidée par la déficience organisationnelle généralisée des libéraux, la campagne de publicité des

2. Les organisateurs et les candidats locaux dans les circonscriptions étaient reliés par un courrier électronique grâce auquel l'organisation nationale s'assurait que le message du jour et l'argumentation à développer allaient être les mêmes dans toutes les circonscriptions.

conservateurs aura constitué un puissant outil de persuasion politique. Mais pour les conservateurs comme pour tous les partis politiques modernes, l'instrument principal de la campagne, son alliée circonstancielle indispensable, demeurait l'information télévisée.

2.2 LES STRATÉGIES DE COUVERTURE EMPLOYÉES PAR LES RÉSEAUX DE TÉLÉVISION

Dans leur ouvrage *Media, Power, Politics*, David Paletz et Robert Entman définissent les relations entre les médias d'information et les organisations politiques comme un « mélange ambigu de conflit et de collaboration ». En cette ère de la télévision où, de chaque côté, on compte sur l'autre pour produire de la bonne télévision, ces relations se caractérisent aussi par une dépendance réciproque.

Pour tenter d'atténuer l'influence des organisations politiques sur la couverture des campagnes électorales, les deux réseaux publics de télévision canadienne, Radio-Canada et la CBC, ont, depuis dix ans, réorienté leur couverture électorale selon deux axes. Le premier concerne la nature même de la couverture, qui se veut beaucoup plus analytique et plus distante des événements quotidiens de la campagne. Certains journalistes affectés à la couverture quotidienne des activités des chefs des partis sont encouragés à adopter une perspective analytique dans leurs reportages.

Le deuxième changement, corollaire du premier, consiste en une plus grande diversité des reportages. La couverture ne se limite pas aux activités des chefs des partis ou aux analyses des enjeux, mais comporte également toute une série de portraits de circonscriptions et de reportages à caractère plus humain. Cette approche vise à soustraire les réseaux publics à l'ordre du jour et aux stratégies de communication des partis et à donner de la campagne une vision autre que celle des organisations politiques.

Cette nouvelle stratégie obéit aussi aux impératifs d'une couverture diversifiée et divertissante qui caractérise l'évolution de la presse télévisée depuis vingt ans, mais elle est également une réaction directe à l'expérience de la campagne électorale de 1974, au cours de laquelle les responsables de l'information aux deux réseaux publics ont eu le sentiment d'avoir été les victimes des stratèges du Parti libéral. Les libéraux avaient opté pour la stratégie du *strip-tease* : en profitant de la formule de couverture des réseaux, qui reposait essentiellement sur la nouvelle quotidienne, les libéraux sont parvenus à occuper une majeure partie de la couverture télévisée simplement en dévoilant chaque jour un énoncé de politique différent. Comme nous l'a expliqué un cadre de la CBC :

> L'élection de 1974 fut une expérience terrible pour nous. Nous n'avions ni matériel d'appoint (*back-up*), ni système de recherche documentaire, nous n'avions aucun moyen de modifier à notre satisfaction l'ordre du jour de la campagne. Aussi, lorsque Trudeau et Jim Coutts ont décidé de faire une annonce chaque jour, nous avons fidèlement rapporté ces annonces, comme un journaliste doit le faire. Tandis que les *Tories* n'avaient au fond qu'un seul thème, celui du contrôle des prix et des salaires. Notre couverture de la campagne consistait à rapporter la nouvelle, ce qui signifiait que chaque fois que quelqu'un annonçait quelque chose, c'était de la nouvelle. Quand quelqu'un répétait la même chose, ça n'en était pas. De sorte que nous avons contribué à cette étrange situation où Trudeau était mis en évidence chaque soir, tandis que Stanfield recevait très peu de couverture, parce qu'il se bornait à répéter la même chose.

Les deux réseaux publics ont également résolu, depuis 1974, de ne présenter des reportages sur les leaders que lorsque les circonstances le justifient.

Toutefois, cette politique ne sera pas si facile à appliquer. En 1984, on aura d'autant plus de difficulté à se libérer du réflexe de la couverture quotidienne que la campagne se sera déroulée pendant l'été, période habituellement moins riche en actualité.

La stratégie et les moyens déployés par le réseau TVA pour la couverture de la campagne étaient plus modestes que ceux des réseaux publics. Alors que Radio-Canada et la CBC pouvaient compter sur des correspondants dans toutes les régions du pays, ainsi que sur quelques journalistes spécialisés pouvant analyser les enjeux de la campagne dans leurs champs respectifs, le corps journalistique affecté à la campagne par le réseau TVA se composait essentiellement de deux reporters chargés de couvrir les activités de John Turner et de Brian Mulroney, et d'un troisième, posté à Montréal, qui préparait certains reportages de fond et qui, à l'occasion, couvrait la campagne du leader néo-démocrate Ed Broadbent[3].

---

3. Contrairement à Radio-Canada et à la CBC, TVA avait décidé de ne pas assurer une couverture constante de la campagne du Nouveau Parti démocratique, en raison de la performance habituellement marginale de ce parti au Québec.

2.3 L'ANALYSE DES TEXTES

Pour déterminer dans quelle mesure le message conservateur a été retransmis par les trois réseaux de télévision lors de la campagne électorale de 1984, nous avons procédé à une analyse du contenu du texte et de l'image de 57 reportages diffusés entre le 15 août et le 2 septembre 1984.

L'analyse des textes permettra d'abord de voir quels thèmes ont été retenus par les réseaux de télévision. Les thèmes recensés dans les reportages ont été classés dans les trois catégories suivantes :

1) Les **thèmes stratégiques** : énoncés qui ont trait à la course électorale, à la stratégie des partis, aux attaques partisanes, aux conjectures sur le résultat de l'élection ;
2) Les **thèmes substantiels** : énoncés relatifs au programme, aux politiques, aux positions du Parti conservateur, notamment l'idée de changement, la relance économique, l'harmonisation des relations fédérales-provinciales ;
3) Les **thèmes « empathiques »** : énoncés du chef conservateur, par lesquels ce dernier tente de s'identifier aux électeurs, du genre : « Je comprends vos problèmes. »

Une catégorie « Autres » comprend les thèmes résiduels : par exemple, les éléments descriptifs des événements ou des références à l'itinéraire des candidats. Les résultats de cette classification des thèmes figurent au tableau 2.1.

Par ailleurs, les thèmes substantiels (les positions du Parti conservateur et de son chef) ont fait l'objet d'une analyse spécifique : on y a distingué les énoncés symboliques (les slogans), les énoncés de politiques (les promesses) et enfin les énoncés critiques (à l'égard des adversaires libéraux ou néo-démocrates). Ces types d'énoncés ont été classés selon qu'on les retrouve dans les « nouvelles » ou dans des reportages de fond. La nouvelle consiste essentiellement à faire le compte rendu d'un événement de la campagne qui a eu lieu le jour même. Quant au reportage de fond, il n'est pas lié à l'actualité immédiate ; il est plutôt constitué d'une analyse d'un thème ou d'un enjeu de la campagne[4]. Cette classification fait l'objet du tableau 2.2.

Enfin, une dernière catégorisation permettra de juger du traitement accordé par les journalistes aux différents thèmes. Essentiellement, il s'agira

---

4. Il arrive cependant que les réseaux profitent d'un événement de l'actualité pour diffuser un reportage de fond sur une question pertinente à cet événement.

de voir si le traitement a été plutôt descriptif ou plutôt analytique, à l'aide des catégories suivantes (les résultats figurent au tableau 2.3) :

1) **Reproduction du message** : lorsque le journaliste ne fait que rapporter les propos des candidats ou les positions du parti ;
2) **Mise en relation** : lorsque le journaliste confronte le discours du parti à celui d'autres sources, qu'il s'agisse des autres partis ou d'observateurs ;
3) **Analyse** : lorsque le journaliste fait une analyse ou porte un jugement sur les événements ou sur les déclarations du parti.

2.3.1 Les thèmes traités

L'analyse révèle que les thèmes du programme conservateur (les thèmes « substantiels ») représentent à peine 30 % de la couverture télévisée (tableau 2.1). Les thèmes substantiels le plus fréquemment mentionnés sont ceux de la relance économique et de l'harmonisation des rapports sociaux et politiques, c'est-à-dire les deux thèmes principaux de la campagne conservatrice. Viennent ensuite certains thèmes secondaires : l'égalité des femmes, le coût des promesses, le maintien des programmes sociaux, la pornographie et enfin la paix mondiale. Sauf pour la question des programmes sociaux, ces thèmes ont fait l'objet d'événements spéciaux dans les deux dernières semaines de la campagne, ce qui explique leur prééminence dans la couverture télévisée.

TABLEAU 2.1
Thèmes traités par les réseaux

Thèmes	Radio-Canada	CBC	TVA	ENSEMBLE DES RÉSEAUX
Thèmes stratégiques	54,8 %	47,7 %	51,3 %	**51,5 %**
Thèmes substantiels	31,5 %	30,6 %	26,3 %	**29,9 %**
Thèmes empathiques	4,8 %	7,2 %	1,3 %	**4,8 %**
Autres thèmes	8,8 %	14,4 %	21,0 %	**13,8 %**
TOTAL DES OCCURRENCES	(124)	(111)	(76)	**(311)**

De plus, comme le montre le tableau 2.2, ces thèmes sont abordés, dans le cas des nouvelles, davantage à travers des énoncés symboliques (57,8 % des cas) et donnent rarement des précisions sur la position du Parti conservateur (les énoncés de politiques ne représentent que 33,3 % des cas). Ainsi, dans les nouvelles, les journalistes rapportent les slogans conservateurs sur des sujets aussi complexes que la relance économique ou l'harmonisation des relations fédérales-provinciales et parlent peu de la politique précise du Parti conservateur sur ces questions. La plupart du temps, ils se limitent aux énoncés symboliques de Brian Mulroney, c'est-à-dire à des slogans tels que : « Nous allons construire un Canada prospère et tolérant. »

La situation est différente dans le cas des reportages de fond, dont l'objet est précisément d'analyser la campagne. Dans ce cas, la proportion est renversée, les journalistes apportant des précisions sur les positions du Parti conservateur dans plus de 60 % des énoncés.

TABLEAU 2.2
Types d'énoncés dans les nouvelles et les reportages de fond

Énoncés	Nouvelles	Reportages de fond
Énoncés symboliques	57,8 %	30,3 %
Énoncés de politiques	33,3 %	62,7 %
Énoncés critiques à l'égard des adversaires	8,9 %	7,0 %
TOTAL DES OCCURRENCES	(45)	(43)

Ce que révèle l'analyse de l'ensemble des textes, c'est que les journalistes se sont surtout intéressés à la course électorale. Comme le montre le tableau 2.1 présenté à la page précédente, 51,5 % des thèmes abordés par les journalistes sont de nature stratégique, c'est-à-dire qu'ils se rapportent à la stratégie des partis, aux attaques que se lancent les candidats ou à l'issue même de l'élection. Ces résultats concordent avec ce qui a été observé au sujet du comportement des journalistes de la télévision dans d'autres campagnes électorales fédérales, notamment celles de 1979 et de 1980 (Wilson, 1980).

Un des résultats les plus intéressants se rapporte aux énoncés de type « empathique », c'est-à-dire aux déclarations par lesquelles le chef conservateur tente de convaincre les électeurs qu'il comprend leurs problèmes et qu'« ensemble, on peut faire mieux ». Cet appel de Mulroney aux électeurs constituait le fondement même de la campagne de publicité télévisée du parti ; il tentait de dissiper le sentiment de méfiance à l'égard du chef conservateur. Or de tels énoncés ne représentent même pas 5 % de la couverture télévisée (tableau 2.1)[5].

---

5. Ce résultat doit cependant être nuancé, car certains énoncés symboliques relatifs aux thèmes substantiels des conservateurs pouvaient s'apparenter aux thèmes dits « empathiques ». Quoi qu'il en soit, les stratèges conservateurs ont eux-mêmes conclu que le message d'empathie qu'ils voulaient communiquer aux électeurs n'était pas repris par les journalistes ; c'est pourquoi ils ont eu recours à des messages publicitaires télévisés.

On peut croire que les journalistes, occupés comme ils l'étaient par la course électorale et ses aspects tactiques, étaient peu intéressés à prêter attention aux déclarations d'un politicien selon lesquelles ce dernier partage, par exemple, la frustration des femmes sur l'équité dans l'emploi. Aux yeux des journalistes, de telles déclarations n'ont pas semblé constituer matière à nouvelles.

Les conservateurs, pour leur part, font une analyse différente. Dans une conférence qu'il donnait quelques mois après l'élection, le sondeur Allan Gregg affirmait que les médias n'avaient pas saisi la vraie nature du message conservateur, qui était un message d'empathie. Obsédés par la stratégie des partis et par leurs conjectures sur le résultat du scrutin, les médias ne se seraient pas rendu compte que le message conservateur n'était pas simplement « Il faut un changement », mais bien « Brian Mulroney comprend vos problèmes, partage votre désir de changement, et peut, avec vous, le réaliser ».

> Un leader politique doit être capable de formuler les besoins et les demandes de l'électorat. Certains diront que ce n'est pas assez ; ce n'est pas vraiment s'attaquer aux enjeux réels. Mais cela permet de mobiliser l'opinion publique canadienne en fonction d'objectifs communs, de demandes communes, de fins communes ; et pour certains d'entre nous, c'est déjà pas si mal. (...) Ce que cela produit concrètement, c'est de **permettre aux leaders politiques de passer par-dessus la tête des médias pour atteindre directement l'électorat**. Ronald Reagan l'a compris, Brian Mulroney l'a compris. Plusieurs n'aiment pas ça. Mais c'est là non seulement une preuve de la force de ces leaders, mais aussi une preuve de l'incapacité des médias à identifier les thèmes ayant le plus de valeur et d'impact auprès de l'opinion publique. (Gregg, 1985.)

2.3.2 Les types de traitement

Que les journalistes de la télévision aient axé leurs reportages sur la course électorale est évident non seulement dans le choix des thèmes qu'ils abordent, mais également dans le traitement qu'ils leur accordent. Comme l'indiquent les résultats au tableau 2.3, dans 34 % des cas, les journalistes reproduisent sans le commenter le message du Parti conservateur. Mais, dans plus de 37 % des cas, ils accompagnent ce message d'un commentaire analytique. Seulement 12,5 % des thèmes abordés sont confrontés avec d'autres sources telles que des formations politiques adverses ou des observateurs. Cela s'explique par le fait que les journalistes qui accompagnent les chefs des partis ont difficilement accès à d'autres sources d'information.

TABLEAU 2.3
Types de traitement des thèmes selon les réseaux

Types de traitement des thèmes	Radio-Canada	CBC	TVA	ENSEMBLE DES RÉSEAUX
Reproduction du message	33,0 %	28,9 %	43,4 %	**34,0 %**
Mise en relation	14,5 %	18,0 %	1,3 %	**12,5 %**
Analyse	37,9 %	42,3 %	31,5 %	**37,9 %**
Autres	14,5 %	10,8 %	23,7 %	**15,4 %**
TOTAL DES OCCURRENCES	(124)	(111)	(76)	**(311)**

Le cas du réseau TVA présente une particularité intéressante. Le réseau privé semble en effet être plus dépendant du message conservateur que ne le sont les réseaux publics ; il se contente de reproduire plus fréquemment le message conservateur, et ses journalistes se livrent moins à des analyses que ceux de Radio-Canada et surtout de la CBC. Nous reviendrons là-dessus plus loin, mais on peut présumer que l'effectif moins considérable détaché par TVA pour la campagne électorale explique cette différence[6].

Quand on analyse de près les divers résultats, on constate que le commentaire analytique du journaliste porte souvent davantage sur la valeur stratégique des positions du Parti conservateur que sur les mérites de la politique qu'elles énoncent. L'analyse est faite en fonction des motifs des candidats ou de l'impact possible de l'énoncé de politique sur l'issue de l'élection. Des questions comme le démantèlement proposé du Programme énergétique national ne sont pas évaluées en fonction de leurs mérites économiques ou de leurs conséquences pour le consommateur, mais comme une stratégie des conservateurs pour désamorcer l'aliénation de l'ouest du pays. Un des journalistes affectés à l'analyse des enjeux considère d'ailleurs que son travail consiste en « une espèce de mise en perspective liée beaucoup plus à la stratégie qu'au contenu ».

6. Ces résultats montrent également que la distinction secteur privé/secteur public explique peut-être mieux que le clivage linguistique les différences qui existent dans le traitement de l'information entre les différents réseaux, du moins dans ce cas-ci. Quoique cette hypothèse doive faire l'objet d'une vérification plus rigoureuse, il est possible que le format dominant de l'information télévisée aplanisse les particularités associées à des facteurs culturels ou linguistiques dans le traitement de l'information. Cela concorde du moins avec les thèses de David Altheide, dont les travaux sur la télévision que la perception que nous avons du monde tend à s'uniformiser en raison de l'influence du média (Altheide, 1978, 1985 ; Altheide et Snow, 1979).

2.3.3 La synthèse de l'analyse des textes

Le portrait général qui se dégage de l'analyse du contenu thématique est donc celui d'une couverture plutôt superficielle des principaux points du programme conservateur. Les reportages sont surtout axés sur les éléments stratégiques et conflictuels de la campagne électorale. L'analyse du journaliste occupe une place importante dans ce type de reportage. Ce constat pourrait laisser croire que les organisations politiques sont à la merci des journalistes qui, dans leurs reportages, accordent peu d'importance au discours des candidats et prétendent connaître les moindres stratégies des partis ainsi que leurs effets sur le résultat final de l'élection. Mais, dans la mesure où les stratèges des partis savent ramener l'essentiel de leur message à quelques slogans percutants et dans la mesure où ils savent profiter du format des nouvelles télévisées en contrôlant le discours du candidat et en le présentant dans des contextes visuels appropriés, il n'est pas dit que ce style de reportage ne concorde pas avec leurs objectifs de communication. Nous reviendrons sur ces considérations plus loin. Maintenant, il importe d'explorer davantage les causes et les conséquences de ce « paradigme » de la couverture des campagnes électorales.

Dans un essai traitant de l'impact de la télévision sur le journalisme politique, le journaliste canadien Carman Cumming décrit dans les termes suivants la transformation qui s'est opérée depuis le début du siècle dans la couverture de l'activité politique :

> Nous sommes passés d'une ère partisane où les reportages traitant de la politique étaient constitués principalement de la propagande des partis à une ère dite « objective », où les reportages ont pris davantage la forme de biens de consommation, et, enfin, à une ère de divertissement, où les reportages politiques ont été fusionnés avec les nouvelles à caractère humain pour créer un genre qualitativement différent de reportage politique.

Qu'aujourd'hui la couverture électorale porte surtout sur la personnalité des leaders et sur le suspense de la course s'explique à la fois par la nature même de la télévision et par certains réflexes journalistiques qui y trouvent un moyen d'expression facile. La force de l'image et le genre de réaction qu'elle suscite chez le téléspectateur font que les questions abstraites passent mal l'écran. Lorsqu'on ajoute à ce facteur la contrainte du temps, avec laquelle doivent composer les journalistes, on comprend, comme l'a constaté Thomas Patterson dans une des études sur les campagnes électorales les plus citées, que les journalistes s'attardent rarement aux grandes questions de politique et aux grands enjeux sociaux :

> La communication télévisuelle convient mal au compte rendu d'enjeux (*issue reporting*). Souvent, il faut plus que quelques mots pour formuler convenablement le point de vue d'un candidat. (...) Compte tenu des limites d'espace

ainsi que de la difficulté de faire absorber des mots à des auditoires d'abord captivés par les images, l'information télévisée n'est peut-être même pas capable d'accroître de façon significative la compréhension des citoyens à l'égard des enjeux de l'élection, même lorsque les nouvelles ne sont pas exclusivement vouées au jeu électoral. (Patterson, 1980, p. 169.)

Le passage de Brian Mulroney à Montréal le 17 août 1984 est un bon exemple de ces contraintes inhérentes au travail des journalistes et de la façon dont cela peut être à l'avantage des organisations politiques. Dans le reportage, Mulroney promettait, devant une foule de 6 000 personnes en fête, de redonner à Montréal son statut de métropole internationale. Le reporter de Radio-Canada se limitait à reproduire la promesse de Mulroney sans préciser par quels moyens celui-ci se proposait de la réaliser. L'ampleur de l'actualité dont il avait à rendre compte en moins de deux minutes l'empêchait d'élaborer sur le sujet. En effet, après son arrêt à Montréal, Mulroney s'envolait pour Terre-Neuve, où il devait recevoir l'appui du premier ministre Brian Peckford, événement important en soi, puisque ce dernier avait refusé en 1980 d'appuyer le prédécesseur de Mulroney, Joe Clark. Ce que l'on retient des activités de Mulroney cette journée-là, donc, c'est qu'il s'est engagé, devant une foule enthousiaste, à refaire de Montréal une métropole internationale, et que, par ailleurs, il a reçu l'appui inconditionnel d'un homologue provincial parfois réfractaire.

Plus fondamentalement, la télévision, par sa nature, a imposé à l'information un certain style, une certaine formule. Si les nouvelles s'attardent moins aux idées qu'aux acteurs et aux situations de conflit dans lesquelles ces derniers se trouvent, c'est que cette formule permet de camper une réalité abstraite à l'aide de personnages, de lieux et d'une trame chronologique qui en facilitent la compréhension. Dès 1963, le producteur délégué du *NBC Evening News*, Reuven Frank, avait compris ce principe et faisait cette recommandation à son personnel :

> Chaque nouvelle devrait, sans rien sacrifier à l'honnêteté ou à la responsabilité, revêtir les apparences de la fiction, du théâtre. La nouvelle devrait présenter une structure, un conflit, un problème et son dénouement, une montée et une chute, un début, un milieu et une fin. Ce ne sont pas là les attributs essentiels du théâtre : ce sont ceux de toute narration. (Cité par Epstein, 1973, p. 4-5.)

Il ne faut donc pas se surprendre que les campagnes électorales, qui sont de nature conflictuelle et qui placent les candidats dans des situations dramatiques réelles, soient toutes désignées pour ce genre d'approche journalistique. Pour les journalistes de la télévision, la formule du récit dramatique présente aussi d'autres avantages. Sur le plan de l'actualité quotidienne, elle permet au journaliste de simplifier une réalité complexe en réaménageant les éléments de la situation selon une intrigue ; elle lui fournit un cadre familier qui lui permet de donner un sens à un phénomène complexe (Joslyn, 1984, p. 107). La formule dramatique permet de situer chacun des événements quotidiens de la campagne électorale dans la perspective du dénouement final de l'élection et d'interpréter ces événements comme des éléments d'une stratégie menant à la victoire... ou à la défaite.

Les débats télévisés des chefs des partis lors des campagnes électorales sont un bon exemple de ce réflexe journalistique. Dans la campagne de 1984, si un événement électoral était susceptible de faire émerger des questions de fond, c'était bien ce deuxième débat de la campagne qu'avait organisé en août un groupement féministe[7]. Éternels captifs du mélodrame, les trois réseaux de télévision insistèrent, dans leur couverture, sur l'aspect conflictuel de l'événement, ou plutôt, dans ce cas-ci, sur l'absence de la confrontation épique à laquelle s'attendaient les journalistes. En manchette à son bulletin de nouvelles, TVA rapportait que le débat avait été « terne » ; selon Radio-Canada, le débat n'avait pas été « particulièrement enflammé » ; la CBC rapportait pour sa part que la soirée s'était déroulée « sans étincelles ». Dans ce cas-ci, les médias portaient un jugement qui était conditionné par leurs attentes, par un *a priori* de leur part sur ce qui devait se passer, plutôt que par ce qui s'était réellement passé. Le débat avait été terne parce que l'affrontement n'avait pas eu l'ampleur prévue ou souhaitée par les journalistes.

Malgré cela, on ne pouvait pas ne pas désigner un gagnant. Et même si le journaliste de Radio-Canada reconnaissait qu'il était « un peu délicat à froid, comme ça, après deux heures d'échanges, de discussions, de déterminer, de désigner un gagnant », on n'hésitait pas à désigner le leader néo-démocrate Ed Broadbent comme vainqueur. Il avait « volé la vedette à trois reprises » à un John Turner « très nerveux » et à un Brian Mulroney ayant « probablement fait moins bonne figure que les deux autres » puisqu'« il n'a pas reçu autant d'applaudissements ».

L'analyse, quant à elle, consistait surtout à commenter la stratégie des trois partis et à conjecturer sur l'impact probable du débat sur le résultat de l'élection. Pour Ed Broadbent, c'était l'occasion d'augmenter ses appuis grâce à un auditoire féministe qui lui était acquis. Pour John Turner, l'important était de marquer un point tournant dans la campagne. Pour Brian Mulroney, enfin, il s'agissait d'éviter les faux pas qui risquaient de diminuer l'avance qu'il avait acquise selon les sondages. Dans cette perspective, les réponses à des questions telles que l'avortement étaient évaluées moins en fonction de leur pertinence ou du principe qu'elles défendaient qu'en fonction de la façon dont elles étaient formulées. Par exemple, la position de John Turner était jugée insatisfaisante non pas parce que le candidat favorisait le *statu quo*, mais parce

---

7. Un premier débat, pour lequel Mulroney avait été désigné vainqueur, avait eu lieu en juillet.

qu'il avait paru nerveux devant un auditoire majoritairement favorable au libre choix.

Dans cette logique journalistique, le débat prenait une signification nouvelle. Il cessait d'être un débat de fond, une confrontation d'idées, pour devenir un épisode crucial d'un récit dramatique, dont l'issue serait certainement déterminante pour le dénouement de l'intrigue, c'est-à-dire le résultat de l'élection. Il n'est pas question ici de nier la dimension stratégique de tels événements ; les partis politiques sont les premiers à concevoir ces débats en fonction de l'opinion publique et du scrutin final. Mais en situant de tels événements presque exclusivement dans le contexte d'une lutte sans merci entre belligérants et dans le contexte de stratégies globales, on les enferme dans une signification spécifique à l'exclusion de toute autre. L'énoncé d'une politique ne devient signifiant et intéressant que par sa dimension strictement tactique.

Si les journalistes procèdent, à l'intention des téléspectateurs, à de savantes analyses, ils tendent à confiner ces analyses à une seule dimension de l'action politique. Ils s'abstiennent le plus souvent de commenter le bien-fondé ou la valeur d'une politique, mais n'ont aucune hésitation à prédire les effets de son annonce sur la campagne électorale. Un reporter affirmait, par exemple, que la promesse des conservateurs de rouvrir une usine pétrochimique fermée sous le règne des libéraux dans l'est de Montréal pourrait devenir « un point tournant » dans la campagne électorale au Québec. Il est évident que les conservateurs espéraient, par de telles promesses, augmenter leurs appuis au Québec en se montrant plus sensibles que leurs adversaires aux problèmes de cette province. Et il est certes intéressant que le journaliste le souligne. Mais en suggérant que cette stratégie va sans doute fonctionner, le journaliste, au mieux, s'engage dans une prédiction téméraire ; au pire, il tombe dans le panneau du Parti conservateur.

Cette tendance s'explique sans doute par les facteurs que nous avons évoqués précédemment : la difficulté de transmettre des informations abstraites à la télévision, l'intérêt que suscitent les éléments de suspense, le cadre familier de la trame dramatique. Mais deux autres éléments d'explication peuvent être invoqués pour rendre compte de ce réflexe journalistique. Premièrement, l'analyse tactique permet au journaliste d'éviter de se prononcer sur la qualité des programmes politiques, c'est-à-dire sur un terrain où son objectivité pourrait être mise en doute. Deuxièmement, les aspects stratégiques de la campagne électorale appartiennent à une dimension de la réalité politique par rapport à laquelle le journaliste prétend détenir une certaine expertise et n'hésite pas à s'engager sur la voie du commentaire, de l'évaluation et de la critique experte.

Toutefois, certains observateurs (et, sans doute, plusieurs politiciens) mettent en doute cette prétendue expertise. Jeremy Wilson (1980-1981), dans son analyse de la couverture des campagnes électorales fédérales de 1979 et de 1980, écrit que le journaliste n'a pas nécessairement l'expertise voulue pour porter de tels jugements sur les stratégies des partis et pour conjecturer sur les conséquences qu'auront les moindres faits et gestes des candidats sur l'issue du scrutin :

> Les mêmes journalistes qui semblent réticents à attaquer les idées d'un leader n'ont aucun scrupule à formuler des commentaires ronflants — comme s'ils commentaient une course de chevaux — qui peuvent avoir autant d'impact sur l'électeur. Les commentateurs n'hésitent pas du tout à affirmer qu'un leader a une piètre performance, qu'une campagne a perdu son élan, ou que les stratèges d'un parti ont fait une fameuse gaffe. Souvent, ces jugements sont très discutables. (Wilson, 1981, p. 63.)

Ce phénomène mérite d'autant plus d'attention que les certitudes rassurantes sur l'influence des médias et sur le comportement des électeurs commencent à être remises en question. Certaines études (Weaver, 1984) suggèrent que, contrairement à ce qu'ont soutenu pendant longtemps les théories dites des « effets limités », les médias influencent bel et bien le jugement que portent les électeurs sur les partis et les candidats. Par exemple, lors de l'élection présidentielle américaine de 1976, les premiers sondages montraient que Gerald Ford était perçu dans l'opinion publique comme le gagnant du débat télévisé contre Jimmy Carter. Cette perception allait changer dans les jours suivants à la suite de l'analyse des médias, qui désignait Ford comme perdant (Perry, 1984, p. 169-170). Cela suggère que les téléspectateurs peuvent changer d'avis quant au gagnant d'un débat télévisé après avoir pris connaissance du verdict des commentateurs. Par ailleurs, la désaffection croissante des électeurs pour les partis politiques ainsi que les mouvements massifs de l'électorat dans de récentes élections montrent que la proportion des indécis — ceux-là mêmes qui sont susceptibles d'être fortement influencés par les médias — tend à s'accroître.

2.4 L'ANALYSE DE L'IMAGE TÉLÉVISUELLE

Notre analyse de l'image visait à déterminer dans quelle mesure les images des 57 reportages recensés étaient favorables au Parti conservateur. La composante visuelle de l'information télévisée occupe une place centrale dans les stratégies des partis politiques. Ceux-ci réalisent de plus en plus l'importance de l'impact que peuvent avoir les images télévisées sur les téléspectateurs. Dans une étude sur les élections présidentielles américaines, Patterson et McClure (1976, p. 87) ont constaté que les téléspectateurs retenaient davantage ce qu'ils avaient vu que ce qu'ils avaient entendu aux bulletins de nouvelles à la télévision. De plus, les images qui leur restaient le plus longtemps en mémoire étaient celles des foules, des ballons et de tout l'attirail des manifestations politiques pendant la campagne électorale.

Malgré l'importance de la dimension visuelle dans la transmission du message politique à la télévision, l'analyse du contenu de l'image en est encore à ses débuts (Adams et Schreibman, 1978, p. 157 ; Altheide, 1985). Les principaux obstacles à la conception de grilles d'analyse raffinées tiennent à la difficulté de définir avec précision des indicateurs de la nature de l'information transmise par l'image de même que la relation entre la parole et l'image dans le message télévisuel global. Il existe néanmoins certains critères qui permettent de mesurer des tendances plus ponctuelles. Ceux que nous avons retenus pour cette étude nous ont servi précisément à déterminer dans quelle mesure les images diffusées par les trois réseaux étaient favorables ou non à Brian Mulroney.

Trois facteurs ont été retenus pour évaluer la qualité de l'image. Ces facteurs ont trait à la nature de celle-ci, au cadrage et à l'angle de la prise de vue ainsi qu'au montage. Le premier, le **facteur événementiel**, définit le contexte dans lequel est montré le candidat. Le critère d'analyse est l'ampleur et l'humeur de la foule qui entoure le candidat. Plus la foule est nombreuse et enthousiaste, plus le contexte sera favorable au candidat (Hoffstetter, 1980, p. 126-127 ; Frank, 1973, p. 44-45 ; 1974, p. 249).

Le deuxième critère se rapporte aux **facteurs de production**, ou, plus précisément, à deux éléments : le cadrage et l'angle de l'image du candidat. Un plan rapproché du candidat, qui montre la tête et les épaules, donne une impression d'accessibilité, tandis que les plans éloignés tendent au contraire à présenter le candidat comme un être froid, distant, inaccessible (Frank, 1973, p. 46-47). D'autre part, une majorité de plans horizontaux donneront l'impression que le candidat se situe au même niveau que l'électeur, alors qu'une majorité de plans surplombants donneront au candidat un air d'infériorité. Enfin, les plans ascendants peuvent lui donner un air dominateur (Nimmo et Combs, 1983, p. 63).

Le dernier critère d'analyse, le **facteur d'interaction audio-visuelle**, concerne le montage. Le principe est le suivant : plus le reportage contient d'images et d'extraits sonores du candidat, plus il lui est favorable (Frank, 1973, p. 46-47).

Ces trois critères correspondent donc à ceux d'une bonne image télévisuelle. Pour les fins de cette étude, nous avons adopté une échelle de mesure selon laquelle l'image idéale représenterait un total de 18 points[8].

---

8. La pondération des critères est la suivante : 5 points ont été accordés au facteur événementiel et 5 points au facteur d'interaction audio-visuelle ; le facteur de production totalise 8 points (4 points pour le plan et 4 points pour l'angle de prise de vue). Cette pondération est quelque peu arbitraire et la mesure ne vise qu'à donner un aperçu général des caractéristiques de l'image.

L'analyse de l'image indique que, dans l'ensemble, les reportages respectent les critères d'une bonne image télévisuelle. Il faut cependant distinguer les nouvelles proprement dites et les reportages de fond.

TABLEAU 2.4
Analyse de l'image à l'aide d'une échelle de mesure

RADIO-CANADA	Nouvelles	Reportages de fond
Images de foule	3,0	2,5
Cadrages et angles	5,0	2,5
Montage	4,0	3,2
TOTAL	12,0 / 18 points	8,2 / 18 points

CBC	Nouvelles	Reportages de fond
Images de foule	3,4	3,3
Cadrages et angles	4,9	6,3
Montage	4,0	4,0
TOTAL	12,3 / 18 points	13,6 / 18 points

TVA	Nouvelles	Reportages de fond
Images de foule	2,5	—
Cadrages et angles	4,6	—
Montage	4,0	—
TOTAL	11,1 / 18 points	—

Dans le cas des nouvelles, les stratèges conservateurs avaient davantage de contrôle sur l'environnement et sur le contexte de l'événement. L'indice varie de 11,1 dans le cas de TVA à 12 dans celui de Radio-Canada et à 12,3 pour la CBC, sur une possibilité de 18 (tableau 2.4). Cette uniformité des trois réseaux semble indiquer à la fois une cohérence dans le contexte événementiel produit par le Parti conservateur et une adhésion commune des trois chaînes de télévision aux mêmes critères de production télévisuelle.

Dans les nouvelles, l'indice événementiel, celui qui mesure l'ampleur et l'humeur de la foule, varie entre 2,5 et 3,4. Le chef conservateur est presque toujours montré se frayant un chemin au milieu d'une foule enthousiaste pendant qu'à l'arrière-plan l'orchestre claironne la chanson thème de la campagne du parti, ce qui donne à l'événement un air de fête. Pendant les deux semaines étudiées, le seul moment où le parti a perdu le contrôle organisationnel de l'événement fut lors d'une visite de Mulroney à Wabush, au Labrador, la dernière journée de la campagne. Le chef conservateur fut accueilli par une foule en colère, mécontente de la fermeture progressive des villes minières dans la région. Ce genre d'incident illustre comment la stratégie du parti peut être court-circuitée lorsque les organisateurs perdent le contrôle de l'environnement.

L'angle et le cadrage des plans de caméra, c'est-à-dire les facteurs de production, révèlent la même cohérence que les facteurs événementiels. L'indice varie en effet de 4,6 dans le cas de TVA à 4,9 dans le cas de la CBC et à 5 dans celui de Radio-Canada. Dans l'ensemble, les plans de caméra n'étaient ni trop éloignés ni trop rapprochés, incluant souvent une bonne partie de la foule et donnant de Mulroney à la tribune une image bien cadrée à partir de la poitrine.

Le troisième indice, celui du montage, ou le facteur d'interaction audiovisuelle, a pour seul intérêt de confirmer que les trois réseaux ont utilisé la même structure de reportage. Les trois réseaux obtiennent le même résultat, ce qui indique qu'ils ont présenté des reportages sur le terrain contenant au moins une déclaration du chef conservateur. Ces résultats confirment également la tendance des médias à faire une couverture importante de l'événement lorsqu'ils y ont délégué une équipe de reportage. En effet, il n'y a pas eu, dans les deux semaines observées, de texte simplement lu par le présentateur lorsqu'il s'agissait de couvrir un déplacement de Mulroney.

Le cas des reportages de fond présente quelques particularités intéressantes. On constate en premier lieu que le réseau TVA n'a pas présenté de reportages de fond pendant la période étudiée. On constate également un écart significatif de l'indice total entre Radio-Canada (8,2) et la CBC (13,6). Dans ses reportages de fond, la CBC a fait appel davantage à des images de Mulroney, alors que Radio-Canada présentait davantage d'images correspondant aux thèmes faisant l'objet du reportage. Par exemple, lorsqu'il était question d'énergie, Radio-Canada présentait aux téléspectateurs des images de champs pétrolifères pour illustrer les reportages. De plus, la politique de Radio-Canada était différente quant à la forme donnée à certains reportages d'analyse ; à l'occasion, le journaliste Daniel Lessard était interviewé en studio par le présentateur du bulletin de nouvelles, ce qui excluait le recours aux images pour illustrer les propos du journaliste.

Ce qu'il faut retenir, c'est que, dans le cas des nouvelles où le contexte de l'événement est défini par l'organisation politique, on remarque une grande uniformité dans le format retenu et dans la qualité et le cadrage de l'image.

Dans le cas de la campagne conservatrice de 1984, l'image transmise aux téléspectateurs favorisait Brian Mulroney et correspondait aux objectifs de communication du parti.

Bien sûr, il ne faut pas conclure à un parti pris des réseaux pour les conservateurs ; on doit plutôt y voir le résultat des efforts des conservateurs pour mettre à profit l'intérêt des médias à présenter aux téléspectateurs de « bonnes images » télévisuelles. Cette conclusion est d'ailleurs corroborée par les entrevues effectuées auprès des équipes de reportage de Radio-Canada, qui ont eu l'occasion, en raison du principe de rotation auquel elles étaient soumises, de comparer les organisations des trois partis. Un réalisateur confiait notamment que, après quelques semaines passées à couvrir la campagne des libéraux, il était soulagé de retourner à la campagne des conservateurs en raison de la supériorité organisationnelle de ces derniers.

On peut, à titre indicatif, illustrer l'écart qui séparait les conservateurs des libéraux dans l'organisation des événements de la campagne[9]. Deux événements, les ralliements politiques de John Turner à Winnipeg et de Brian Mulroney à Montréal le 17 août 1984, permettront d'illustrer cet écart.

Pour tenter de donner un peu de vigueur à une campagne en perte de vitesse, les libéraux avaient décidé de lancer une initiative de paix auprès du numéro un soviétique, Constantin Chernenko. Turner devait annoncer, dans un ralliement en plein air à Winnipeg, qu'il venait d'écrire au secrétaire général soviétique dans le but d'entamer des discussions sur le désarmement, dans la foulée de l'initiative de paix menée par Pierre Trudeau six mois auparavant.

Sur le plan de l'image télévisuelle, ce coup publicitaire fut plutôt mal réussi. Les caméras étaient loin de l'estrade, de sorte que Turner, au milieu d'une dizaine de personnes, n'était pas immédiatement repérable. Le plan de départ est tellement large qu'on voit, à l'arrière-plan, une rue avec des passants. Sauf pour quelques plans de coupe pris du côté de l'estrade, les caméras demeurent éloignées pendant toute la séquence. Et pendant que Turner tente de convaincre les électeurs que son élection contribuerait à réduire les chances d'un conflit nucléaire, on aperçoit des gens qui déambulent devant la caméra, indifférents à ce qui se passe sur l'estrade. De plus, des manifestants, brandissant des pancartes contre les tests du missile *Cruise*, sont également bien en vue, éclipsant momentanément le message du chef libéral. On a ici un exemple d'un événement politique dont l'environnement visuel n'est pas contrôlé et pour lequel les stratèges du parti ont négligé le soutien technique aux équipes de la télévision.

---

9. La thèse de la déficience des libéraux pendant la campagne de 1984 est d'ailleurs amplement documentée (Sawatsky, 1987 ; Davey, 1986).

John Turner, Winnipeg, 17 août 1984.
Quand les stratèges négligent de contrôler l'environnement visuel, l'impact télévisuel s'avère médiocre.

Brian Mulroney, Montréal, 17 août 1984.
Une réussite sur le plan du marketing politique, qui s'explique par un contrôle préalable de l'environnement visuel.

Le même jour, la visite de Brian Mulroney à Montréal constitue, au contraire, une réussite sur le plan du marketing politique. Comme le soulignait un reporter, à cette étape de la campagne, on commençait à sentir la victoire des conservateurs ; les ralliements de Brian Mulroney n'étaient plus que de grandes fêtes au cours desquelles le chef conservateur se limitait à parader et à inviter les électeurs à être du côté du gagnant. Dans ce contexte, l'assemblée de la place Ville-Marie, au centre-ville, n'était qu'un prétexte pour montrer Brian Mulroney dans un environnement dont tous les éléments semblaient indiquer la victoire imminente.

La configuration de l'entrée de la place Ville-Marie, quatre escaliers formant une sorte d'amphithéâtre, et la tenue du ralliement à l'heure du lunch contribueront à créer un environnement propice au rassemblement de 6 000 personnes. Les caméras, bien positionnées grâce à la prévoyance des stratèges conservateurs, avaient un point de vue idéal sur la foule et l'estrade. Au micro, Mulroney se limitait à dire : « Aidez-nous à bâtir un Canada prospère et tolérant », sous un tonnerre d'applaudissements. On le voit ensuite signer des autographes au milieu de la foule qui scande : « Mila ! Mila ! » L'événement aura sûrement fait le bonheur de ce caméraman qui nous disait : « On tentait de prendre Brian et Mila ensemble parce qu'ils projetaient une très bonne image. »

Les stratèges des partis ne peuvent évidemment pas contrôler l'environnement visuel jusque dans les moindres détails. D'autres facteurs tels que la popularité réelle du chef et du parti conditionnent l'atmosphère et l'image que transmet la télévision. Dans les deux cas que nous venons de relater, toutefois, les impressions qui se dégagent des reportages sont fortement conditionnées par les aspects techniques et organisationnels de ces ralliements. Dans le cas de John Turner à Winnipeg, l'environnement visuel non contrôlé avait pour effet d'anéantir le message du leader ; dans le cas de Brian Mulroney à Montréal, l'environnement visuel constituait au contraire un support symbolique idéal pour le message de victoire prochaine que cherchait à transmettre le leader.

CONCLUSION

L'objet de cette étude était de voir dans quelle mesure le message du Parti conservateur avait été retransmis par trois réseaux de télévision, soit Radio-Canada, la CBC et TVA, lors de la campagne électorale de 1984. La réponse n'est pas simple, car le message politique diffusé à la télévision dépasse la simple liste d'engagements qu'on trouve dans les programmes électoraux traditionnels ; il implique toute une série d'impressions, d'images et de symboles que les organisateurs espèrent associer à leur chef et à leur formation politique.

On a pu constater que certaines parties du message conservateur avaient été plus abondamment traitées que d'autres dans les journaux télévisés. Comme l'a révélé l'analyse du contenu du texte, les principaux thèmes du programme conservateur, telles la relance économique et la réconciliation nationale, ont été transmis par les réseaux de télévision. On pourrait penser cependant que le traitement superficiel dont ces thèmes ont fait l'objet a pu nuire au Parti conservateur. Mais, dans la mesure où les organisations politiques n'attendent pas de l'information télévisée qu'elle explore en profondeur toutes les nuances et les subtilités des programmes politiques, une couverture superficielle des thèmes électoraux peut correspondre tout à fait aux objectifs de communication des partis, d'autant plus que ce type de traitement évite aux leaders de devoir apporter des précisions à leurs programmes et d'ennuyer les électeurs avec des débats d'experts.

Par ailleurs, une composante essentielle du message conservateur, ce que les conseillers de Brian Mulroney appelaient le facteur de confiance, l'empathie, est très peu présente dans les émissions de nouvelles, malgré toute l'importance que les conservateurs ont attribuée à cet aspect de leur message. On peut facilement comprendre que les journalistes n'aient pas voulu que leurs reportages servent de canaux aux professions de sympathie de Brian Mulroney pour les problèmes des citoyens moyens. Après tout, il n'y avait pas là, pour eux, matière à nouvelles.

Mais les stratèges du Parti conservateur étaient conscients de cela. C'est principalement par l'image télévisée, et non par les comptes rendus des journalistes, qu'ils ont tenté de dissiper le sentiment de méfiance à l'endroit du chef conservateur. Les stratèges conservateurs ont consacré beaucoup d'énergie et de ressources à créer pour la télévision une image sympathique du leader et à évoquer, par un environnement visuel approprié, un sentiment de victoire imminente. Cette approche avait l'immense avantage de véhiculer un message fondamental par l'image en évitant les pièges que peut comporter le traitement journalistique du message. Pendant que les journalistes discutaient savamment de la campagne et décortiquaient les aspects stratégiques de la dernière déclaration du candidat, le message de confiance et d'« empathie » que les journalistes n'ont pas retenu dans leurs textes était transmis par les images. Celles-ci « montraient » le message véritable : un homme sympathique et victorieux, bon père de famille, heureux en affaires comme en amour et décidé à travailler avec intégrité et compétence au bien-être de la nation.

Par ailleurs, ces images venaient appuyer les analyses stratégiques des journalistes qui, à mesure que progressait la campagne, donnaient le Parti conservateur pour vainqueur, contribuant possiblement à amplifier le mouvement.

Il est évident que les journalistes, par l'approche qu'ils privilégient lors des campagnes électorales, par leurs efforts pour dénicher des informations embarrassantes à propos des candidats, par leur souci de dévoiler les tactiques des organisations politiques, cherchent à se soustraire aux stratégies de communication des partis. Ils y parviennent dans une certaine mesure. Mais, lorsque le message véritable tient essentiellement aux images, lorsque les organisations cherchent à tirer profit de l'intérêt de la télévision pour les spectacles hauts en couleur, on peut se demander si les contre-stratégies journalistiques élaborées depuis quelques années par les réseaux de télévision sont réellement efficaces.

Dans ces relations entre la télévision et les politiciens, on ne peut pas dire que les organisations politiques sont nécessairement et toujours en position avantageuse par rapport à la télévision. Après tout, ce que montre cette recherche, c'est que le succès de la stratégie de communication des conservateurs est lié à la capacité que possède l'organisation de fournir aux médias ce qu'ils recherchent, c'est-à-dire de donner au message politique une forme qui en facilitera la transmission à la télévision. Cela signifie qu'il faut non seulement trouver un « candidat-concept » qui répond aux aspirations de la population et qui énonce correctement le discours élaboré par les stratèges, mais aussi fournir aux médias tous les appuis techniques qui facilitent leur travail. Il faut ensuite concevoir des événements hauts en couleur qui fournissent à la télévision le genre de spectacle qu'elle privilégie et, enfin, composer avec le paradigme dominant du journalisme politique en période électorale, c'est-à-dire cette tendance à tout interpréter en fonction de stratégies fictives ou réelles et, surtout, à être à l'affût de faux pas qui pourraient révéler des failles dans la personnalité du candidat.

C'est pourquoi l'organisation politique cherche à garder le contrôle de l'environnement de la campagne et à limiter l'accès au candidat. À ce chapitre, la campagne des conservateurs aura été une réussite. L'encadrement de Brian Mulroney, son accessibilité limitée pour les journalistes, l'absence de faux pas ont fait que des enjeux potentiellement nuisibles à la stratégie conservatrice n'ont pas surgi. Comme le démontre notre analyse de l'image, l'organisation des événements de la campagne et le soutien technique accordé aux médias ont contribué à donner de Mulroney et du Parti conservateur une image favorable.

Ces quelques conclusions montrent que le cas de la campagne conservatrice de 1984 présente un intérêt certain en regard des hypothèses générales formulées en introduction de cet ouvrage. On constate en effet que certaines hypothèses semblent ici devoir se confirmer.

Il apparaît clairement que le succès de la performance conservatrice est dû en grande partie au fait que les stratèges ont tenu compte du mode de fonctionnement des médias et qu'ils ont agi en conséquence. Il semble donc raisonnable de penser qu'en général « plus un communicateur connaît bien le fonctionnement des médias, plus le traitement journalistique sera conforme à ses objectifs de communication ».

Par ailleurs, notre analyse fournit certaines indications selon lesquelles « plus la politique d'information est structurée, moins le traitement journalistique sera conforme aux objectifs de communication des sources ». Dans le cas de la couverture de la campagne des conservateurs, cela se rapporte autant aux ressources et aux effectifs déployés par les réseaux qu'aux principes guidant leurs politiques d'information. Le réseau TVA, dont la stratégie de couverture était moins élaborée que celle des réseaux publics et qui a consacré moins de ressources à cette couverture, était plus dépendant du message conservateur que les deux réseaux publics. Cela est évident non seulement dans le fait qu'au cours de la période étudiée le réseau privé n'a pas produit de reportages de fond, c'est-à-dire des reportages non liés à l'actualité immédiate, mais également dans le traitement quotidien de la nouvelle. Les journalistes de TVA ont en effet reproduit le message du Parti conservateur sans l'analyser ou le confronter avec d'autres sources dans 43 % des cas, comparativement à 33 % pour Radio-Canada et à 29 % pour la CBC.

Ce constat doit toutefois être apprécié à la lumière du genre d'analyse auquel se sont généralement livrés les journalistes. Nous avons vu à quel point ceux-ci ont insisté sur les aspects tactiques et conflictuels de la campagne. Dans cette perspective, on peut se demander si ce type d'analyse, qui, en fin de campagne, se préoccupait surtout de tenter de prédire l'ampleur de la victoire des conservateurs, n'aura pas été favorable à ces derniers, et si, plus fondamentalement, l'efficacité des moyens déployés par les réseaux publics pour se soustraire à la stratégie de communication du parti ne s'en sera pas trouvée réduite. On peut en effet penser que, dans la mesure où un parti semble s'acheminer vers la victoire, l'analyse « stratégique » à laquelle se livrent les journalistes concourt à la victoire de ce parti.

Cette fascination des médias pour la cause électorale et notamment pour les sondages d'opinion donne une signification particulière à une autre hypothèse générale énoncée au début de cette recherche. Il semble en effet que « plus le point de vue de la source fait l'objet d'un fort consensus social, plus le traitement journalistique sera conforme aux objectifs de communication de la source ». Le consensus social dont il est question ici concerne la victoire prochaine du Parti conservateur telle qu'elle est annoncée par les sondages à deux semaines de l'élection. Dans la mesure où l'analyse des journalistes était conditionnée par une opinion publique majoritairement favorable au Parti conservateur, on peut conclure à une validité au moins partielle de cette hypothèse. Comme l'explique un reporter, à partir du moment où les sondages avaient mis fin au suspense, la couverture des médias est devenue empreinte du consensus sur la victoire prévisible des conservateurs :

> Il y avait une espèce de « syndrome de la meute » (*pack syndrome*) dans les médias, selon lequel les libéraux dégringolaient la pente et les conservateurs allaient plutôt bien. Il y avait une tendance, dans certains journaux, à mettre l'accent sur les bourdes de John Turner, et nous sentions qu'il fallait corriger ça un peu. Je pense que nous faisions très attention à ne pas tomber dans une sorte d'analyse de clique sur la façon dont se déroulait la campagne. C'était très difficile à faire parce que les sondages, les uns après les autres, renforçaient l'impression que Mulroney était très en avance et que Turner perdait du terrain. Aussi, au bout d'un certain temps, il est devenu clair que l'intuition des journalistes sur l'évolution de la campagne était confirmée par les sondages, et qu'elle constituait en fait un portrait très fidèle de la situation de l'électorat. C'est pourquoi on ne pouvait plus résister à ça : c'est ce qui était en train de se produire.

Ces considérations nous ramènent inévitablement à l'impact de ce que nous avons appelé le nouveau paradigme de la couverture des campagnes électorales axée sur l'analyse stratégique et sur la dramatisation des événements. La question est importante, parce que la façon dont la télévision couvre la politique peut bien influencer la façon dont les gens perçoivent la politique. On a souvent tendance à imaginer les journalistes comme des observateurs détachés de la réalité dont ils témoignent. Dans le jeu de la politique, ils sont pourtant, avec les politiciens et les électeurs, engagés dans un processus dont ils définissent en partie la forme et la nature. L'adaptation des stratégies de communication des partis politiques aux exigences de la télévision depuis 35 ans en témoigne amplement.

On peut se demander si les jugements intuitifs et souvent impressionnistes que les journalistes portent instantanément sur les enjeux de la campagne et les stratégies des partis sont toujours valables au moment où les organisations politiques utilisent les méthodes les plus raffinées de mesure de l'opinion publique. Plus fondamentalement, il y a lieu de s'interroger sur les effets de ce genre de couverture des campagnes électorales. Des citoyens avertis commencent même à mettre en doute le droit que se donnent les journalistes d'interpréter les propos des politiciens (voir Comber et Mayne, 1986). Le processus de la communication politique est en effet un phénomène que l'on connaît encore peu. Des études récentes (Altheide, 1985) évoquent la possibilité que les médias exercent sur les électeurs une influence plus grande qu'on ne l'avait cru, une influence à long terme qui façonnerait leur conception de la politique et, peut-être, déterminerait leurs choix de parti. Ce nouveau contexte invite à tout le moins à une sérieuse réflexion, comme le souhaite Jay Blumer, dans son essai *Political Communication. Democratic Theory and Broadcast Practice*, sur les effets de cette complexe conjonction de la politique, du journalisme et de la télévision sur le processus démocratique.

CHAPITRE

3

ALCAN ET LE PROJET DE L'USINE LATERRIÈRE AU SAGUENAY

Françoise Le Hir et
Jacques Lemieux

INTRODUCTION
L'annonce d'un événement industriel

Le 10 avril 1984, la multinationale ALCAN annonçait la mise en chantier d'une nouvelle usine de production de lingots d'aluminium près de Chicoutimi, au Saguenay. Pour cette occasion, on avait convié tous les médias nationaux et régionaux à rencontrer en conférence de presse un groupe de dirigeants de l'entreprise et de personnalités politiques, dont le premier ministre du Québec, monsieur René Lévesque.

Ce qu'on ne savait pas à l'époque, c'est qu'il s'agissait d'une annonce un tant soit peu prématurée. La mise en chantier, annoncée pour l'été ou l'automne 1984, devait par la suite être retardée, compte tenu des difficultés éprouvées par ALCAN sur le marché mondial de l'aluminium. Il fallut attendre le 13 mai 1987 et une deuxième annonce officielle pour assister au redémarrage du projet, qui, entre temps, avait pris une dimension nettement plus modeste. Mais tout cela constitue une autre histoire, sur laquelle nous reviendrons à la fin de ce chapitre.

L'analyse de la couverture de presse de l'événement de 1984 nous a semblé, dès ce moment, intéressante pour plusieurs raisons. Tout d'abord, il s'agit d'un dossier économique — l'annonce d'un important investissement industriel —, alors que nos autres cas relèvent du domaine politique ou socioculturel. Ce dossier met en scène, à titre de promoteur de l'événement, une grande entreprise privée, ALCAN, dotée d'un important service de communication, et qui, de plus, s'est depuis longtemps distinguée par sa grande visibilité en matière d'affaires publiques. Il fait aussi intervenir, à titre d'alliés ou d'antagonistes du promoteur, des sources politiques, syndicales ou « populaires » (militants de gauche, écologistes, groupes de citoyens...) disposant d'outils de communication d'importance fort inégale. Enfin, le dossier concerne une réalisation dans une région autre que celles de Québec et de Montréal, soit celle du Saguenay, région par ailleurs assez bien pourvue en médias locaux.

Dans cette perspective, l'analyse de ce cas nous permet d'effectuer deux séries d'observations : d'une part, nous pouvons comparer l'accès aux médias d'un promoteur d'événement socialement puissant ainsi que bien pourvu sur le plan de la communication institutionnelle, par rapport à des opposants moins bien outillés ; d'autre part, il est possible de mettre en parallèle la couverture de la presse régionale et la couverture nationale du dossier. On peut penser, en effet, qu'un promoteur d'événement accède plus facilement aux médias lorsqu'il dispose d'un certain pouvoir et que, d'autre part, les messages de presse qui en résultent se révèlent généralement plus conformes aux objectifs du promoteur que dans le cas d'une source marginale. On peut aussi supposer que, dans un tel dossier, les médias nationaux, disposant de ressources plus grandes et d'un personnel plus nombreux et plus qualifié que les médias régionaux, savent plus aisément déjouer les tentatives de séduction de la source puissante, notamment en sachant obtenir des informations additionnelles d'autres sources, comme des experts indépendants, par exemple.

Ces hypothèses nous sont suggérées par les travaux de Gans (1979) ainsi que par ceux de Molotch et Lester (1975, 1981), dont nous avons fait état dans le premier chapitre.

L'analyse du cas de l'usine Laterrière s'articule en trois volets. Dans un premier temps, nous traçons un portrait rapide d'ALCAN au Québec et au Canada, puis nous situons chronologiquement les événements marquants du dossier Laterrière ; dans un second temps, nous procédons, après quelques précisions sur les particularités méthodologiques de l'étude, à l'examen de la stratégie de communication d'ALCAN ; enfin, en dernier lieu, nous comparons la couverture de presse effectuée par la presse nationale et régionale aux objectifs visés par le promoteur ainsi que par ses opposants.

3.1
HISTORIQUE ET CHRONOLOGIE

Alcan Aluminium Limitée, plus familièrement appelée ALCAN, constitue l'une des plus importantes entreprises industrielles canadiennes. Installée dans plus de cent pays, ALCAN comptait, au début des années 80, plus de 67 000 employés et atteignait un chiffre d'affaires dépassant les cinq milliards de dollars US (ALCAN, 1981, p. 20). La succursale canadienne d'ALCAN, Aluminium du Canada Limitée, de Montréal, chapeaute deux filiales qui s'occupent des opérations d'ALCAN au Canada : la Société d'électrolyse et de chimie Alcan Limitée (SECAL) et Produits Alcan Canada Limitée ; la première a pour mandat d'exploiter des usines de production de lingots d'aluminium et de produits chimiques dérivés ; la seconde gère les opérations de production et de distribution de produits finis et semi-finis en aluminium.

Au Québec, ALCAN se situe au premier rang des entreprises manufacturières ; en 1984, avec un effectif de plus de 12 000 employés, l'entreprise exploite un complexe de chimie minérale, cinq usines d'électrolyse (production de lingots), dix usines de transformation, un réseau hydro-électrique indépendant de celui d'Hydro-Québec, un port en eau profonde, un chemin de fer, ainsi qu'un important réseau de distribution et de mise en marché. La majeure partie de ces installations se situe au Saguenay et au Lac-Saint-Jean, où l'on dénombrait, au début de 1984, près de 7 700 employés de SECAL (SECAL, 1984, p. 38). Les documents d'ALCAN de cette période qualifient la ville de Jonquière, au Saguenay, de « capitale mondiale de l'aluminium, site du plus grand complexe intégré d'aluminium du monde libre » (ALCAN, 1981, p. 10).

Belle formule, digne d'une entreprise qui se caractérise par une politique de grande visibilité publique, s'appuyant sur un service de relations publiques bien structuré : pour la période couverte par notre étude, SECAL employait pour la seule région du Saguenay six professionnels de la communication et éditait son journal bimensuel, *Le lingot* ; au niveau national, le Service de relations publiques d'ALCAN regroupait en 1984 l'équivalent de quarante personnes-année. La politique de communication publique d'ALCAN s'appuie non seulement sur les relations de presse, telles que nous les observons dans le présent dossier, mais aussi sur la publicité sociétale, notamment à l'occasion de la commandite d'événements sportifs (Circuit de tennis ALCAN) ou d'émissions de prestige à la télévision (*Théâtre ALCAN, Maria Chapdelaine, Les Plouffe*...).

Derrière cette image d'entreprise dynamique et engagée socialement, ALCAN a éprouvé de sérieuses difficultés au début de la décennie. Après avoir affiché des pertes en 1981 et en 1982 (58 millions de dollars US), l'entreprise devait se contenter, en 1983, d'un modeste profit de 73 millions de dollars US, à la faveur d'une augmentation de près de 10 % de la consommation d'aluminium en Amérique du Nord (SECAL, 1984, p. 44). Si les perspectives de reprise économique semblaient encourageantes au début de 1984, l'industrie québécoise de l'aluminium devenait aussi le théâtre d'une concurrence plus vive, compte tenu du projet d'agrandissement annoncé par la firme américaine Reynolds à Baie-Comeau, ainsi que de la mise en chantier d'une nouvelle aluminerie, projetée par la société française Pechiney à Bécancour.

C'est dans ce contexte que se situe le dossier de l'usine Laterrière en 1984. Pour profiter au maximum des possibilités de reprise tout en résistant aux entreprises concurrentes, ALCAN se devait de moderniser ses installations pour les rendre non seulement plus productives et moins « énergivores », mais aussi moins polluantes et plus sécuritaires pour ses travailleurs. Il faut comprendre en effet que le complexe industriel de Jonquière date de la Seconde Guerre mondiale ; malgré des améliorations technologiques graduelles, ce complexe ne pouvait indéfiniment soutenir la comparaison avec des usines de conception plus moderne.

Aussi, ALCAN avait entrepris dès les années 70 un important programme d'immobilisations. Une première étape avait été franchie en 1982 avec l'entrée en activité de la nouvelle usine Grande-Baie (à La Baie), investissement de plus d'un demi-milliard de dollars, qui permettait d'accroître la production annuelle d'aluminium de 171 000 tonnes (ALCAN, 1982, p. 28). Le projet de Laterrière constituait par conséquent une autre étape dans ce programme de modernisation. Dans la région de Chicoutimi, on savait depuis 1983 qu'ALCAN projetait de construire une nouvelle usine d'électrolyse à Laterrière, petite municipalité située entre Jonquière et Chicoutimi. Plus le temps s'écoulait, plus les préparatifs de la compagnie étaient manifestes ; aussi, les rumeurs sur l'imminence d'une annonce officielle allaient bon train dans les médias de la région. Du reste, une bonne part des implications techniques, financières et politiques du projet était déjà publique et publiée. « Seule la date de l'annonce officielle manquait », ironise l'un de nos informateurs (entrevue J-1).

Pourtant, il s'agissait d'un dossier complexe. Bien sûr, les données principales concernaient l'usine nouvelle. Sa construction, requérant un investissement de près d'un milliard de dollars, s'échelonnerait sur sept ans et procurerait plusieurs milliers d'emplois temporaires. L'usine entrerait en activité de façon progressive : d'une capacité de production initiale de 83 000 tonnes par année à la fin de 1988, Laterrière atteindrait en 1991 sa pleine capacité de 250 000 tonnes et emploierait quelque 800 travailleurs. De plus, l'usine utiliserait une nouvelle technologie, plus propre et plus économique, mise au point par le Service de recherche d'ALCAN. Enfin, cette nouvelle usine constituerait pour ALCAN le début d'un vaste programme de modernisation de ses installations d'électrolyse au Québec : échelonné sur près de trente ans, ce programme nécessiterait, en incluant Laterrière, un investissement global de trois milliards de dollars.

Le dossier de Laterrière concernait aussi les autorités politiques provinciales et municipales. D'une part, ALCAN concluait avec le gouvernement du Québec une entente énergétique renouvelant pour cinquante ans les baux d'utilisation des rivières Péribonka et Saguenay, et permettant ainsi à ALCAN de continuer à produire sa propre électricité à un coût avantageux. D'autre part, le Québec avait procédé à un nouveau découpage territorial, en permettant à Chicoutimi d'annexer la partie de la municipalité rurale de Laterrière où serait implantée l'usine. Ainsi, la capitale régionale pourrait retirer des revenus de taxation d'ALCAN, à l'instar des autres localités importantes de la région (Jonquière, La Baie et Alma).

Telles étaient les grandes lignes du dossier sur lequel travaillait, depuis octobre 1983, le Service de communication d'ALCAN ; on avait constitué une équipe de huit communicateurs professionnels, dont deux étaient spécialement responsables des relations avec les médias : l'un pour la presse régionale, l'autre pour la presse nationale. La planification de l'annonce publique à la presse se faisait à Chicoutimi, endroit où devait avoir lieu la conférence de presse, tandis que le contenu des informations qui devait y être remis était élaboré au siège social de la compagnie, à Montréal. Les réunions régulières (briefings entre communicateurs et dirigeants) du comité spécial, responsable des communications sur Laterrière, avaient pour but premier d'élaborer les principaux thèmes et objectifs stratégiques de ce qui devait être rendu public par la suite en conférence de presse.

Au début du mois de mars 1984, tout était prêt, la date du grand jour étant fixée au 10 avril suivant. Toutefois, à la fin de mars, cette date fut divulguée malencontreusement par un communicateur d'ALCAN, lors d'un déjeuner avec un journaliste montréalais. Bien qu'ennuyés par cette fuite, les responsables de l'événement décidèrent néanmoins de convoquer la presse au Saguenay à la date prévue.

La fuite avait toutefois permis à la FSAA — la Fédération des syndicats du secteur de l'aluminium, organisme qui représente la majorité des travailleurs syndiqués d'ALCAN au Québec — de réagir à l'événement. Car la FSSA tentait à cette époque de négocier le renouvellement de la convention collective des 800 employés de bureau d'ALCAN au Saguenay. Le nombre d'heures de travail et la sécurité d'emploi constituaient les deux principaux points en litige.

Or, du point de vue de la FSSA, le projet de Laterrière représentait un certain risque pour l'emploi, dans la mesure où il s'agissait, en pratique, de remplacer à Laterrière la partie plus vétuste des installations d'électrolyse de l'usine Arvida de Jonquière. Comme nous le verrons, ALCAN ne le niait pas, sans pour autant dire clairement si le nombre d'emplois supprimés à Jonquière serait ou non équivalent aux 800 emplois créés à Laterrière. La compagnie ne disait pas non plus de façon explicite dans quelle proportion les emplois de Laterrière pourraient être assurés par le recyclage des travailleurs de Jonquière. Enfin, ayant été déboutée l'année précédente d'une demande d'accréditation syndicale des travailleurs de la nouvelle usine Grande-Baie, la FSSA pouvait craindre que le même scénario ne se produise à Laterrière, et qu'on y remplace par des employés non syndiqués les employés syndiqués mis à pied à Jonquière.

La FSSA décida par conséquent de profiter de l'événement de l'annonce publique : convoquant elle aussi la presse, la Fédération annonça qu'elle manifesterait publiquement sur les lieux de l'événement le 10 avril suivant, avec ses « 800 » employés de bureau (la coïncidence avec le nombre d'emplois prévus à Laterrière n'étant ici que symbolique).

Réagissant promptement, ALCAN décida de déplacer de Chicoutimi à Montréal le lieu de l'événement. À 24 heures d'avis, le Service de communication dut réorganiser son plan d'action, prévoir le déplacement par avion à Montréal, aux frais de la compagnie, des journalistes régionaux, et remettre à plus tard la rencontre prévue avec les notables de la région du Saguenay. Par téléphone, on convoqua de nouveau la presse, expliquant que, « surpris et déçu de l'initiative syndicale, on craignait des incidents fâcheux ».

Ne pouvant atteindre le but recherché, soit d'attirer l'attention des médias nationaux ainsi que des « gros bonnets » d'ALCAN, la FSSA annula sa manifestation, non sans avoir accusé de « lâcheté » la compagnie ALCAN, qui « avait eu peur d'une démonstration pacifique ».

L'annonce publique de la mise en chantier de l'usine Laterrière eut donc lieu à Montréal, le 10 avril 1984. Malgré le changement de lieu, l'essentiel du scénario original fut maintenu : discours des hauts dignitaires de la compagnie, discours également de quelques personnages politiques, dont celui du premier ministre du Québec, M. René Lévesque ; volumineuse pochette de presse contenant un nombre impressionnant d'informations techniques et financières, accompagnées de cartes et de graphiques illustrant les divers aspects du projet de Laterrière ; pour la presse électronique, on avait prévu une vidéocassette et réservé une période de questions et d'entrevues particulières ; enfin, un dîner, se déroulant selon une stratégie utilisée depuis longtemps par ALCAN et bien d'autres grandes institutions. Cette stratégie consiste à placer un dirigeant par table de cinq à six journalistes ; ces derniers peuvent poser des questions à leur guise ; le dirigeant, ayant reçu préalablement les conseils des communicateurs, sait alors en principe ce qu'il doit ou ne doit pas répondre.

Après ce rapide survol des événements entourant l'annonce de la construction de l'usine de Laterrière, nous examinerons dans la section suivante les particularités méthodologiques de cette étude de cas, avant d'aborder l'analyse des résultats dans les sections subséquentes.

3.2 CONSIDÉRATIONS MÉTHODOLOGIQUES

Comme pour les autres études de cas, les données du dossier Laterrière proviennent principalement d'opérations d'analyse de contenu de documents provenant des sources, ainsi que de la couverture de presse de divers médias.

Ces données d'analyse de contenu ont par ailleurs été validées ou complétées par onze entrevues réalisées auprès de quatre communicateurs d'ALCAN (entrevues C-1 à C-4) ainsi qu'auprès de sept journalistes mêlés au dossier (entrevues J-1 à J-7).

Le cas Laterrière comporte toutefois quelques traits spécifiques : des quatre cas analysés dans cet ouvrage, Laterrière est celui où la documentation fournie par la source principale (en l'occurrence, ALCAN) s'avère la plus complète : nous avions en main non seulement l'ensemble des communiqués émis par ALCAN, mais aussi des documents décrivant les grands objectifs de l'opération, ainsi que son organisation.

3.2.1 Le discours d'ALCAN

Cette documentation, de même que les entrevues réalisées auprès des communicateurs d'ALCAN, nous permet d'examiner les objectifs stratégiques du Service de communication d'ALCAN, tant de façon générale que pour le cas précis de Laterrière. C'est ainsi qu'il nous a été possible, à partir des communiqués, de procéder à une analyse thématique visant à déceler les thèmes privilégiés par la stratégie de communication d'ALCAN. Selon l'espace et l'emplacement que ceux-ci occupent dans les communiqués, nous avons défini trois catégories de thèmes :

1) Les thèmes **principaux** : ils se retrouvent en début de communiqué, ou ils sont soulignés de façon particulière lors de la conférence de presse du 10 avril 1984 ;
2) Les thèmes **secondaires** : ils se retrouvent ordinairement dans la partie centrale des communiqués et ils traitent habituellement de détails techniques ou administratifs relatifs au projet de Laterrière ;
3) Les thèmes **périphériques** : ils sont occasionnellement soulevés dans les communiqués et n'ont qu'un rapport indirect avec Laterrière.

Les résultats ainsi obtenus ont ensuite été mis en rapport avec les données d'entrevues de communicateurs ; ceux-ci ont effectivement confirmé la validité de notre classement thématique (voir section 3.3).

3.2.2 Les messages de presse

Ayant ainsi défini les objectifs de communication de la source promotrice de l'événement, nous avons pu ensuite procéder à l'analyse de contenu du dossier de presse. Compte tenu de la difficulté de retracer *a posteriori* les éléments de couverture du dossier par la presse électronique, seule l'analyse de la presse écrite a été retenue ; en revanche, nous avons voulu que celle-ci soit le plus exhaustive possible. Les médias répertoriés sont au nombre de quatorze (voir section 3.4). Ils comprennent les quotidiens de Montréal et de Québec, le quotidien « numéro un » du Canada anglais (*The Globe and Mail* de Toronto), deux périodiques économiques (*Finance*, *Les Affaires*), ainsi que six journaux régionaux (deux quotidiens et quatre hebdomadaires).

De ces médias, nous avons tiré trois séries de textes (corpus) : deux corpus complémentaires concernant les quelques semaines ayant précédé (du 6 mars au 7 avril) et ayant suivi (du 16 avril au 23 juin) la période entourant l'annonce officielle du 10 avril (du 8 au 15 avril), période qui détermine le corpus d'analyse proprement dit.

Les deux corpus complémentaires ont été soumis à une analyse thématique sommaire, utilisant comme unité d'analyse l'article pris globalement : il s'agissait essentiellement de déceler soit les éléments du dossier déjà connus avant le 10 avril, soit les thèmes autour desquels s'est poursuivi le débat dans les semaines qui ont suivi l'annonce officielle.

Par contre, l'étude du corpus d'analyse s'est effectuée en fonction d'une approche méthodologique plus élaborée, centrée sur une grille d'analyse conçue par Luc Rhéaume, à l'occasion de son étude exploratoire du débat entourant le projet de loi n° 40 sur la restructuration scolaire au Québec (Rhéaume, 1984 ; voir aussi l'introduction de cet ouvrage). Cette grille d'analyse utilise la phrase comme unité et comporte cinq indicateurs :

1) Les **sources citées** par les médias : il s'agit de savoir ici dans quelles proportions sont cités les porte-parole du promoteur de l'événement (ALCAN), de ses alliés (gouvernements) ou de ses adversaires (syndicalistes, écologistes...).
2) Les **thèmes abordés** : cet indicateur se fonde sur l'analyse des communiqués émis par ALCAN (section 3.3) : il nous permet en effet de départager les thèmes (principaux, secondaires ou périphériques) provenant des communiqués, par rapport aux thèmes externes, c'est-à-dire émanant soit d'une autre source qu'ALCAN, voire d'un employé d'ALCAN, dans la mesure où il s'exprime en marge des événements officiels, à la suite d'une initiative d'un ou de plusieurs journalistes. En somme, un thème « externe par rapport aux communiqués » peut très bien être « pro-ALCAN ».
3) L'**approche** du traitement : cet élément d'analyse nous sert à mesurer la distanciation critique du message de presse par rapport à celui de la source ; le traitement peut être descriptif, analytique ou normatif :
   - le traitement est dit descriptif si la phrase ne fait que rapporter des faits ou des propos d'une source : l'utilisation des guillemets, le style narratif, la référence explicite aux sources mentionnées (communiqués, interviews, conférence de presse...) constituent les indices propres à cette catégorie ;

   - le traitement analytique met en relation deux ou plusieurs thèmes, établit des comparaisons, pose une question ;
   - enfin, le traitement normatif pose clairement un jugement de valeur, une opinion sur le thème abordé.
4) La **conformité** au message du promoteur : cet indicateur est construit en fonction de l'analyse thématique du discours d'ALCAN ; il permet de fixer le degré de similitude d'un article de presse par rapport aux éléments du discours d'ALCAN. L'indice de conformité comporte trois catégories :
   - une phrase est dite conforme si elle énonce les mêmes éléments d'information que les communiqués ou la conférence de presse d'ALCAN ;
   - une phrase est jugée plus ou moins conforme dans la mesure où elle s'écarte quelque peu des éléments du discours d'ALCAN, sans pour autant aller à l'encontre de ce discours ;
   - enfin, une phrase non conforme contient des éléments contraires aux thèmes du discours d'ALCAN.
5) La **tendance** du message : cet indicateur a été déterminé en fonction des objectifs visés par le discours d'ALCAN, plutôt que par les éléments textuels de ce discours. La tendance a également été classée en trois catégories :
   - une phrase est dite favorable si elle appuie l'un ou l'autre des objectifs d'ALCAN ;
   - une phrase est jugée neutre si elle ne permet pas de dégager de tendance particulière ;
   - enfin, une phrase est dite défavorable lorsqu'elle conteste explicitement un ou plusieurs des objectifs visés par ALCAN.

Les deux derniers indicateurs (conformité et tendance) sont similaires sans doute, mais nullement identiques ; il est vrai qu'une phrase conforme au discours d'ALCAN sera probablement favorable aux objectifs de l'entreprise, mais l'inverse n'est pas aussi évident : un article traitant autrement qu'ALCAN d'un thème donné est classé plus ou moins conforme, voire non conforme ; mais il peut très bien s'avérer en même temps favorable à ALCAN. Nous proposons plus loin (voir section 3.4.2.4) quelques exemples illustrant diverses combinaisons de deux indicateurs.

3.2.3 L'évaluation des acteurs : le bilan

Une fois effectuée l'analyse de contenu du dossier de presse, la dernière opération consiste en une mise en rapport des deux discours — celui de la presse et celui d'ALCAN — avec les perceptions des événements qu'expriment les journalistes et les communicateurs que nous avons interrogés : d'une part, les communicateurs évaluent le degré de succès de la stratégie de relations de presse d'ALCAN par rapport à la couverture de presse obtenue ; d'autre part, les journalistes expliquent les « stratégies de couverture » utilisées par leurs médias et par eux-mêmes, ainsi que les résultats obtenus tant pour les autres médias que pour le leur.

Tels sont — dessinés à grands traits — les éléments du cadre méthodologique qui soutient l'analyse des résultats. Celle-ci fera l'objet des trois prochaines sections, qui porteront respectivement sur les objectifs d'ALCAN, les messages de presse et les perceptions des acteurs. La synthèse de ces trois éléments nous permettra enfin de faire le bilan de cette étude de cas.

3.3 LES OBJECTIFS D'ALCAN

Comme nous l'avons déjà souligné (voir section 3.1), ALCAN se caractérise par une politique de communication publique active, s'appuyant sur un service de relations publiques bien organisé. L'objectif premier d'un tel service, nous affirme un cadre d'ALCAN, consiste à « promouvoir l'image de la compagnie » auprès de divers publics (régionaux, nationaux, industriels, politiques...), ce qui implique trois séries de tâches :

> Annoncer les choses avant qu'elles n'aient lieu, c'est la partie la plus importante. Mais d'abord, il s'agit de préparer le terrain à recevoir l'information, parce qu'elle est toujours soit bonne, soit mauvaise : il faut donc que le jardin soit prêt à recevoir la nouvelle... Enfin, de façon générale, il faut traduire les réalités de la compagnie. (Entrevue C-4.)

En somme, on peut dire des communicateurs d'ALCAN qu'ils jouent un rôle d'aiguilleur, tant auprès des médias que des directions qu'ils assistent. Il est en effet assez difficile aux journalistes de s'adresser directement aux dirigeants de la compagnie. Il leur faut d'abord passer par le Service des relations publiques, qui décide s'il y a lieu d'envoyer la presse à tel ou tel directeur. C'est là une règle générale et réellement observée par tous, nous a-t-on dit. En principe, les relationnistes d'ALCAN ne sont pas considérés comme porte-parole ; ils ne peuvent donc pas, sans autorisation et sauf exception, divulguer des informations de leur propre chef. De même, les directeurs de services ne s'adressent jamais à la presse sans avoir consulté leurs relationnistes.

Sur le plan interne, le communicateur doit prioritairement définir les « enjeux-ALCAN ». En d'autres termes, puisque les décisions ou orientations de la compagnie doivent un jour ou l'autre devenir publiques, par les comptes rendus des médias, il apparaît préférable aux administrateurs et aux relationnistes de prévoir, selon le dossier, les différents enjeux sociaux, politiques et économiques que leurs décisions représentent à la fois pour le public et pour la compagnie elle-même.

De là, et en concertation avec les directions responsables du dossier, on élabore une « pensée directrice », une réponse préparée qui soit acceptable du point de vue de l'entreprise, et ce, après que les communicateurs ont prévu quel pouvait être le questionnement de la presse sur le sujet. Une fois les enjeux bien définis et la ligne directrice acceptée, les communicateurs doivent ensuite les soumettre, pour discussion et approbation, aux dirigeants concernés, qui, dès lors, peuvent en parler publiquement. Il est pratiquement impossible à un journaliste d'obtenir d'ALCAN une information officielle quelconque, avant que cette opération ne soit complétée. De cette façon, les intérêts de la compagnie sont à l'abri des indiscrétions et des réactions publiques prématurées. Lorsque enfin la presse est convoquée, cette stratégie n'en est pas pour autant tout à fait terminée :

> Souvent après les conférences de presse, les journalistes s'empressent de contacter le Service des relations publiques pour savoir ce que cela veut dire ; le relationniste va alors continuer de traduire et river le clou correctement pour que les médias comprennent très bien le message. (Entrevue C-4.)

Telle est donc, selon nos informateurs, la façon générale de procéder du Service de relations publiques d'ALCAN. Voyons maintenant quels étaient les objectifs spécifiques d'ALCAN lors de l'annonce de la construction de l'usine Laterrière.

L'analyse thématique des communiqués émis par ALCAN permet de déceler huit thèmes, dont deux thèmes principaux, trois thèmes secondaires et trois thèmes périphériques. En voici la liste, avec leurs principaux « sous-thèmes » ou éléments de contenu :

– **Thèmes principaux :**

1. Programme d'investissement d'ALCAN
   - Projet de plus de 3 milliards de dollars.
   - Première phase, l'usine Laterrière, 1 milliard de dollars, investi en sept ans.
   - Modernisation des vieilles usines de Jonquière.
2. Emploi, relance et retombées économiques
   - Création de 20 000 emplois temporaires au Québec (personnes-année).
   - L'usine procurera 800 emplois permanents.
   - On pourra ainsi consolider 1 340 emplois, dont 800 directement.
   - Les retombées économiques seront de 700 millions de dollars, dont 250 à 300 millions pour les PME de la région.
   - 70 % des investissements sont injectés dans l'économie, 20 % dans la protection de l'environnement.

– **Thèmes secondaires :**

3. Technologie
   - L'usine utilisera une nouvelle technologie conçue dans les laboratoires d'ALCAN.
   - Cette nouvelle technologie sera quatre fois plus productive et 20 % moins « énergivore » que les procédés antérieurs.
   - L'alimentation en électricité sera assurée par le réseau d'ALCAN.
   - La nouvelle usine permettra de remplacer six ou sept salles de cuve vétustes, ne répondant plus aux normes de sécurité et de productivité.
4. Entente énergétique
   - Entente avec le gouvernement du Québec renouvelant pour cinquante ans les baux d'utilisation de la rivière Péribonka pour la production d'énergie hydro-électrique.
   - Ce bail rapportera au Québec 662 millions de dollars pour les 25 premières années.
   - Une entente de vente de surplus d'électricité au Vermont rapportera 650 millions de dollars en dix ans.
   - Il faudrait étendre les tarifs d'électricité préférentiels à d'autres domaines que l'aluminerie.
5. Aspects protocolaires
   - L'annonce sera faite par les plus hauts dignitaires d'ALCAN (D. Culver, D. Morton, D. Ritchie).
   - Présence de personnalités politiques de premier plan (R. Lévesque, Y. Duhaime, M.-A. Bédard).

– **Thèmes périphériques :**

6. Aspects promotionnels
   - Le siège social d'ALCAN à Montréal, un chef-d'œuvre d'architecture, selon le premier ministre Lévesque.
   - Le haut niveau d'excellence d'ALCAN, dû au dynamisme des Saguenéens.
   - La construction de Laterrière devrait se faire sans difficulté, comme ce fut le cas pour l'usine de La Baie.
7. Échéancier des travaux
   - La première phase devrait s'échelonner sur deux ans.
8. Environnement
   - L'emplacement de l'usine a reçu l'assentiment du ministère de l'Environnement du Québec.

De fait, ce relevé thématique concorde assez exactement avec les thèmes qui, selon nos informateurs, constituaient le message privilégié du Service des communications d'ALCAN, soit, dans l'ordre :

1) L'investissement et son impact économique global ;
2) Les emplois directs créés par le projet : c'était une question sur laquelle on préférait être prudent, comme on le verra dans les pages qui suivent ;
3) La nouvelle technologie mise au point par ALCAN ;
4) Le remplacement d'une partie des installations de Jonquière (thème sur lequel on avait également anticipé les questions de la presse) ;
5) Les échéanciers de la construction de Laterrière. (Entrevues C-2, C-3 et C-4.)

L'enjeu de communication, défini en collégialité par l'équipe d'ALCAN, consistait à présenter la construction de l'usine Laterrière comme une question de survie pour ALCAN. On voulait démontrer la nécessité de la modernisation des équipements, tout en sachant que l'impossibilité de préciser le nombre des pertes d'emplois, ou tout au moins l'ordre de grandeur des retombées réelles pour l'emploi, représentait un couteau à deux tranchants dans la région.

L'officialisation du projet constituait en soi, aux dires de la majorité des communicateurs interviewés, un objectif stratégique important. Tous les médias devaient être mis au courant en même temps et publier la nouvelle également au même moment ; l'impact ne devait en être alors que plus important. De fait, tous les médias nationaux et régionaux ont effectivement assisté à la conférence de presse et fait état de son contenu, le lendemain dans le cas des quotidiens.

On espérait par ailleurs que certains sujets ne seraient pas directement discutés en conférence de presse, notamment les négociations syndicales alors en cours. Par ricochet, la question de l'emploi, au cœur de ces négociations, posait aussi quelques difficultés aux communicateurs :

> On n'avait aucune idée à l'époque du nombre précis d'emplois qui seraient perdus ou gagnés, car c'était un changement technologique. Théoriquement, on parlait de 1 000 emplois touchés et de 800 récupérés par Laterrière, donc une perte possible de 200 emplois (...) chez nous, c'est une « bibite » qu'on n'aime pas. (Entrevue C-2.)

On préférait ne pas insister non plus sur les baux gouvernementaux, laissant ce soin aux représentants politiques. On n'avait, de plus, « nulle envie de se faire rebattre les oreilles avec des problèmes de pollution, ou encore avec les activités de la compagnie en Afrique du Sud, par exemple » (entrevue C-4).

Comme nous le verrons dans la prochaine section, la question de l'emploi a effectivement constitué le principal point litigieux dans la couverture de presse. Ce qui ne signifie pas pour autant que les objectifs de communication d'ALCAN n'aient pas été atteints.

3.4 LA COUVERTURE DE PRESSE

Notre analyse du dossier de presse se subdivise en trois parties : dans un premier temps, nous examinerons les résultats de l'analyse du premier corpus complémentaire (semaines précédant l'événement), de façon à faire ressortir les éléments du dossier déjà connus publiquement ; ensuite, nous effectuerons l'examen détaillé des cinq indicateurs de la grille d'analyse de contenu du corpus principal ; enfin, nous ferons une synthèse des résultats observés, accompagnée d'une brève analyse des éléments du second corpus complémentaire (semaines ayant suivi l'annonce officielle).

3.4.1 La couverture de presse avant l'événement

Pour cette période s'étendant du 6 mars au 8 avril 1984, nous avons relevé, dans les quatorze médias répertoriés, 29 titres, soit 15 dans la presse nationale et 14 dans la presse régionale. Ce relevé indique que tous les grands thèmes faisant l'objet de l'annonce officielle du 10 avril étaient déjà connus tant de la presse nationale que de la presse régionale : ainsi, dès le 14 mars, à la suite d'une conférence prononcée à Québec par un dirigeant d'ALCAN, les thèmes de l'investissement (thème 1), de la création d'emplois temporaires et permanents (thème 2), de la nouvelle technologie (thème 3) sont décrits en détail dans les quotidiens de Montréal et de Québec. Le 29 mars, à la suite de l'assemblée générale des actionnaires d'ALCAN à Montréal, ces trois thèmes sont repris par la presse nationale, qui mentionne aussi pour la première fois le renouvellement des baux d'utilisation hydro-électrique des rivières Péribonka et Saguenay (thème 4). Le même jour, à la suite d'une fuite, un quotidien de Montréal révèle aussi la date de l'annonce officielle, ainsi que les principaux détails protocolaires : invités d'honneur, déroulement de l'événement (thème 5). Le lendemain, le 30 mars 1984, tous ces éléments sont repris par la presse régionale, qui, entre temps, avait aussi produit des textes sur des thèmes plus délicats pour ALCAN, notamment les négociations collectives avec la FSSA (20, 24, 26, 27 mars), de même que les difficultés éprouvées par la compagnie dans l'achat des terrains requis pour sa nouvelle usine (1er avril).

Bref, dix jours avant l'annonce officielle, tous les éléments du dossier faisaient déjà l'objet du débat public. En somme, l'annonce du 10 avril n'était pas vraiment « une nouvelle ». Nous allons voir jusqu'à quel point les médias ont peu tenu compte de ce fait dans leur façon de couvrir l'événement.

3.4.2 L'annonce du 10 avril 1984 : une nouvelle qui n'en est pas une !

Nous entrons ici dans l'analyse de notre dossier de presse principal, qui couvre la période du 8 au 15 avril 1984. Le corpus d'analyse ainsi défini comporte 42 articles, totalisant 682 phrases ou unités d'analyse. Le tableau 3.1 illustre la distribution de ce corpus.

TABLEAU 3.1
Laterrière : couverture de presse, du 8 au 15 avril 1984, par médias

Médias	Nombre d'articles	Nombre de phrases	Nombre moyen (phrases/articles)
Presse régionale			
Le Quotidien (Chicoutimi)	16	227	14,2
Le Progrès-Dimanche (Chicoutimi)	1	11	11,0
Le Réveil de Chicoutimi	1	8	8,0
Le Réveil de Jonquière	1	24	24,0
Le Lac-Saint-Jean (Alma)	1	24	24,0
Le Journal de Québec (édition SLSJ)	9	134	14,9
Quotidiens « nationaux »			
Le Soleil (Québec)	2	25	12,5
Le Journal de Montréal	1	19	19,0
La Presse (Montréal)	3	47	15,7
Le Devoir (Montréal)	2	28	14,0
The Gazette (Montréal)	2	52	26,0
The Globe and Mail (Toronto)	1	26	26,0
Périodiques spécialisés (économie-finance)			
Finance (Montréal)	1	24	24,0
Les Affaires (Montréal)	1	33	33,0
CORPUS TOTAL	42	682	16,2

La grande majorité des articles (37/42) sont des textes de nouvelles ; 2 médias seulement, soit *The Gazette* et *Le Quotidien*, ont publié respectivement 1 et 4 textes de commentaires ou éditoriaux, dont nous ferons ultérieurement (section 3.4.2.3) une analyse particulière. La principale constatation qui se dégage de ce tableau, c'est la dominance quantitative de la couverture de deux médias, soit *Le Quotidien* et *Le Journal de Québec*, qui regroupent respectivement 34,7 % et 20,5 % des unités d'analyse du corpus.

La dominance du *Quotidien*, principal média écrit du Saguenay, sur les quatre hebdomadaires régionaux, s'explique aisément, tout comme l'importance de sa couverture par rapport à celle des autres médias : après tout, l'usine Laterrière concernait d'abord la population du Saguenay. Mais on pourrait s'étonner de l'importance accordée à l'événement par *Le Journal de Québec*, si on ne précisait qu'à l'époque ce quotidien possédait un bureau régional à Jonquière, éditait une page de nouvelles régionales du Saguenay et du Lac-Saint-Jean, et, pour ces raisons, était considéré pour les besoins de notre recherche comme un « quotidien régional ».

Les sources citées

Ayant examiné la distribution globale de notre corpus, nous pouvons maintenant en décortiquer les éléments, en commençant par les sources citées dans les différents textes. Pour l'ensemble des 42 articles répertoriés, 18 sources différentes sont mentionnées 86 fois. Comme l'indique le tableau 3.2, le promoteur de l'événement (ALCAN) et ses alliés dominent nettement l'ensemble du corpus, avec 64 mentions sur 86, soit 74,4 % des mentions. Les sources « ALCAN » comprennent l'ensemble des porte-parole de la compagnie, ainsi que les communiqués et autres documents émis par ALCAN, représentés dans les articles par des mentions telles que : « Selon un communiqué d'ALCAN... selon un document d'ALCAN... selon ALCAN... » Les alliés d'ALCAN cités sont des personnages politiques québécois (ministres, députés) ou saguenéens (maires).

Pour leur part, les adversaires d'ALCAN (16 mentions, soit 18,6 % de l'ensemble) sont formés surtout des porte-parole syndicaux de la FSSA (12 mentions), de groupes politiques d'opposition (2 mentions) ainsi que des résidents du Rang de la Chaîne, menacés d'expropriation par le projet d'ALCAN (2 mentions). Les sources « neutres », mentionnées 6 fois, sont constituées par d'autres médias (4 fois) et des experts (2 fois).

Si on examine la distribution de ces mentions par médias, on constate que les sources « ALCAN » ou « pro-ALCAN » sont plus fréquemment citées

TABLEAU 3.2
Laterrière : catégories de sources mentionnées, par médias

Médias	ALCAN	Alliés	Adversaires	Neutres	Total des mentions %	Nbre
Le Quotidien	31,3	46,9	15,6	6,3	100,0	(32)*
Le Journal de Québec	21,4	42,9	35,7	–	100,0	(14)
Hebdomadaires régionaux	28,6	14,3	42,9	14,3	100,0	(7)
Quotidiens nationaux	62,1	24,1	6,9	6,9	100,0	(29)
Presse économique	50,0	–	25,0	25,0	100,0	(4)
TOTAL	**40,7**	**33,7**	**18,6**	**6,9**	**100,0**	**(86)**

* Les totaux diffèrent parfois de 100 %, compte tenu de l'arrondissement décimal.

dans *Le Quotidien* et surtout dans l'ensemble des quotidiens nationaux ; tandis que *Le Journal de Québec*, tout comme les hebdomadaires régionaux, accorde une plus grande importance aux sources hostiles à ALCAN (35,7 % et 42,9 % des mentions, par rapport à 18,6 % pour l'ensemble du corpus).

En somme, pour ce premier indice, *Le Quotidien* se distingue des autres médias saguenéens. Nous observerons des résultats analogues lors de l'examen des autres indicateurs.

Les thèmes abordés

Comme nous l'avons expliqué précédemment, il s'agit ici de déterminer dans quelles proportions la couverture de presse traite des thèmes d'ALCAN, par rapport à d'autres thèmes, introduits par d'autres sources (thèmes externes). C'est ce qu'illustre le tableau 3.3 où les catégories « thèmes principaux-thèmes secondaires » proviennent d'un regroupement des catégories originales (la catégorie « périphérique », de faible importance statistique, a été fusionnée à la catégorie « secondaire »). Les thèmes « ALCAN » ont par conséquent été subdivisés en « principaux » et « secondaires », selon qu'ils abordent des sujets connexes ou non aux thèmes prioritaires des communiqués (thème 1 : investissement ; thème 2 : emplois directs et indirects ; thème 3 : retombées économiques régionales et nationales). Notons aussi que, vu qu'une phrase traite parfois de plus d'un thème, le nombre total des thèmes mentionnés (750) est supérieur au nombre de phrases du corpus (682).

TABLEAU 3.3
Laterrière : catégories de thèmes, par médias

Médias	Thèmes des communiqués		Thèmes externes	Total des mentions	
	principaux	secondaires		%	Nbre*
Le Quotidien	26,6	28,5	44,8	100,0	(252)
Le Journal de Québec	14,0	23,5	61,0	100,0	(136)
Hebdomadaires régionaux	19,2	30,8	50,0	100,0	(78)
Quotidiens nationaux	27,4	28,8	43,8	100,0	(219)
Presse économique	47,7	26,2	26,2	100,0	(65)
TOTAL	**25,6**	**28,0**	**46,4**	**100,0**	**(750)**

* Total des mentions > total des phrases.

L'examen du tableau 3.3 permet de constater que, dans l'ensemble, les médias respectent assez bien la thématique élaborée dans les communiqués de presse d'ALCAN : si on regroupe les catégories « thèmes principaux » et « thèmes secondaires » des communiqués, on constate que, globalement, 53,6 % de la couverture de presse concerne les thèmes présents dans les communiqués. Les divers types de médias se situent près de cette proportion d'ensemble, sauf la presse économique, particulièrement fidèle à la thématique d'ALCAN (73,9 % des thèmes mentionnés proviennent des communiqués) ainsi que *Le Journal de Québec*, qui, au contraire, accorde le plus d'importance aux sources externes (61 % des mentions, par rapport à une proportion globale de 46,4 %).

Notons toutefois que le recours à des thèmes externes aux communiqués d'ALCAN ne signifie pas nécessairement qu'on développe l'argumentation des sources hostiles (FSSA, expropriés du Rang de la Chaîne, Mouvement socialiste du Saguenay...) ; on peut aussi faire place aux alliés d'ALCAN (ministres, députés et notables), voire à des cadres d'ALCAN interrogés en dehors des événements officiels et s'exprimant à titre personnel.

Cet indicateur nous permet d'observer les efforts de diversification de leurs sources effectués par les médias, et non pas leurs tendances pro-ou anti-ALCAN. Dans cette perspective, les données du tableau 3.3 nous permettent au moins de constater qu'ALCAN a assez bien réussi son opération d'établissement de l'ordre du jour (*agenda-setting*), en indiquant aux médias de quoi il fallait parler (*Le Journal de Québec* étant le seul à se démarquer ici). Reste à savoir si les médias ont aussi adopté la façon de dire privilégiée par ALCAN. C'est ce que nous permettront d'observer les indicateurs de conformité et de tendance. Mais avant d'y arriver, il nous faut d'abord considérer un autre indicateur de distanciation des médias par rapport à leurs sources, celui de « l'approche ».

L'approche du traitement journalistique

Cet indicateur, rappelons-le, peut être de trois types : descriptif, analytique, normatif. Il vise à évaluer le degré d'autonomie du journaliste par rapport à ses sources, dans la mesure où le recours à une approche normative, voire analytique, témoigne d'une certaine distanciation critique, par rapport à la simple description des propos et des actions d'une ou de plusieurs sources. Ce qui ne signifie évidemment pas pour autant que l'approche analytique ou normative soit nécessairement défavorable à la source concernée.

Compte tenu du style de journalisme pratiqué en Amérique du Nord, où l'on réserve habituellement l'approche normative aux commentaires et aux éditoriaux, nous ne traitons ici que des 584 phrases (37 articles) de nouvelles ; l'examen des 98 phrases (5 articles) de commentaires et d'éditoriaux sera fait ultérieurement (section 3.4.2.5).

Comme il fallait s'y attendre, les articles de nouvelles sont d'approche largement descriptive, soit dans une proportion de 84,8 %. On ne dénombre en fait que 14 phrases normatives sur 584 (2,4 %). Compte tenu de ces résultats globaux, les catégories « analytique » et « normative » ont été fusionnées dans le tableau 3.4.

Notre étude de l'approche révèle toutefois quelques différences selon les types de médias. D'une part, les hebdomadaires régionaux adoptent une approche essentiellement descriptive (97 % des phrases, soit 65 phrases sur 67). D'autre part, la proportion des phrases dénotant une approche analytique, qui est de 15,2 % pour l'ensemble du corpus, atteint 28,4 % au *Journal de Québec* et 42,2 % dans la presse économique.

TABLEAU 3.4
Laterrière : approche du traitement, par médias (articles de nouvelles seulement)

Médias	Approche descriptive	Approche analytique	Total des phrases %	Total des phrases Nbre
Le Quotidien	93,6	6,4	100,0	(157)
Le Journal de Québec	71,6	28,4	100,0	(134)
Hebdomadaires régionaux	97,0	3,0	100,0	(67)
Quotidiens nationaux	92,3	7,7	100,0	(169)
Presse économique	57,8	42,2	100,0	(57)
TOTAL	84,8	15,2	100,0	(584)

Les écarts par rapport aux résultats globaux s'expliquent aisément dans le cas des hebdomadaires régionaux, réduits par leurs faibles moyens à une couverture institutionnelle (communiqués, conférences de presse, événements publics) ; ils ne surprennent pas non plus dans le cas des médias à vocation économique, qui ont pour fonction d'analyser et de commenter l'actualité industrielle, commerciale et financière ; le cas du *Journal de Québec* est de prime abord plus surprenant.

On pourrait en effet s'étonner de constater que l'approche analytique représente plus du quart du contenu consacré au dossier par ce tabloïd de style populaire, où l'on s'attendrait à voir primer la description brève des événements. De fait, le recours à l'approche analytique n'est pas totalement étranger à ce journal ; on l'observe notamment dans certaines chroniques spécialisées, telle celle du correspondant à l'Assemblée nationale.

Il s'agit ici sans doute d'un cas analogue, puisque le dossier de l'usine Laterrière a été couvert par un correspondant régional ; à l'instar des chroniqueurs parlementaires, un tel correspondant dispose peut-être d'une plus grande marge de manœuvre qu'un journaliste de la salle des nouvelles (dans la mesure où le contrôle de son travail s'effectue à distance)[1]. Quoi qu'il en soit, nous allons observer que l'édition saguenéenne du quotidien tabloïd de Québec se distingue aussi des autres médias pour ce qui est des indices de conformité et de tendance.

Conformité et tendance

L'indice de conformité, rappelons-le, permet de fixer le degré de similitude d'une phrase par rapport aux éléments du discours officiel d'ALCAN (communiqués, conférences de presse), tandis que l'indice de tendance se rapporte aux objectifs visés par ce discours.

L'examen comparé des résultats des deux indices (tableaux 3.5 et 3.6) permet d'observer que l'ensemble de la couverture de presse est légèrement plus conforme au discours d'ALCAN (66,6 %) qu'il n'est favorable à ses objectifs (62,1 %). Ces résultats indiquent en fait qu'ALCAN a réussi en grande partie à baliser le débat à l'intérieur de sa problématique : à peine 8,6 % des phrases du corpus abordent des sujets carrément non conformes au discours d'ALCAN (discours syndical, de gauche, ou écologiste, lorsqu'ils soulèvent des thèmes nettement différents de ceux d'ALCAN).

On a donc pu observer des cas où, même en abordant des aspects conformes au discours d'ALCAN, le traitement s'avérait de fait défavorable : si 8,6 % du corpus est non conforme (tableau 3.5), 19,9 % est défavorable à ALCAN (tableau 3.6). Voici quelques exemples de phrases associant différemment conformité et « favorabilité » (tendance) :

- Conforme et favorable :
  - « C'est un investissement privé d'un milliard de dollars canadiens que la compagnie ALCAN consacrera à l'expansion de sa production et à la consolidation des emplois au Saguenay. » (*Le Journal de Québec*, 11 avril 1984.)
  - « Le député de Chicoutimi, Marc-André Bédard, a déclaré que cet investissement vient appuyer de façon substantielle la relance de l'économie régionale amorcée en 1983. » (*Le Quotidien*, 11 avril 1984.)
- Conforme et défavorable :
  - « Le directeur général de la construction (de SECAL) (...) a admis que Laterrière pourrait signifier la disparition de quelque 600 emplois permanents au Saguenay. » (*Le Devoir*, 11 avril 1984.)

---

1. Nous verrons aussi que le chroniqueur du *Journal de Québec* au Saguenay avait, de par son expérience, une meilleure connaissance personnelle du dossier (voir 3.4.3).

- « (Le porte-parole) d'ALCAN a dû rappeler brièvement les incidents qui ont amené à l'annulation de la conférence de presse (prévue à Chicoutimi) pour l'annonce de la construction de Laterrière. » (*Le Journal de Québec*, 11 avril 1984.)

– Non conforme et favorable :
- « Il ne serait pas impossible qu'ALCAN innove dans le domaine de la construction de sa nouvelle aluminerie, en accordant des contrats de gestion à des entreprises locales. » (*Progrès-Dimanche*, 8 avril 1984.)
- « Sur les 20 000 emplois directs et indirects créés au cours de cette période, la région en obtiendra 6 500. » (*Le Lac-Saint-Jean*, 11 avril 1984.)

– Non conforme et défavorable :
- « Cette compagnie (ALCAN), qui se veut avant-gardiste, adopte une attitude rétrograde (selon la FSSA). » (*Le Réveil de Jonquière*, 10 avril 1984.)
- « (Le porte-parole) de la FSSA est d'avis que les 800 emplois qui seront créés (à Laterrière) le seront tout simplement au détriment des travailleurs du complexe de Jonquière. » (*Le Journal de Québec*, 11 avril 1984.)

Ces exemples permettent, espérons-nous, de comprendre que les orientations (conforme/non conforme ; favorable/défavorable) ne sont pas celles du journal ou du journaliste, mais celles du texte lui-même et des sources citées. Comme l'indiquait le tableau 3.4 (*supra*), 84,8 % du corpus est de style descriptif, conformément à la tradition nord-américaine de journalisme d'information : la majorité des phrases du corpus ne font qu'énoncer, de façon descriptive, des propos tirés soit d'interviews, soit de documents qui, selon la source, s'avèrent ou non favorables ou conformes au discours et aux objectifs d'ALCAN.

Ces précisions générales ayant été apportées, nous pouvons observer aux tableaux 3.5 et 3.6 que la distribution des indices de conformité et de tendance varie considérablement selon les médias. Première observation, les quotidiens nationaux et les périodiques spécialisés en économie et finance produisent une couverture du dossier Laterrière qui, par rapport à l'ensemble de l'échantillon, se révèle à la fois plus conforme (surtout dans les quotidiens) et plus favorable (surtout dans la presse économique) à ALCAN et à ses objectifs. *Le Quotidien*, pour sa part, se situe tout près de la moyenne, tant pour la conformité que pour la tendance. Mais les autres médias régionaux — *Le Journal de Québec* et les hebdomadaires — présentent l'événement d'une façon moins fidèle au discours d'ALCAN : au *Journal de Québec*, en particulier, les proportions de phrases conformes (52,2 %) ou favorables (44,8 %) se situent respectivement à 14,4 % et 17,3 % au-dessous des proportions globales (66,6 % et 62,1 %).

TABLEAU 3.5
Laterrière : conformité du traitement au discours d'ALCAN, par médias (articles de nouvelles seulement)

Médias	Traitement conforme	Traitement plus ou moins conforme	Traitement non conforme	Total des phrases %	Total des phrases N^bre
Le Quotidien	62,4	26,1	11,5	100,0	(157)
Le Journal de Québec	52,2	40,3	7,5	100,0	(134)
Hebdomadaires régionaux	55,2	31,3	13,4	100,0	(67)
Quotidiens nationaux	85,8	10,1	4,1	100,0	(169)
Presse économique	68,4	21,1	10,5	100,0	(57)
TOTAL	66,6	24,8	8,6	100,0	(584)

TABLEAU 3.6
Laterrière : tendance du traitement par rapport au projet d'ALCAN, par médias (articles de nouvelles seulement)

Médias	Traitement favorable	Traitement neutre	Traitement défavorable	Total des phrases %	Total des phrases N^bre
Le Quotidien	65,0	15,9	19,1	100,0	(157)
Le Journal de Québec	44,8	26,1	29,1	100,0	(134)
Hebdomadaires régionaux	56,7	16,4	26,9	100,0	(67)
Quotidiens nationaux	69,2	16,0	14,8	100,0	(169)
Presse économique	80,7	12,3	7,0	100,0	(57)
TOTAL	62,1	18,0	19,9	100,0	(584)

Pour examiner de façon plus synthétique les différences observées aux tableaux 3.5 et 3.6, nous avons confectionné deux indices, en attribuant trois points à chaque phrase « conforme » ou « favorable », deux points à chaque phrase « plus ou moins conforme » ou « neutre », un point à chaque phrase « non conforme » ou « défavorable ». Divisant ensuite, pour chaque type de média, les scores ainsi obtenus par le nombre de phrases du corpus, nous obtenons les indices dont rend compte le tableau 3.7[2] :

2. Il ne faut évidemment pas s'attarder aux valeurs absolues de ces indices, pour lesquels on a, bien sûr, accordé des équivalents numériques arbitraires à des catégories ordinales (au lieu de valeurs 1-2-3, on aurait pu inscrire 1-3-5 ou 2-4-8...). Seule doit compter la position relative des indices.

TABLEAU 3.7
Indices de conformité et de tendance, par médias (scores moyens)

Médias	Conformité	Tendance
Le Quotidien	2,51	2,46
Le Journal de Québec	2,45	2,16
Hebdomadaires régionaux	2,42	2,30
Quotidiens nationaux	2,82	2,54
Presse économique	2,58	2,74
TOTAL	2,58	2,42

Les résultats du tableau 3.7 confirment l'analyse des données précédentes (tableaux 3.5 et 3.6) ; à l'exception du *Quotidien* de Chicoutimi, la presse régionale prend ses distances par rapport à ALCAN, beaucoup plus que la presse nationale. Cette caractéristique doit être mise en relation avec les observations faites aux tableaux 3.2 et 3.3 : les hebdomadaires régionaux, ainsi que *Le Journal de Québec* (édition SLSJ), sont les médias qui accordent le plus d'espace rédactionnel aux adversaires d'ALCAN (voir tableau 3.2) ; ce sont aussi ces médias qui traitent plus abondamment de thèmes externes par rapport aux communiqués émis par ALCAN (voir tableau 3.3). C'est ce qui explique comment des articles de nouvelles, produits en fonction des idéaux du journalisme « objectif », peuvent s'avérer plus ou moins conformes (ou favorables) au discours d'une source particulière.

Dans les deux sections suivantes (3.4.2.5 et 3.4.2.6), nous allons examiner séparément les orientations des éditoriaux, ainsi que celles des titres des divers articles. Nous y observerons que les orientations déjà décelées dans le contenu des articles de nouvelles continuent de se manifester.

Les éditoriaux et les commentaires

Deux seulement des médias répertoriés ont consacré des articles de commentaires dûment identifiés comme tels : ce sont *Le Quotidien* (4 articles, 70 phrases) et *The Gazette* (1 article, 28 phrases). Les données relatives à ces cinq textes font l'objet du tableau 3.8, qui regroupe les résultats observés pour les indices d'approche (descriptive-analytique-normative), de conformité (conforme-plus ou moins conforme-non conforme) et de tendance (favorable-neutre-défavorable).

Si les commentaires des deux médias s'avèrent dans l'ensemble conformes et favorables au message d'ALCAN, la chose est particulièrement vraie du *Quotidien*, qui affiche dans ses commentaires des tendances légèrement plus favorables et plus conformes au discours d'ALCAN que dans ses articles de nouvelles (tableaux 3.5 à 3.7) : ainsi, les indices de conformité et de tendance, qui sont respectivement de 2,51 et de 2,46 pour les articles de nouvelles, atteignent 2,56 et 2,54 dans le cas des éditoriaux.

Le Quotidien se signale aussi par l'importante proportion de phrases « descriptives » dans ses articles de commentaires : 27 sur 70 (38,6 %), c'est-à-dire en proportions identiques à celles des phrases « normatives », qu'on pourrait croire typiques d'un éditorial, celles où l'on émet une opinion. Il est vrai que, dans bien des éditoriaux, il faut décrire une situation avant de la commenter. Mais ici, le commentaire consiste en grande partie à décrire... à partir d'informations produites par ALCAN ; ce qui explique l'orientation conforme et favorable à cette source.

TABLEAU 3.8
Laterrière : éditoriaux et commentaires (approche, conformité, tendance)

		Le Quotidien (4 articles)	The Gazette (1 article)
Approche			
descriptive		38,6	25,0
analytique		22,9	21,4
normative		38,6	53,6
Conformité			
conforme		60,0	53,6
plus ou moins conforme		35,7	35,7
non conforme		4,3	10,7
Indice (moyenne)		2,56	2,43
Tendance			
favorable		61,4	53,6
neutre		31,4	32,1
défavorable		7,1	14,3
Indice (moyenne)		2,54	2,39
TOTAL DES PHRASES	%	100,0	100,0
	N^bre	(70)	(28)

Dans la prochaine section, nous compléterons l'analyse du dossier de presse par l'examen des titres des articles, ce qui nous amènera à faire la synthèse de notre analyse de contenu des médias.

Les titres des articles

L'analyse des titres suggère une constatation aussi intéressante que surprenante de prime abord : les médias répertoriés se révèlent dans l'ensemble moins conformes et moins favorables à ALCAN dans leurs titres que dans le contenu de leurs articles ; c'est une observation qui ressort nettement de l'examen comparé des tableaux 3.5 à 3.7 et des tableaux 3.9 et 3.10 : ainsi, les indices de conformité et de tendance, qui atteignent des valeurs de 2,58 et 2,42 pour l'ensemble du corpus des articles (tableau 3.7), se situent à 2,24 dans le cas du corpus des titres (tableaux 3.9 et 3.10).

TABLEAU 3.9
Laterrière : conformité des titres, par médias (articles de nouvelles et commentaires)

Médias	Titres conformes	Titres plus ou moins conformes	Titres non conformes	Indice (moyenne)	Total %	Total Nbre
Le Quotidien	50,0	18,8	31,2	2,56	100,0	(16)
Le Journal de Québec	44,4	22,2	33,3	2,11	100,0	(9)
Hebdomadaires régionaux	50,0	–	50,0	2,00	100,0	(4)
Médias nationaux	61,5	23,1	15,4	2,46	100,0	(13)
TOTAL	52,3	19,0	28,6	2,24	100,0	(42)

TABLEAU 3.10
Laterrière : Tendance des titres, par médias (articles de nouvelles et commentaires)

Médias	Titres favorables	Titres neutres	Titres défavorables	Indice (moyenne)	Total %	Total Nbre
Le Quotidien	37,5	50,0	12,5	2,25	100,0	(16)
Le Journal de Québec	44,4	55,6	–	2,44	100,0	(9)
Hebdomadaires régionaux	50,0	–	50,0	2,00	100,0	(4)
Médias nationaux	30,8	53,8	15,4	2,15	100,0	(13)
TOTAL	38,1	47,6	14,3	2,24	100,0	(42)

Cependant, l'analyse par catégories de médias révèle que, tout en se conformant à l'observation générale (titres plus « critiques » que le contenu des articles), les médias conservent par ailleurs les mêmes positions relatives. Ainsi, l'examen des indices de conformité (tableau 3.9) permet de constater une plus grande fidélité aux thèmes d'ALCAN de la part du *Quotidien* et des « médias nationaux » (compte tenu du petit nombre de titres, nous avons regroupé les catégories « quotidiens nationaux » et « presse économique ») ; à l'opposé, *Le Journal de Québec* ainsi que les hebdomadaires régionaux s'avèrent sensiblement moins conformes. Bref, les orientations relatives constatées dans les textes se reproduisent dans les titres.

L'examen des indices de tendance (tableau 3.10) permet toutefois d'observer deux exceptions de taille : alors que les textes du *Journal de Québec* produisent l'indice de tendance le plus faible, c'est-à-dire le moins favorable à ALCAN, ses titres produisent l'indice le plus élevé (plus favorable) ; on constate la situation inverse dans le cas des médias nationaux, qui, s'étant révélés les plus favorables à ALCAN dans leurs textes, présentent par ailleurs la plus faible proportion de titres favorables.

À quoi pourrait-on attribuer ces écarts entre titres et contenus ? Il est possible, à notre avis, de les relier au rôle de la rédaction dans la définition de la politique d'information du média : si le contenu des textes de nouvelles relève d'abord des journalistes sur le terrain, « l'écriture périphérique » (titres, photos, illustrations, mise en page, etc.) relève de la rédaction. Et il n'est pas exagéré de croire que l'influence des sources sur les médias s'exerce plus facilement sur le terrain que dans les salles de rédaction. Car, en affichant « l'image de marque », le style du média à l'intention de son public, l'écriture périphérique peut aussi avoir pour effet secondaire d'affirmer l'autonomie du média par rapport aux sources citées dans les articles.

3.4.3 Synthèse de l'analyse de contenu et examen du second corpus complémentaire

Première observation générale, la presse régionale accorde à l'événement une couverture plus importante (sur le plan quantitatif) que la presse nationale : si on se réfère au tableau 3.1, on se rend compte que 29 articles sur 42 (69 %) proviennent de 6 médias régionaux ; 8 médias « nationaux » se partagent le reste du corpus.

Deuxième observation, l'analyse des textes permet également de distinguer les **orientations de la presse nationale et de la presse régionale** ; cependant, *Le Quotidien* présente un type de couverture semblable à celui des quotidiens et périodiques nationaux : il privilégie les sources « ALCAN » ou « pro-ALCAN », reproduit en forte proportion les thèmes des communiqués d'ALCAN et se révèle à la fois conforme et favorable aux orientations du promoteur de l'événement. Toutefois, *Le Journal de Québec* (édition SLSJ) et, dans une moindre mesure, les quatre hebdomadaires régionaux mentionnent en plus forte proportion des sources hostiles à ALCAN, développent plus fréquemment des thèmes différents de ceux des communiqués et enfin s'avèrent plus souvent non conformes aux éléments du discours d'ALCAN.

Troisième observation, les différences observées dans le traitement de l'événement du 10 avril 1984, de même que les écarts mentionnés entre titres et contenus, tiennent essentiellement à la controverse suscitée autour du

thème de l'emploi et des retombées économiques (thème 2, voir section 3.3). Cela est illustré par les titres suivants, datés du 11 avril 1984 :

- « ALCAN annonce un projet d'usine de $ 1 milliard » (*Le Quotidien*) ;
- « $ 1 milliard et 800 jobs : c'est signé ! » (*Le Journal de Québec*) ;
- « $ 300 millions et 600 emplois dans la région » (*Le Lac-Saint-Jean*) ;
- « ALCAN ne créera pas d'emplois, malgré un investissement de $ 1 milliard : l'usine de Laterrière consolidera 800 emplois au Saguenay » (*Le Devoir*) ;
- « 1 $ milliard qui ferait disparaître 600 emplois » (*La Presse*).

De fait, le débat se poursuit le lendemain (12 avril 1984) ; on propose alors des énoncés qui, souvent, vont à l'encontre de ceux de la veille :

- « Création ou suppression d'emplois ? ALCAN apporte des précisions » (*Le Journal de Québec*) ;
- « Il faut parler de création d'emplois, dit le ministre Duhaime » (*La Presse*) ;
- « Laterrière et les emplois : ALCAN ne peut faire un bilan précis » (*La Presse*).

Quatrième observation, ce débat autour de la construction de Laterrière s'inscrit essentiellement dans une problématique régionale. Le discours d'ALCAN est entériné par les notables de Chicoutimi, puisque cette ville, par l'annexion de la partie de la municipalité de Laterrière où doit être construite l'usine, devient la principale bénéficiaire des retombées économiques. Tandis que le discours critique semble provenir surtout de Jonquière, site de la vieille aluminerie d'Arvida (dont la réalisation de Laterrière entraînerait la fermeture de la partie plus vétuste) ; Jonquière est aussi le site du siège social de la FSSA, inquiète des conséquences réelles pour ses membres, au chapitre de la protection des emplois et des droits acquis. Les autres sources critiques — un député de l'opposition libérale, un mouvement de gauche prosyndical et un groupe de citoyens de Laterrière expropriés par l'ALCAN — n'attirent l'attention que de la presse régionale, et ce, de façon fort minoritaire[3].

L'origine essentiellement régionale du débat autour du projet de Laterrière est d'ailleurs confirmée par l'examen de la suite du dossier dans les 14 médias répertoriés : du 16 avril au 23 juin 1984, soit dans les six semaines qui se sont écoulées après l'annonce officielle, nous n'avons relevé que 11 titres

3. La rivalité Jonquière-Chicoutimi transparaît dans une caricature du *Quotidien* (10 avril 1984) : deux quidams de Chicoutimi y souhaitent que « les cheminées de Laterrière soient assez hautes pour qu'on les voie de Jonquière ». Dans ce même média, un notable de Chicoutimi souhaite qu'on cesse de parler de « l'usine Laterrière » et qu'on dise « l'usine d'ALCAN à Chicoutimi ».

(8 régionaux, 3 nationaux) traitant des thèmes suivants : les retombées en ce qui concerne les emplois directs ou indirects (2 titres régionaux, 2 nationaux), les conséquences pour l'environnement (1 titre régional), les règlements de zonage et leur contestation par les expropriés de Laterrière (3 titres régionaux), et enfin, à la fin de juin 1984, quelques inquiétudes quant au début véritable des travaux (2 titres régionaux, 1 titre national).

En somme, les médias régionaux et nationaux que nous avons analysés dans le dossier de Laterrière se comportent globalement de la même façon que ceux qu'examinent Molotch et Lester (1975) à l'occasion de la « marée noire » de 1969 à Santa Barbara (voir chapitre premier, section 1.3) : les sources locales ont plus facilement accès à la presse régionale qu'aux médias nationaux, et ceux-ci accordent moins de suivi (*follow-up*) au dossier que les médias régionaux. Il existe toutefois une importante différence entre le « cas » californien et notre cas québécois : à Santa Barbara, le pollueur et ses alliés nationaux (l'industrie pétrolière et l'État fédéral américain) doivent affronter une coalition régionale, tandis qu'au Saguenay l'opinion publique régionale est divisée au sujet du projet d'ALCAN à Laterrière. Ces dissensions régionales trouvent peu d'échos dans la presse nationale, mais opposent *Le Quotidien*, publié à Chicoutimi, favorable à l'ALCAN dans ses nouvelles comme dans ses éditoriaux, au reste de la presse régionale, et particulièrement à l'édition saguenéenne du *Journal de Québec*, dont le correspondant a pignon sur rue à Jonquière.

La couverture du dossier par les hebdomadaires régionaux se révèle périphérique et incomplète, compte tenu, sans doute, de leur rythme de parution et de leurs faibles moyens. Le cas du *Journal de Québec* est particulièrement intéressant : son correspondant régional affecté au dossier de Laterrière est un ancien employé d'ALCAN : se servant de ses contacts privilégiés pour diversifier ses sources, il accorde aux adversaires d'ALCAN un plus large accès à son journal qu'ils n'en ont aux autres médias. Tandis que les chroniqueurs économiques que la presse nationale affecte à ce dossier, peu au fait des débats publics régionaux, traitent l'événement dans une perspective plus générale, plus proche de la problématique définie par ALCAN et ses alliés.

Notre analyse de contenu du dossier de Laterrière permet de constater que, dans l'ensemble, le message d'ALCAN a été bien diffusé par les médias ; les quelques thèmes litigieux soulevés — notamment, la question des emplois directs — l'ont été conformément aux prévisions des communicateurs d'ALCAN ; ces aspects controversés sont plus souvent traités de façon secondaire dans la majorité des textes et des titres. Il reste à savoir, avant de conclure, si telle est bien la perception de nos informateurs, tant ceux des médias que ceux d'ALCAN.

3.5 LE POINT DE VUE DES ACTEURS

Nous avons observé précédemment que l'annonce du projet de Laterrière avait été soigneusement préparée — tant sur le plan logistique que sur celui des informations — par les communicateurs d'ALCAN (voir sections 3.1 et 3.3). Du côté des médias, aucun des sept journalistes interrogés n'a eu de directives particulières de ses supérieurs hiérarchiques, en ce qui concerne la couverture de cet événement. Pas plus les reporters généralistes (la majorité des journalistes régionaux) que les chroniqueurs spécialisés en économie et finance (pour la plupart au service des médias nationaux). Toutefois, un journaliste régional soutient que son média a « une politique d'information spéciale pour ALCAN : on a toujours de la place pour elle » (entrevue J-4).

En somme, alors que l'événement représente pour les communicateurs une opération spéciale, soigneusement préparée et planifiée par un travail d'équipe, cet événement semble n'exiger de la part des journalistes qu'un travail de routine plus individuel que collectif. Cette différence de perspective explique sans doute en partie les divergences d'opinions constatées entre les deux groupes dans l'évaluation de la couverture de l'événement. Cette évaluation porte sur trois points : l'importance relative des divers moyens utilisés par ALCAN pour diffuser son message aux médias ; le genre de relations qui se sont établies entre la presse et les communicateurs d'ALCAN ; enfin, le bilan global établi par les journalistes et les communicateurs que nous avons rencontrés.

3.5.1 Évaluation des moyens utilisés

Pour rendre public le projet de Laterrière, ALCAN avait misé sur les moyens suivants : communiqués de presse, documentation technique (pochette de presse), conférence de presse des dirigeants d'ALCAN et de représentants de l'État québécois, « déjeuner-briefing » réunissant journalistes et représentants d'ALCAN (voir section 3.1). C'est ce dernier élément que journalistes et communicateurs considèrent quasi unanimement comme le plus utile : les briefings autour d'une table sont « ce qu'il y a de plus efficace pour bien faire comprendre un dossier » (C-3) ; cela permet aux journalistes de « bien vérifier, pour comprendre l'envers de la médaille » (J-4) ; ça « apporte de la complémentarité aux informations » (C-4) ; « malheureusement, il n'y en a pas assez souvent » (J-2). Un seul journaliste émet quelques réserves : « Les briefings ?... Oui, intéressant... mais si la rencontre se passe au bureau, pas au restaurant, et que l'on joue bien le jeu. » (J-5)

Un des communicateurs semble lui donner raison, en déclarant un peu cyniquement : « Pour les dossiers spéciaux comme Laterrière, les briefings permettent de confirmer le cadre de référence pour les journalistes (*sic*). Ça les resitue... On appelle ça « la boîte à savon » : on brasse, et tout se mélange. » (C-1)

Il est par ailleurs intéressant de constater que journalistes et communicateurs semblent minimiser l'importance des communiqués de presse et de la conférence de presse : un communicateur estime que les communiqués « ont moins servi qu'on ne l'aurait cru » (C-2) ; un autre ajoute que la conférence de presse a été utile « surtout pour l'audiovisuel » (C-3) ; de même, un journaliste affirme que les communiqués « mettent la puce à l'oreille, sans plus » (J-2) et un autre soutient que « les conférences de presse, ce n'est plus très utile (J-6). Par contre, un autre journaliste souligne que « les communiqués de presse peuvent inciter à la paresse, tant ils sont bien faits » (J-5). Compte tenu de la proportion non négligeable (53 %) des thèmes issus des communiqués ou de la conférence de presse qui se dégage de notre analyse de contenu, on peut croire que ce dernier informateur possède la perception la plus juste sur ce point[4].

Il est moins étonnant, par contre, de constater que cinq journalistes sur sept disent avoir mis peu ou pas du tout de temps à l'analyse de la documentation technique contenue dans la pochette de presse : ils affirment préférer l'information condensée et les propos de leurs sources personnelles à la recherche documentaire. Ce qui rejoint les observations faites par de Bonville, auprès d'un échantillon de journalistes de la presse quotidienne québécoise : ceux-ci accordaient en moyenne 61,8 % du temps consacré à la cueillette d'informations aux sources orales et seulement 38,2 % aux sources écrites (de Bonville, 1977, p. 62).

3.5.2 Les relations entre journalistes et communicateurs

En somme, les réponses des journalistes et, dans une moindre mesure, celles des communicateurs semblent refléter davantage leurs conceptions professionnelles en général que les particularités du cas de Laterrière, telles qu'ils les perçoivent. Il en est de même en ce qui concerne leurs jugements sur le genre de relations qui se sont établies entre journalistes et communicateurs

4. Il ne faut cependant pas exagérer l'importance réelle des communiqués et de la conférence de presse, par rapport aux autres moyens (briefings, entrevues...) ; si la stratégie d'ALCAN était bien planifiée, il est probable que les orientations du message à faire passer devaient être les mêmes, quel que soit le moyen d'information utilisé.

d'ALCAN à l'occasion de cet événement : nos informateurs ont plutôt tendance à s'exprimer de façon vague sur les relations journalistes-relationnistes en général ; les communicateurs, pour souligner le caractère cordial des relations habituelles entre eux et les journalistes ; et ces derniers, pour dénoncer le danger d'une trop grande familiarité avec les porte-parole des sources.

Deux journalistes (J-2 et J-4) soulignent toutefois que, sans qu'il y ait eu de pressions explicites exercées sur eux dans le dossier de Laterrière, ALCAN possède un service de relations publiques bien organisé, qui produit une information si bien préparée qu'il est difficile de ne pas céder malgré soi à la séduction. Un troisième journaliste soutient que son média a été sollicité non pas par ALCAN, mais par son allié gouvernemental ; et il ajoute : « Dans ce dossier, il n'y avait que chez ALCAN qu'on trouvait de l'information complète : on était accroché aux basques d'ALCAN. » (J-5)

Mais le cas le plus intéressant concerne nos informateurs J-7 et C-3 : ce journaliste et ce communicateur d'ALCAN avaient pris l'habitude de manger régulièrement ensemble, de façon à s'échanger de l'information. Au lendemain de l'annonce du projet de Laterrière, le média de J-7 publie sous sa signature un texte dont un élément déplaît à ALCAN. Le soir même, le journaliste reçoit un appel du communicateur d'ALCAN. Le lendemain, le média publie un nouvel article qui rectifie les faits, à la satisfaction d'ALCAN. Ce journaliste estime avoir subi une « forte pression » dans ce dossier. Pourtant, les communicateurs d'ALCAN (y compris C-3) considèrent de tels incidents comme plutôt rares ; ils voient là « des petites rectifications » et non pas des « pressions sur les journalistes ». Bref, chez les communicateurs comme chez les journalistes, les perceptions personnelles s'avèrent conformes au discours officiel de leur profession[5].

3.5.3 Le bilan des journalistes

Ces choses étant dites sur les relations entre journalistes et communicateurs dans le dossier de Laterrière, quel bilan de ce dossier nos informateurs tirent-ils ? Chez les journalistes, les points de vue sont partagés : trois d'entre eux dénoncent la couverture complaisante de la presse régionale ; pour eux, il est difficile à des journalistes généralistes de résister aux séductions des sources : « Les journalistes de la région étaient tellement épatés par leur voyage à Montréal, payé par ALCAN, qu'ils n'ont presque pas posé de questions en conférence de presse. » (J-1)

5. On observe le même phénomène dans nos entrevues de groupe : voir chapitre 6.

Par contre, on critique aussi la performance des grands médias nationaux, qui se sont « contentés d'une couverture superficielle et très officielle » (J-1). Un seul journaliste a cependant préféré la couverture régionale : selon lui, les journalistes de la presse nationale n'étaient pas au courant des antécédents du dossier, ont produit une information incomplète, mettant trop l'accent sur l'emploi ; à la limite, « en parlant d'emplois perdus, on a été malhonnête » : la documentation d'ALCAN était « complète et bien faite, il n'y avait pas grand chose d'autre à apporter » (J-3).

Ce point de vue est évidemment minoritaire : trois journalistes (J-1, J-6, J-7), tout en reconnaissant le déséquilibre entre l'information produite par ALCAN et celle émise par les autres sources (FSSA, gouvernement, etc.), soulignent l'aspect ambigu de l'information d'ALCAN en matière d'emploi : concrètement, y aurait-il création, maintien ou perte d'emplois ?... Aussi ces journalistes pensent-ils que le but premier de l'opération, « c'était de mousser l'image d'ALCAN » (J-2, J-5) et de « son allié gouvernemental » (J-6). « Dans ce sens, on peut croire qu'ALCAN a atteint son objectif. » (J-7)

3.5.4 Le bilan des communicateurs d'ALCAN

De leur côté, les communicateurs d'ALCAN s'estiment somme toute assez satisfaits de la couverture de presse obtenue. Comme on l'a vu antérieurement (section 3.3), l'ambiguïté relevée par les journalistes quant au thème de l'emploi était parfaitement consciente et volontaire chez ALCAN : on anticipait un débat sur cette question délicate, et on ne voulait pas fournir trop de détails, de façon à ne pas alimenter ce débat. Un des communicateurs se demande si on a bien fait :

> Le thème de l'emploi a été mal interprété : Laterrière, c'était 50 % d'expansion, et 50 % de remplacement : on construisait une nouvelle usine avec 800 emplois et 250 000 tonnes d'aluminium (par année), on fermait six vieilles cuves en perdant 800 emplois et 125 000 tonnes ; donc, à la fin, on gardait le même nombre d'emplois, et on accroissait la production de 125 000 tonnes (...) Mais il fallait aussi tenir compte des milliers de jobs sur la construction ! C'est important, ça, pour une région au chômage élevé ! (...) Malgré tout, l'opération de relations publiques, contrôlée de Montréal, a assez bien marché. (Entrevue C-4.)

> On a mis la pédale douce sur la question de l'emploi ; c'était une erreur, j'aurais préféré qu'on dise clairement à la fin du communiqué si Laterrière allait ou non se traduire par un gain net d'emploi... comme ça, le message était ambigu et on courait des risques (...) Quoi qu'il en soit, même s'il a fallu faire des petites mises au point, la couverture a été assez juste en général : on a fait la « une » des journaux, on a eu la première ou la deuxième place dans les bulletins de nouvelles. (Entrevue C-3.)

En somme, si les communicateurs d'ALCAN considèrent avoir atteint leurs objectifs, les journalistes ont plutôt tendance à considérer que tous les médias — excepté le leur — auraient pu mieux faire leur travail. Il nous reste à voir jusqu'à quel point les perceptions des acteurs s'accordent avec nos propres conclusions.

SYNTHÈSE ET CONCLUSION

L'analyse du dossier de Laterrière devait nous permettre de vérifier trois hypothèses. Selon la première, il existe une inégalité d'accès aux médias, qui favorise les sources bien organisées. Selon la deuxième, la presse régionale serait plus sensible aux séductions des sources que les médias nationaux. Enfin, selon la troisième hypothèse, les journalistes spécialisés peuvent plus facilement que les reporters généralistes prendre du recul par rapport à leurs sources (voir l'introduction de cet ouvrage, ainsi que le chapitre premier, section 1.3, en particulier les références aux travaux de Gans, 1979 ; de Gandy, 1982 ; de Molotch et Lester, 1975, 1981).

De fait, l'examen du contenu des quatorze médias répertoriés (section 3.4) permet de constater une assez grande fidélité aux thèmes jugés prioritaires par les communicateurs d'ALCAN (section 3.3) : le choix des sources et des sujets produit des articles qui, en ce qui a trait à la conformité et à la tendance, s'avèrent généralement assez proches de ce que l'on trouve dans le discours d'ALCAN.

On peut croire, de plus, que la tactique adoptée par ALCAN de déménager précipitamment à Montréal la conférence de presse prévue à Chicoutimi (section 3.1) a fortement réduit l'accès aux médias des divers opposants au projet, notamment la FSSA. En ce sens, l'hypothèse 1 (inégalités d'accès aux médias) semble validée dans cette étude de cas.

La démonstration s'avère toutefois beaucoup moins évidente en ce qui concerne les deux autres hypothèses, dont les variables sont difficilement dissociables : les chroniqueurs spécialisés des médias nationaux, peu renseignés sur les enjeux régionaux, ont en fait accordé moins d'attention aux adversaires d'ALCAN que les journalistes généralistes de la presse régionale. Par contre, celle-ci est loin d'être unanime : *Le Quotidien* appuie le projet d'ALCAN en éditorial et produit des reportages qui soutiennent cette orientation ; *Le Journal de Québec* accorde un plus large accès aux adversaires d'ALCAN que ne le font les autres médias ; enfin, les hebdomadaires régionaux présentent l'événement de manière superficielle et périphérique, ce qui a pour effet, ici, de favoriser la thématique des adversaires d'ALCAN.

Il ne faut toutefois pas exagérer ces différences entre les médias : comme l'indiquent les tableaux de la section 3.4, dans l'ensemble, les médias mentionnent les sources « ALCAN » ou « pro-ALCAN » dans une proportion de 74,4 % (tableau 3.2), consacrent 53,6 % de leurs phrases aux thèmes des communiqués de presse d'ALCAN (tableau 3.3), de sorte que plus de 60 % des phrases s'avèrent conformes au discours d'ALCAN (tableau 3.5) et favorables au projet de Laterrière (tableau 3.6). Un seul thème litigieux est abordé — celui des retombées en ce qui concerne les emplois directs —, mais l'ambiguïté volontaire du message d'ALCAN sur ce point a mis une sourdine à cette note discordante.

Les médias auraient-ils pu couvrir l'événement avec plus de recul ? Il est certes facile *a posteriori* de suggérer d'autres approches de l'événement. Mais il n'empêche que l'annonce du 10 avril 1984 était d'abord prétexte à une cérémonie protocolaire, à un événement médiatique (*media event*) : comme l'indiquent les données de la section 3.4.1, tous les éléments du dossier étaient déjà connus des médias depuis près d'un mois ; on avait même « annoncé l'annonce » avec de gros titres une dizaine de jours avant l'événement (les 29 et 30 mars 1984). On peut donc penser que les médias auraient pu profiter de cette période pour creuser un certain nombre de questions. Par exemple, on aurait pu essayer d'évaluer les chances réelles de réalisation du projet d'ALCAN en 1984, compte tenu de la conjoncture économique mondiale du marché de l'aluminium ; ou encore, on aurait pu s'interroger sur la rentabilité du projet de Laterrière, compte tenu des autres alumineries projetées, en construction ou en rénovation au Québec (Kayser, Pechiney, Reynolds). On aurait pu aussi examiner les conséquences du projet sur l'environnement, ou les dispositions de l'entente énergétique conclue avec le gouvernement du Québec...

En somme, cette étude de cas remet en cause la nature de la nouvelle, telle qu'elle est définie par la presse d'information nord-américaine. Idéalement, on pourrait croire qu'une nouvelle fournit au public d'un média une série d'informations inédites sur un quelconque événement d'intérêt public. Mais ici la nouveauté se limite aux péripéties d'un événement mondain (conférence de presse, dîner, photos officielles...) : sur la substance de ce dossier économique important, la presse ne fait que reprendre des informations déjà connues.

Autrement dit, des journalistes compétents, au service de médias sérieux, couvrant de façon professionnelle un type d'événement qui leur est familier, produisent, en respectant les normes en vigueur dans leurs entreprises de presse, des articles dont la majeure partie se limite à faire la promotion d'une grande entreprise et de son partenaire gouvernemental. Ainsi peut-on faire le bilan de la couverture de presse de cet événement du 10 avril 1984.

Mais il faut y ajouter un épilogue : le projet ne se réaliserait pas selon le scénario prévu. Les travaux de construction de l'usine Laterrière, qui devaient débuter à l'été ou à l'automne 1984, ont été reportés pendant plus de trois ans. Car l'année 1984 s'est terminée de façon catastrophique pour ALCAN et pour toute l'industrie mondiale de l'aluminium : alors que les montagnes d'aluminium invendu dans le monde atteignaient quelque trois millions de tonnes, les prix du métal chutaient de plus de 40 % ; ALCAN subissait une perte de 183 millions de dollars et devait, dans les années suivantes, supprimer 7 000 emplois — dont 2 000 au Canada — et réduire ses coûts annuels de 250 millions de dollars (Serge Roy, économiste d'ALCAN, *Le Soleil*, 14 mars 1988, page C-14).

Grâce à ces mesures d'austérité, ainsi qu'à une amélioration de la conjoncture mondiale, la santé financière d'ALCAN devait par la suite s'améliorer, avec des profits de 277 millions de dollars en 1986 et de 433 millions de dollars en 1987. Ce qui devait permettre à l'entreprise d'organiser, le 13 mai 1987, une **deuxième annonce officielle** de la construction de l'usine Laterrière. Un projet un peu moins ambitieux que celui de 1984 : en premier lieu, l'estimation de l'investissement total était ramené de 1 milliard à 750 millions de dollars, et la capacité de production, de 250 000 à 200 000 tonnes par année ; de plus, la réalisation du projet était prévue en quatre étapes (quatre unités de production de 50 000 tonnes), dont l'échéancier, au cours des années 80 et 90, dépendrait de l'évolution des marchés mondiaux ; enfin, on confirmait que cette nouvelle usine remplacerait les installations vétustes de Jonquière et se traduirait par une perte nette de 550 à 700 emplois, selon les estimations de la direction ou des syndicats (*Le Soleil*, 14 mai 1987, page C-1).

Cette fois-ci, le message d'ALCAN était explicite et son triomphe modeste. La FSSA, qui voyait se réaliser sa prédiction pessimiste de 1984, ne pouvait que manifester sa déception résignée. C'est qu'entre temps le débat public autour du projet de Laterrière s'était déplacé vers un thème peu mentionné en 1984, celui de la protection de l'environnement. On constatait maintenant que la technologie classique d'électrolyse de l'aluminium (le procédé Soderberg) engendrait des produits toxiques qui constituaient une menace tant pour les humains que pour la faune (notamment, les bélugas du Saint-Laurent). Dans cette perspective, la réalisation du projet de Laterrière, pour lequel ALCAN annonçait en 1988 un nouvel échéancier réduisant de quatorze mois la mise en activité, prenait la forme d'un geste de civisme, puisqu'il impliquait la mise au rancart d'installations polluantes.

CHAPITRE 4

LES PSEUDO-ÉVÉNEMENTS DE CONTESTATION : LE CAS DU REGROUPEMENT AUTONOME DES JEUNES (RAJ)

Jean Charron

INTRODUCTION
Le pseudo-événement de contestation comme phénomène d'opinion publique

Au printemps de 1984, un groupe de jeunes, militant au sein du Regroupement autonome des jeunes (RAJ), entreprenait une campagne de manifestations qui visait à sensibiliser l'opinion publique aux problèmes vécus par les jeunes assistés sociaux au Québec, et à amener le gouvernement québécois à modifier sa politique d'aide sociale pour les assistés sociaux de moins de trente ans. Cette campagne prit la forme d'occupations d'édifices publics, de manifestations dans les rues de Montréal, d'une grève de la faim, bref d'un ensemble d'actions collectives destinées à attirer l'attention de la population et à « déranger » les autorités gouvernementales.

Nous avons retenu ce cas pour analyse parce qu'il nous permettait de mieux comprendre : 1) le problème que constitue l'accès aux grands médias d'information pour les groupes disposant de peu de ressources politiques et économiques ; 2) le recours aux pseudo-événements comme réponse à ce problème de l'accès aux médias.

Nous appelons pseudo-événements des actions qui présentent un écart par rapport au déroulement habituel ou « normal » des choses et qui sont littéralement construites et mises en scène à l'intention des médias d'information.

Du sport à la politique en passant par les « annonces officielles » et les records Guinness, une grande proportion des événements rapportés par la presse présente ce caractère artificiel dans la mesure où ces événements ne sont créés qu'en fonction des médias et que ce n'est qu'à travers les médias qu'ils prennent leur signification réelle. Des pseudo-événements étaient d'ailleurs au cœur des stratégies de communication publique dans tous les cas que nous avons étudiés. Ce qui distingue le cas du RAJ à cet égard, c'est d'abord le peu de moyens dont disposait la source pour entreprendre ses actions de communication publique, et ensuite le caractère contestataire des pseudo-événements.

On peut dire que le pseudo-événement est inhérent à l'activité de contestation. Cela apparaît clairement dans la définition que donne Michael Lipsky de l'activité de contestation. Cet auteur définit la contestation comme « un mode d'action politique s'opposant à une ou plusieurs politiques, **caractérisé par une mise en scène et des manifestations non conventionnelles** et entrepris pour obtenir des récompenses de la part des systèmes politique et économique, tout en opérant à l'intérieur de ces systèmes ». (Lipsky, 1981, p. 338. C'est nous qui soulignons.)

Le pseudo-événement de contestation, tel qu'il est défini ici, constitue fondamentalement une action de communication publique ; il s'agit d'une action symbolique dont la raison d'être est la diffusion publique d'un message qui passerait difficilement la rampe des médias sans le geste d'éclat qui l'accompagne.

L'hypothèse principale qui est à la base de cette recherche peut se résumer ainsi : l'accès aux médias est structuré de telle manière que les groupes politiquement et économiquement faibles ne peuvent généralement accéder aux médias de masse qu'en ayant recours à une stratégie de communication fondée sur des actions spectaculaires construites à l'intention des médias ; ce faisant, le groupe s'expose à une couverture de presse qui peut ne pas correspondre aux objectifs et aux intérêts des contestataires.

Dans les pages qui suivent, nous allons expliciter cette hypothèse en montrant comment les méthodes de sélection, de cueillette et de traitement de l'information journalistique défavorisent les sources politiquement et économiquement faibles. Par la suite, après une présentation du RAJ comme groupe de pression et un rappel des événements qui font l'objet de cette étude, nous analyserons les relations entre le RAJ et les journalistes de la presse écrite[1].

---

1. Cette partie de l'analyse se fonde sur les résultats d'entrevues auprès des quatre journalistes de la presse écrite — les seuls qui aient couvert le dossier avec un minimum de suivi — et auprès de trois leaders du RAJ.

Nous procéderons ensuite à l'analyse comparative du message émis par le RAJ et du contenu des articles publiés par la presse écrite quotidienne dans ce dossier.

4.1 LE PSEUDO-ÉVÉNEMENT ET LES MÉDIAS

Comme nous l'avons vu au premier chapitre, les médias d'information sont des organisations complexes qui, pour fonctionner avec un minimum d'efficacité, doivent recourir à des méthodes standardisées de traitement de l'information. Cet impératif de la standardisation de la production amène les médias à opérer une sorte de quadrillage du champ social fondé notamment sur une évaluation des sources potentielles d'information. L'importance d'une source est alors établie en fonction des besoins de l'organisation-média et en fonction des contraintes inhérentes à la production standardisée de l'information.

On a vu également que les critères de sélection des sources d'information conduisent à une hiérarchisation de ces sources qui privilégie les acteurs en position de pouvoir. Par analogie, on peut dire que les puissants sont les principaux points géographiques inscrits sur la carte qui guide les journalistes. Ceux-ci sont littéralement branchés sur les sommets des groupes, des organisations et des institutions. On peut donc conclure, comme le fait Tuchman (1978), que le quadrillage du champ social structure l'accès aux médias de telle façon que les détenteurs de pouvoir s'en trouvent systématiquement privilégiés. Car non seulement la presse est tout ouïe face aux pouvoirs, mais encore la « routinisation » du processus de la nouvelle la rend sourde à d'autres sources potentielles, particulièrement celles qui figurent tout au bas de la hiérarchie sociale. Ces sources qui n'ont ni visibilité, ni notoriété, dont la crédibilité, l'autorité et l'expertise ne sont pas reconnues, sont systématiquement exclues du système de relations que constitue le quadrillage des médias ; elles ne jouissent pas du droit de parole face aux médias.

Lorsque des situations problématiques particulières sont vécues par des acteurs qui se situent aux plus bas échelons de la hiérarchie des sources, il est fort probable que ces situations en elles-mêmes ne feront jamais l'objet de nouvelles, d'une part parce qu'elles ne correspondent pas à la forme de connaissance spécifique que constitue la nouvelle et, d'autre part, parce que ces acteurs ne sont pas suffisamment attrayants et « rentables » (*newsworthy*) pour que leurs déclarations puissent tenir lieu d'événements. Ces acteurs sont reconnus par les médias comme n'ayant rien à dire[2]. De là découle la nécessité du pseudo-événement[3], car, comme l'indique Roshco (1975, p. 97) :

> Aussi longtemps que ces espaces de l'existence sociale que la presse ignore ne sont pas la scène d'événements suffisamment importuns pour attirer le regard des journalistes, le cours de la vie dans ces non-lieux journalistiques demeurera inconnu.

Dans ce contexte de quasi-surdité de la presse, seule une rupture brutale et spectaculaire dans le flux quotidien et routinier des événements peut permettre à une source « non autorisée » de forcer l'accès aux médias. Il s'agit pour elle de créer un événement inattendu, incongru, susceptible d'éveiller la curiosité du public consommateur de nouvelles et d'une ampleur telle que la presse ne pourra l'ignorer. Comme le suggèrent Molotch et Lester (1981), le groupe « non autorisé » doit se rassembler dans un endroit inopportun, à un moment inopportun pour tenir des activités inopportunes. Un tel événement ponctuel colle si bien à la définition de la nouvelle que la presse ne peut manquer de le saisir en tant que nouvelle.

Mais le pseudo-événement de contestation est aussi par définition une simplification, une action symbolique qui introduit une distorsion dans la perception de la situation ou du phénomène sur lequel on veut attirer l'attention. En y ayant recours, les promoteurs cherchent à adapter leur action à la conception de la nouvelle, laquelle tend à « superficialiser » le signifiant et à « sensationnaliser » l'insignifiant (Roshco, 1975). En effet, le pseudo-événement ne devient nouvelle que s'il s'appuie sur des dimensions spécifiques de la conception de la nouvelle (*news values*) : le spectacle, le conflit, la violence réelle ou appréhendée, l'intérêt humain, l'incongru, bref toutes choses qui éveillent un intérêt chez les publics. Dans ce contexte, la capacité du pseudo-événement de transmettre un message apparaît limitée. À cause de la nature de la nouvelle comme forme de connaissance et à cause des dimensions

---

2. Certains acteurs politiquement et économiquement faibles deviennent momentanément des sources valables, du fait qu'ils vivent une situation présentant un caractère exceptionnel ; c'est le cas du gagnant à la loterie ou du témoin oculaire d'un événement extraordinaire. Dans ces deux exemples, il n'y a pas de volonté particulière de communiquer un message publiquement ; ces acteurs deviennent des sources presque malgré eux. Nous nous intéressons ici aux acteurs qui recherchent l'accès aux médias dans le but de diffuser publiquement un message.

3. Une autre solution consiste à s'aménager un accès indirect en s'associant à une source déjà reconnue par les médias. Cette stratégie peut être relativement efficace à court terme pour atteindre des objectifs précis et limités. Le RAJ a utilisé cette stratégie en convoquant une conférence de presse conjointement avec la CSN. Une telle stratégie est probablement inefficace à long terme, car elle permet peu à la source faible d'acquérir pour elle-même le statut de source autorisée ; c'est toujours le message de la source tutrice qui retiendra l'attention des médias.

de la nouvelle sur lesquelles s'appuie le pseudo-événement de contestation, il y a de fortes chances que les médias ne couvrent que le spectacle de la contestation plutôt que son objet.

Le pseudo-événement de contestation est une action symbolique, c'est-à-dire une action porteuse d'un message, lui-même soutenu par une certaine analyse d'une situation qui paraît problématique ; mais dans la couverture de presse du pseudo-événement, on peut s'attendre à ce que l'attention soit attirée sur les activités des contestataires, un peu moins sur la dimension symbolique des actions et très peu sur l'analyse et la compréhension de la situation problématique.

Bref, le pseudo-événement permet de faire la nouvelle en court-circuitant la hiérarchie des sources ; mais ce faisant, la source économiquement et politiquement faible perd le peu de contrôle qu'elle pouvait avoir sur la transmission de son message en orientant la couverture de presse vers l'événement, qui est le prétexte de la nouvelle, plutôt que vers le message.

4.2 LE CAS DU REGROUPEMENT AUTONOME DES JEUNES (RAJ)

4.2.1 Qu'est-ce que le RAJ ?

La décision de créer un regroupement national de jeunes a été prise en septembre 1983 au cours d'une réunion de coordination d'organismes de jeunes. Par la suite, diverses actions de peu d'envergure ont été entreprises au nom du Regroupement autonome des jeunes. Mais ce n'est qu'en mars 1984 que le RAJ tiendra à Québec son congrès de formation. Le nouvel organisme est un regroupement de jeunes et d'organismes de jeunes et veut « occuper la place de coordonnateur des actions pour les jeunes en vue de créer un rapport de force pour influencer le gouvernement[4] ».

Dès le congrès de fondation, l'organisation annonce ses couleurs : le RAJ est « prêt à jouer dur » et à entreprendre des actions majeures dans le but d'amener le gouvernement à modifier ses politiques à l'égard de la jeunesse. Le premier objectif visé est la parité de l'aide sociale pour les moins de trente ans.

---

4. Propos d'un porte-parole du RAJ, *Le Soleil*, 10 mars 1984.

Le fonctionnement décentralisé et démocratique du regroupement pose des problèmes d'organisation et de structure. L'organisme est jeune, les rôles sont mal définis et l'effectif est variable suivant les circonstances[5]. Les ressources sont très limitées et c'est surtout la détermination et le dynamisme des plus militants qui assurent la survie de l'organisation.

Le RAJ tient un discours plus radical et plus contestataire que celui de la plupart des organismes de jeunes, qui sont, semble-t-il, plus sensibles à l'idéologie de la concertation qu'à celle de la contestation. Le RAJ se veut un lieu de politisation et de mobilisation de la jeunesse et laisse entrevoir dans sa littérature des velléités de lutte globale contre le « Capital et son État[6] ».

Mais le RAJ est traversé par des contradictions internes qui, éventuellement, diminueront son efficacité comme groupe de pression. À un discours global et radical correspondent des revendications et des actions limitées. Les préoccupations des militants qui participent irrégulièrement aux actions semblent plus pragmatiques et à plus court terme que celles des leaders. Dans l'ensemble, toutefois, à la faveur du thème de la parité de l'aide sociale, le groupe a été davantage tourné vers les actions plus ou moins spontanées et la revendication concrète et limitée que vers l'analyse politique et les débats idéologiques. Ce thème de la parité semble en effet avoir permis de cristalliser suffisamment d'énergies et de créer suffisamment d'unité pour produire une action efficace[7].

En entreprenant une campagne de contestation soutenue, le RAJ visait à mettre à l'ordre du jour des débats publics le problème des jeunes assistés sociaux de moins de trente ans. Il s'agissait d'abord d'informer publiquement le gouvernement des revendications du RAJ, mais aussi et peut-être surtout, de sensibiliser la population, d'acquérir auprès d'elle un minimum de notoriété et de crédibilité et enfin d'inciter d'autres groupes à participer au débat en appuyant les revendications des jeunes. En outre, on peut dire que la campagne de contestation visait un autre objectif, celui de créer, pour le regroupement, une sorte d'image de marque auprès de la clientèle des jeunes. Le RAJ, qui était en concurrence avec d'autres organismes de jeunes dont il contestait

---

5. Les individus et les groupes peuvent être membres du RAJ, et il n'existe pas de formalités particulières pour qu'un individu devienne membre, pas plus qu'il n'existe de listes des membres. Sont membres les personnes qui participent aux assemblées et aux actions au gré des circonstances.

6. Selon le *Programme pour l'exécutif du RAJ* (14 septembre 1984, p. 2), « pour nous, ce qui compte, ce sont les besoins et les aspirations de celles-là et ceux-là mêmes qui, le jour venu, briseront les reins du Capital et de son État ».

7. Ce pragmatisme de la base peut expliquer que, malgré quelques tentatives, les groupes plus radicaux d'allégeance marxiste-léniniste n'aient pas réussi à s'implanter véritablement au sein du RAJ.

la légitimité et la représentativité, pouvait, par une campagne de contestation d'une certaine envergure, faire la preuve de sa détermination, de ses capacités d'action et de mobilisation et ainsi augmenter son effectif et consolider sa propre organisation.

4.2.2 Les événements

En mars 1984, au cours du Congrès national du RAJ, les militants s'entendent pour tenir une manifestation d'envergure le mercredi 23 mai 1984. On avait envisagé une occupation massive susceptible de durer une dizaine de jours. Le jour venu, une réunion, à laquelle les journalistes sont invités, est convoquée à l'Université du Québec à Montréal. Selon les estimations d'un leader du RAJ, 75 personnes assistent à la réunion ; on les informe qu'on a décidé d'occuper le Centre des services sociaux du Montréal métropolitain (CSS-MM). Sur place l'effectif se chiffre à 125 personnes. Après le début de l'occupation, des jeunes, alertés par la radio, accourent au CSS-MM. Bientôt ils seront 250 à occuper les lieux. C'est l'amorce d'une série de manifestations qui durera un mois.

Le vendredi 25 mai, soit deux jours après le début de l'occupation du CSS-MM, la ministre de la Main-d'œuvre et de la Sécurité du revenu, et responsable de l'aide sociale, madame Pauline Marois, rencontre les représentants du RAJ au cours d'un débat dans les studios de télévision de Télé-Métropole. L'émission est diffusée le lundi 28 mai. Entre temps, le samedi, la police expulse les jeunes du Centre des services sociaux. Seize jeunes sont arrêtés, puis relâchés en attendant leur comparution.

Le mardi 29 mai, *Le Journal de Montréal* publie, avec gros titres et photo à la une, un dossier-choc sur la malnutrition des jeunes assistés sociaux, dossier qui reprend les grandes lignes d'une étude préliminaire et exploratoire (dont les résultats n'avaient aucun caractère scientifique), réalisée et rendue publique par la Corporation des diététistes du Québec. Le même jour, le thème des jeunes assistés sociaux accapare une grande partie de la période des questions à l'Assemblée nationale. En réponse aux questions de l'opposition libérale, la ministre Marois explique le refus du gouvernement d'accorder la parité de l'aide sociale aux assistés sociaux de moins de trente ans, à qui elle suggère de s'inscrire à l'un ou l'autre des programmes que le gouvernement a mis sur pied à leur intention.

Les membres du RAJ entreprennent ensuite la visite et l'occupation des bureaux de députés et de ministres dans la région de Montréal ; la police doit intervenir. Le mercredi 30 mai, une trentaine de jeunes envahissent le parquet de la Bourse de Montréal. Des employés et des courtiers ripostent violemment en bousculant les manifestants et les journalistes. Plus tard les jeunes manifestent à l'entrée du cinéma Le Parisien où a lieu la première d'un film auquel assiste le premier ministre Lévesque. Quelques jeunes manifestants sont arrêtés. Les événements de la journée feront la une du *Journal de Montréal* et de *La Presse* du lendemain.

Le jeudi 31 mai, une motion du député libéral Christos Sirros est débattue à l'Assemblée nationale ; la motion propose que l'âge ne soit plus un facteur déterminant le niveau de prestations de l'aide sociale. La motion est adoptée à l'unanimité non sans avoir été amendée substantiellement par la ministre Marois, ce qui lui enlève son caractère trop directement revendicateur face au gouvernement[8].

Pendant que les appuis en faveur du RAJ se multiplient, celui-ci poursuit ses actions : les jeunes font échouer une rencontre entre le premier ministre Lévesque et un autre groupe de jeunes, ils manifestent à l'ouverture d'un congrès du Parti québécois et ils tentent d'occuper un centre de recrutement des Forces armées canadiennes. Ils obtiennent la tenue d'une deuxième rencontre avec la ministre Marois, rencontre qui ne donnera aucun résultat satisfaisant pour le RAJ, la ministre se contentant de réaffirmer la position gouvernementale.

À partir du 13 juin, l'attention des médias se tourne surtout vers une grève de la faim que deux jeunes ont entreprise depuis quelques jours[9]. L'initiative est celle des grévistes eux-mêmes. Le RAJ n'a fait qu'appuyer l'action des grévistes une fois la grève commencée. La ministre Marois demande au RAJ d'intervenir auprès des grévistes pour que ces derniers cessent leur grève. Le RAJ refuse d'intervenir, alléguant que la décision appartient aux grévistes eux-mêmes. Le 21 juin, ceux-ci annoncent, au cours d'une manifestation d'appui, qu'ils cessent leur grève de la faim, convaincus que le gouvernement est disposé à les laisser mourir, d'autant plus qu'avec la fin de la session parlementaire à l'Assemblée nationale, leurs espoirs s'envolent de voir le gouvernement modifier rapidement la loi de l'aide sociale.

---

8. La motion, telle qu'elle a été amendée et adoptée, se lisait comme suit : « Que le gouvernement poursuive les efforts déjà consentis pour réviser dans les meilleurs délais le système d'aide sociale et de sécurité du revenu pour en corriger les incohérences et les aspects inéquitables tels ceux qui entraînent une détermination des montants d'aide sociale uniquement en fonction de l'âge. » (*Journal des débats*, Québec, Assemblée nationale, 31 mai 1984, p. 6547.)

9. La grève de la faim n'a pas été une action du RAJ, bien que les grévistes aient été membres du RAJ. Le RAJ a dû cependant approuver l'initiative des grévistes et a récupéré en quelque sorte la grève comme s'il s'agissait d'une action du RAJ. Effectivement, dans la presse, la grève a rapidement été assimilée au RAJ si bien que, dans l'opinion publique, la grève et les déclarations des grévistes ont pu être perçues comme émanant du RAJ. Compte tenu de ce contexte, nous avons considéré, aux fins de l'analyse, les actions et les déclarations des grévistes comme étant celles du RAJ.

4.2.3 Les objectifs du RAJ

L'objectif explicite de la campagne du RAJ était, dans l'immédiat, d'inscrire la question des prestations d'aide sociale aux moins de trente ans à l'ordre du jours des débats publics pour éventuellement forcer le gouvernement à accorder la parité avec les trente ans et plus. Cet objectif principal était lié à d'autres revendications à moyen terme : la révision, sinon le retrait, des programmes gouvernementaux destinés aux jeunes assistés sociaux et la mise en œuvre d'une véritable politique de création d'emplois pour les jeunes.

On peut définir plus précisément les objectifs du RAJ en fonction des différents publics auxquels les dirigeants contestataires doivent adresser des messages. Les leaders des groupes contestataires doivent en effet adresser des messages à quatre publics différents (Lipsky, 1981) : les militants de la base, le public en général, les groupes d'appui ou « tiers partis » et la cible de la contestation, c'est-à-dire ceux qui sont en mesure de répondre aux exigences des contestataires.

1. La campagne du printemps de 1984 était la première opération d'envergure pour le RAJ et on comprend aisément qu'elle devait servir à consolider l'organisation et à accroître l'effectif en faisant la preuve d'une certaine détermination et d'une capacité d'action. Il fallait en quelque sorte que le RAJ apparaisse comme une organisation crédible pour d'éventuels nouveaux membres en obtenant quelques récompenses matérielles (la parité d'aide sociale ou, à défaut, quelque autre concession) ou symboliques (la reconnaissance publique du RAJ comme groupe représentatif d'une certaine catégorie de jeunes). À cet égard, l'opération a été un succès, du moins dans l'immédiat, puisqu'un grand nombre de militants « circonstanciels » se sont joints au noyau initial du RAJ. L'arrivée de ces nouveaux membres n'a pas été sans causer quelques difficultés, car ces derniers étaient en général peu informés de l'argumentation élaborée par les militants de plus longue date ; cela a provoqué certaines distorsions dans la transmission du message du RAJ à la presse, comme nous le verrons plus loin.

2. La sympathie de l'opinion publique à l'égard des problèmes des jeunes assistés sociaux constituait en elle-même une ressource importante pour la négociation avec le gouvernement. Pour susciter une telle sympathie, le RAJ devait d'abord acquérir une certaine visibilité et faire la preuve de sa crédibilité et de la justesse de ses revendications.

3. Un des objectifs les plus importants dans une opération de contestation consiste, selon Lipsky, à inciter des « tiers partis » à participer au débat ou à la négociation avec la cible de la contestation en adoptant une position qui soit favorable au groupe contestataire. Ces « tiers partis » sont des groupes dont on sollicite un appui parce qu'ils représentent un public de référence

pour la cible et qui, de ce fait, peuvent influencer fortement la cible et même formuler des propositions concrètes et crédibles en faveur des contestataires. Les leaders du RAJ ont très bien compris ce phénomène, eux qui ont mis beaucoup de temps et d'énergies à contacter de tels groupes et à solliciter leur appui avant d'entreprendre les manifestations publiques. Nous verrons plus loin que ces efforts ont porté fruit et que l'appui de ces groupes a joué un rôle important dans la campagne de sensibilisation.

4. Évidemment, la campagne du printemps visait à informer le gouvernement des revendications du RAJ, mais surtout à le persuader que le groupe représentait une force dont il devait tenir compte dans l'avenir. Il fallait donc que le RAJ se fasse voir de l'adversaire comme un groupe de pression déterminé, capable de mobiliser les jeunes et pouvant représenter une certaine menace pour le pouvoir politique. Bien que plusieurs militants de la base aient cru pouvoir atteindre l'objectif de la parité de l'aide sociale par les actions du printemps de 1984, les dirigeants du groupe considéraient plutôt que cet objectif ne pouvait pas être atteint rapidement ; il fallait d'abord construire et consolider le mouvement de revendication, ce que visaient surtout à faire les manifestations de mai et juin 1984.

4.3 LA STRATÉGIE D'ACTION ET LE DISCOURS DU RAJ

4.3.1 Le thème de la parité de l'aide sociale

Le RAJ n'est pas un regroupement d'assistés sociaux comme la presse l'a parfois laissé entendre. C'est un regroupement de jeunes et d'organismes de jeunes qui se sentent concernés par tous les problèmes de la jeunesse. Le thème de la parité de l'aide sociale comme cheval de bataille a donc été un choix de priorité[10]. Sans égard aux critères qui ont prévalu au choix de cette priorité pour le RAJ, force nous est de constater que le thème de la parité de l'aide sociale offrait, sur le plan stratégique, un grand potentiel d'efficacité compte tenu des objectifs et des moyens du RAJ. Il permettait d'associer la contestation à un objectif à court terme, précis et concret tout en visant un point faible de la cuirasse gouvernementale. Il offrait également certaines garanties quant aux chances de s'attirer la sympathie populaire. Enfin, il facili-

10. Selon les leaders du RAJ, ce thème n'a pas été choisi, il s'est imposé d'emblée, comme une évidence.

tait l'adéquation entre le discours et les actions d'éclat, seule possibilité pour le RAJ d'accéder rapidement à la scène publique.

La lutte autour du thème de la parité de l'aide sociale permettait au RAJ d'élaborer un discours simple, hautement persuasif et facile à communiquer. En fait, il s'agissait de dire qu'on ne peut vivre décemment avec 152 dollars par mois (en 1984) pour susciter l'accord et la sympathie de l'opinion publique. À cet argument central venaient se greffer les thèmes secondaires du chômage, de la misère, de la pauvreté, de la lutte pour la survie, de la délinquance, de la prostitution et du suicide des jeunes, autant de thèmes auxquels l'opinion publique ne pouvait rester insensible. La revendication du RAJ synthétisait un ensemble de problèmes et de préoccupations vécus par la jeunesse et pouvait exploiter un certain malaise de la société à l'égard de la place laissée aux jeunes dans le contexte d'une économie en difficulté.

Quant à l'adversaire gouvernemental, il était tenu, par le RAJ, responsable de la situation, et sa politique était assimilée à la discrimination, à l'indifférence mesquine, voire au mépris à l'égard des jeunes.

La critique des programmes gouvernementaux, associés au *cheap labour* et à la négation du droit aux conditions minimales de travail, venait ensuite en réponse à la réplique gouvernementale, le RAJ réclamant une véritable politique de création d'emplois pour les jeunes.

Nous verrons également plus loin qu'à cette efficacité persuasive du discours du RAJ s'ajoutait la possibilité, pour les journalistes, de construire, à partir de ce thème de la parité de l'aide sociale, des nouvelles ou des reportages fondés sur l'intérêt humain, un élément-clé de la « bonne » nouvelle.

4.3.2 L'adéquation entre le discours et l'action

Les pseudo-événements de contestation sont moins nombreux aujourd'hui qu'il y a quelques années, lorsque les rassemblements populaires et les manifestations étaient monnaie courante. D'ailleurs, le grand nombre de ces manifestations en avait considérablement réduit l'efficacité, puisqu'elles devenaient plus ou moins intégrées au déroulement normal des choses. Mais l'émergence, en 1984, d'un mouvement de contestation comme celui dirigé par le RAJ a pu paraître suffisamment inédite et inhabituelle pour éveiller l'attention de la presse et de l'opinion publique. Cependant, dans une période de calme social relatif, le recours aux actions d'éclat risque d'être perçu comme de l'activisme gratuit ou tout simplement comme une tentative grossière de manipulation de la presse. Il était donc éminemment souhaitable pour le RAJ que le recours à cette stratégie paraisse dans les circonstances légitime et acceptable tant par la presse que par l'opinion publique.

En véhiculant l'image d'une jeunesse injustement acculée à la misère par les politiques gouvernementales, d'une jeunesse opprimée mais déterminée à faire cesser l'oppression, le discours du RAJ permettait de présenter la contestation bruyante comme appropriée à la situation vécue par les jeunes assistés sociaux. Il paraissait ainsi légitime que les jeunes assistés sociaux prennent les moyens nécessaires pour se faire entendre. À condition de rester non violentes, les manifestations ne minaient pas la crédibilité des manifestants. Les pseudo-événements perdaient suffisamment de leur caractère artificiel pour ne pas être perçus uniquement comme un moyen d'attirer l'attention des médias ; ils pouvaient acquérir eux-mêmes une valeur de message, le message d'une jeunesse en désarroi qui refuse la situation qui lui est faite et qui dérange pour le faire savoir.

L'adéquation entre le message et les actions fut particulièrement réussie dans le cas de la grève de la faim ; cette action ne fut pas perçue uniquement comme un moyen de pression, mais aussi, et peut-être surtout, comme une manière symbolique de faire voir la misère des jeunes assistés sociaux[11].

Par ailleurs, les occupations du Centre des services sociaux du Montréal métropolitain (CSS-MM) et des bureaux de députés, tout en préservant le caractère non violent des manifestations, obligeaient le gouvernement à agir en fonction des intérêts du RAJ : ou bien le gouvernement accédait aux demandes des manifestants, ou bien il faisait expulser ces derniers. Dans les deux cas, le RAJ sortait gagnant de l'épreuve, car les interventions policières pouvaient être récupérées par le groupe et traduites en une preuve de l'attitude répressive du gouvernement et, indirectement, de la légitimité des revendications et de la justesse de l'argumentation :

> Non satisfait de discriminer honteusement et de maintenir dans une misère incroyable 137 000 jeunes assistées sociales et assistés sociaux avec un maigre 152 $ par mois, le gouvernement a poussé l'odieux jusqu'à réprimer sauvagement celles et ceux qui dévoilent cette situation et qui revendiquent pacifiquement pour que justice soit faite (...) Le gouvernement n'a pas d'arguments pour réfuter les nôtres, il voit que notre lutte s'attire la sympathie du public et obtient de nombreux appuis (...) ; incapable d'agir de manière honorable, le gouvernement se contente de réprimer. (Communiqué du RAJ, non daté.)

On voit donc que les interventions policières alimentaient le discours du RAJ : celui qui réprime « sauvagement » les plus démunis de la société est bien celui qui peut également les laisser croupir injustement dans la misère. Ainsi, aux thèmes de la discrimination et de la misère se conjuguait celui de la répression, ce dernier thème étant la preuve indirecte de l'existence des premiers. De plus, les interventions policières fournissaient l'élément événemen-

11. C'est ce qui ressort de nos entrevues avec les journalistes.

tiel indispensable à la couverture de presse. La réussite du RAJ aura été à cet égard d'avoir attiré l'attention à la fois comme agresseur et comme victime ; agresseur non violent par ses actions et ses accusations contre le gouvernement, et victime de la discrimination et de la répression policière, ces deux rôles comportant chacun des éléments susceptibles d'attirer l'attention des médias.

4.3.3 Les appuis et l'isolement du gouvernement

Les appuis moraux dont a bénéficié le RAJ tout au long de sa campagne ont constitué un élément stratégique de première importance. Le RAJ a beaucoup insisté pour faire connaître ses appuis qui ont grandement contribué à accroître la crédibilité de l'organisation. Les appuis d'organismes populaires, de centrales syndicales, de corporations professionnelles et d'organismes aussi crédibles et prestigieux que l'Assemblée des évêques du Québec ont donné une nouvelle dimension aux actions et aux revendications du RAJ. Même le comité des jeunes à l'intérieur du Parti québécois a porté les revendications du RAJ jusqu'au congrès de son parti. Le RAJ s'est peu soucié qu'il y ait compatibilité idéologique entre lui-même et les organismes qui l'appuyaient. En effet, outre les gains en crédibilité que cela lui procurait, le RAJ, en sollicitant des appuis de tous les milieux et de tous les horizons idéologiques, tentait de créer l'impression d'un large consensus contre le gouvernement. Le projet était certes ambitieux, mais il faut convenir que les résultats furent impressionnants : à une exception près, tous les groupes autres que le gouvernement qui sont intervenus au printemps de 1984 dans le débat sur la parité de l'aide sociale ont appuyé directement ou indirectement les revendications du RAJ.

Du côté gouvernemental, le dossier a été pris en main par madame Pauline Marois, ministre de la Main-d'œuvre et de la Sécurité du revenu et, à ce titre, responsable de l'aide sociale. Dans l'ensemble, on peut dire que la ministre s'est montrée discrète avec la presse. Elle n'a tenu aucune conférence de presse sur la question soulevée par le RAJ et n'a émis que trois communiqués de presse sur ce dossier pendant toute la période des manifestations (du 24 mai au 23 juin). L'essentiel du message de la ministre a été livré à l'Assemblée nationale lors de la période des questions du 29 mai et lors du débat du 31 mai sur une motion présentée par l'opposition libérale.

Face au discours relativement simple et très persuasif du RAJ, le gouvernement fut mis sur la défensive. Il ne pouvait nier que la situation des jeunes assistés sociaux constituait un problème réel et préoccupant, mais, du même souffle, il devait faire comprendre que les revendications du RAJ ne pouvaient constituer une solution. Sa politique devait être justifiée, et, pour le faire, il n'avait guère d'autre choix que d'avoir recours à un message plus nuancé, plus complexe et technique et, de ce fait, sans doute moins percutant que celui du RAJ.

Outre les contraintes budgétaires, difficiles à invoquer dans le contexte, le refus du gouvernement d'accorder la parité était fondé notamment sur la crainte que des prestations majorées n'incitent pas les jeunes assistés sociaux à intégrer le marché du travail ou à retourner aux études. Donc, accorder la parité de l'aide sociale n'était pas rendre service aux jeunes. Mais c'était un argument que le gouvernement ne pouvait utiliser qu'avec prudence, car il pouvait se faire accuser de manquer de confiance en la jeunesse et même de tenir un discours méprisant à son égard. C'est pourquoi la ministre Marois a plutôt répliqué en expliquant et en vantant les mérites des programmes de formation mis sur pied par le gouvernement et destinés aux jeunes assistés sociaux. Mais ces programmes n'avaient pas encore fait la preuve de leur efficacité et, compte tenu des contraintes budgétaires, ne pouvaient répondre dans l'immédiat aux besoins de l'ensemble des jeunes assistés sociaux.

Bref, la position gouvernementale soulevait des questions auxquelles il n'était pas possible de répondre dans l'immédiat. Le RAJ a su créer un climat d'urgence autour d'une revendication simple, alors que la preuve du bien-fondé de la position gouvernementale ne pouvait se faire qu'à plus long terme et qu'en ayant recours à une argumentation défensive et technique peu susceptible de soulever le sentiment populaire.

Pour atténuer la pression créée par la campagne du RAJ, la ministre a été contrainte d'agir positivement en avançant l'annonce d'un programme de stages en milieu de travail pour les jeunes assistés sociaux. Cette annonce immédiate lui permettait d'étoffer la crédibilité du gouvernement et de minimiser l'impact de la campagne du RAJ sur l'opinion publique.

4.4 LES RELATIONS AVEC LA PRESSE

4.4.1 Le RAJ en tant que source d'information

Nous avons affirmé précédemment que la sélection des sources d'information par les médias et les journalistes s'effectue en fonction de certains critères qui établissent une hiérarchie dans l'accès aux médias. Où se situait le RAJ, au printemps de 1984, dans cette hiérarchie d'accès ?

Pour répondre à cette question, il faut voir quels sont les principaux critères qui s'appliquent à la sélection des sources et se demander si le RAJ possédait les ressources nécessaires pour satisfaire à de tels critères. Dans le premier chapitre, nous avons abordé cette question et nous avons identifié les critères suivants :

- la « productivité » de la source, c'est-à-dire sa capacité de produire en quantité et en qualité une information intéressante sur le plan journalistique ;
- sa crédibilité dans l'opinion publique, la fiabilité de ses informations et le degré de confiance du journaliste à l'égard de cette source ;
- sa visibilité sociale ;
- son degré d'autorité et d'expertise ;
- sa proximité sociale et géographique par rapport aux journalistes ;
- sa capacité de se soumettre au code des médias (niveau de langage approprié, capacité de formuler un message clair et concis, présentation générale convenable, etc.).

Cette liste ne prétend pas à l'exhaustivité, et ces critères ne sont pas nécessairement appliqués de façon systématique. Mais cette liste de facteurs permet de saisir la nature des préoccupations du journaliste qui est à la recherche de sources susceptibles de répondre aux besoins et aux exigences du média qui l'emploie ; elle permet également d'évaluer la position du RAJ dans la hiérarchie des sources.

On peut dire que la visibilité sociale du RAJ était à peu près nulle et qu'elle constituait davantage un objectif à atteindre qu'un point de départ sur lequel le groupe aurait pu appuyer sa campagne. Le RAJ, en tant que groupe de pression, était, au moment de la campagne du printemps de 1984, un nouveau venu sur la scène politique. En conséquence, son degré d'autorité, sa légitimité, sa représentativité et sa capacité d'exercer quelque forme de pouvoir restaient inconnus. D'un point de vue journalistique, sa productivité, sa fiabilité et sa capacité de se soumettre au code des médias n'avaient pas été démontrées, puisque la presse n'avait pas eu de véritables contacts avec cette source.

Par ailleurs, les journalistes pouvaient évaluer le RAJ, comme source d'information, sur la base d'expériences antérieures avec des sources du même type. Ce faisant, ils pouvaient être amenés à douter, *a priori*, de la productivité, de la crédibilité et de la fiabilité du RAJ. À cet égard, un journaliste nous a confié qu'à peu près tout dans l'image du RAJ (groupe populaire peu structuré, groupe de jeunes, assistés sociaux de surcroît) concourait à alimenter au départ la méfiance des journalistes.

Le RAJ avait d'ailleurs eu à faire face à l'attitude négative des journalistes. Avant les événements de mai 1984, le groupe avait convoqué une conférence de presse qui avait dégénéré en assemblée contradictoire opposant ses porte-parole aux journalistes. Ceux-ci accusaient le RAJ de tenir un discours platement revendicateur à une époque où la situation économique exigeait plutôt une attitude réaliste. Les membres du RAJ avaient également livré à la presse une nouvelle inédite qu'ils croyaient sensationnelle et qui provenait d'une fuite au sein du ministère de la Main-d'œuvre et de la Sécurité du revenu, mais à laquelle les médias n'ont pas donné suite. Il s'agissait d'une directive du ministère qui demandait aux fonctionnaires de donner en priorité aux prestataires ayant droit aux plus hauts niveaux de prestations les emplois temporaires pour assistés sociaux. Cette mesure devait se traduire par des économies substantielles pour le ministère, mais pénalisait doublement les jeunes assistés sociaux qui, en raison de leur âge, recevaient les prestations les moins élevées. Cet épisode illustre le peu de crédibilité dont jouissait le RAJ auprès de la presse[12].

Par ailleurs, les leaders du RAJ étaient convaincus que seuls des événements spectaculaires pouvaient briser ce mur d'indifférence ou de méfiance. Et ces événements devaient avoir une certaine envergure ; le RAJ avait déjà organisé des manifestations de peu d'envergure qui n'avaient pas été couvertes par la presse.

4.4.2 La stratégie de communication

La campagne du printemps de 1984 a été conçue avec l'idée de porter un grand coup. Une couverture médiatique des manifestations était donc prévisible puisque c'était la raison d'être de ces manifestations. Mais dans le contexte que nous venons de décrire, les relations avec les journalistes constituaient un point d'incertitude pour les leaders du RAJ, un point d'incertitude d'autant plus crucial que ceux-ci avaient conscience que la nature de ces relations pouvait être déterminante quant au succès de l'opération de sensibilisation de l'opinion publique. Il leur fallait persuader les journalistes de la justesse de leur cause.

Faute de ressources suffisantes et faute aussi d'expertise en la matière, il n'était pas possible de mettre sur pied un service de presse en bonne et due forme, dont l'objectif aurait été d'établir et de maintenir des relations profitables avec les journalistes. Certains militants avaient déjà eu quelques contacts avec des journalistes ou avaient déjà rédigé des communiqués de presse, mais là s'arrêtait leur expertise. De plus, pendant la période intense d'activités, le RAJ fonctionnait en une sorte d'assemblée générale permanente qui élaborait son plan d'action au jour le jour, ce qui ne permettait pas de mettre sur pied une stratégie de communication sophistiquée.

---

12. On se souviendra peut-être de cette nouvelle qui est sortie plus tard : des fonctionnaires portant cagoule (pour l'anonymat, mais aussi pour le caractère spectaculaire) ont tenu une conférence de presse pour rendre publique et dénoncer cette directive. Dans ces conditions, la nouvelle fit, bien sûr, la manchette.

C'est donc moins par choix que par nécessité que le RAJ a opté pour une stratégie d'ouverture avec les journalistes. Tout au long de la campagne, les leaders n'ont pas tenté d'encadrer l'action des journalistes et ont laissé les contacts entre les militants et les journalistes se dérouler le plus naturellement possible. Les militants ont concentré leurs énergies sur les actions elles-mêmes, en prenant soin d'informer les journalistes de la tenue des événements. Comme les actions n'étaient pas planifiées, il en résultait un certain suspense qui entretenait l'intérêt des journalistes. Concrètement, les militants contactaient par téléphone ou par le réseau Telbec les journalistes susceptibles de s'intéresser à eux ou, à défaut, les directeurs de l'information. Ils ont par la suite tenté d'identifier les journalistes qui couvraient effectivement leurs manifestations pour pouvoir les contacter directement, le cas échéant.

Pour le reste, il semble que le RAJ n'ait pas tenté d'adapter son comportement aux contraintes et aux habitudes des médias : les heures de tombée n'étaient pas toujours respectées, les délais de convocation étaient souvent trop courts, les conférences de presse, lorsqu'il y en avait, étaient mal contrôlées, etc. Il n'y avait pas non plus sur le terrain de contrôle de l'information : les journalistes étaient simplement invités à assister aux manifestations sans qu'il y ait de porte-parole officiel. Les conversations informelles sont rapidement devenues le principal canal de transmission de l'information. Les conférences de presse furent rares pendant la campagne du printemps et les communiqués de presse avaient un rôle complémentaire d'appui.

En bref, les leaders du RAJ ont créé des pseudo-événements susceptibles d'attirer l'attention des médias, mais ils n'ont pas tenté d'exercer de contrôle sur la manière dont les journalistes allaient couvrir ces événements pour la simple raison qu'ils n'avaient pas les moyens de le faire.

Comment les journalistes ont-il réagi à cette campagne de contestation et à l'attitude des manifestants ? Il semble que la teneur même du message ainsi que le caractère jugé approprié des pseudo-événements aient assuré une certaine attitude d'ouverture chez les journalistes. Les journalistes interrogés (sauf un qui a refusé de répondre à la question) ont admis avoir vu dans la situation dénoncée par le RAJ un problème qu'il était nécessaire de faire connaître à leurs lecteurs. Pour un journaliste, « la seule chose qui (était) claire, c'est que le message devait se rendre et doit se rendre encore ». C'est ce qui peut expliquer, en partie du moins, que la presse ait suivi le déroulement des actions du RAJ. Par ailleurs, l'attitude générale des manifestants venait renforcer cette perception des journalistes ; les manifestants n'ont pas projeté l'image d'activistes pour qui le thème de la parité était un prétexte à l'agitation, mais plutôt l'image de jeunes assistés sociaux démunis qui prennent les moyens à leur portée pour faire connaître leur situation. Dans ce contexte, certains journalistes ont cru qu'il était de leur responsabilité de donner la parole aux manifestants, ce qui correspondait exactement à la stratégie de communication adoptée par le RAJ, c'est-à-dire celle qui consistait à laisser les manifestants parler simplement de leur vécu et de leurs revendications, hors des considérations idéologiques et des artifices habituels des communicateurs professionnels. « Notre message avait du bon sens, on était civilisé et notre message n'était pas idéologique. Cela a aidé avec les journalistes. » (Un leader du RAJ.)

Bien sûr, les journalistes avaient conscience que les actions d'éclat étaient d'abord des événements créés à leur intention, mais ils considéraient aussi que pour le RAJ il s'agissait du meilleur sinon de l'unique moyen d'alerter l'opinion publique. Ainsi, compte tenu de la teneur du message à transmettre et du comportement pacifique des manifestants, peu de journalistes ont semblé remettre en cause la légitimité de ce type de stratégie dans le cas particulier du RAJ. Dans l'esprit des journalistes interrogés sur cette question, il s'agissait bien plus d'un problème d'accessibilité aux médias que d'une question de manipulation. Certains journalistes ont même cru bon de prodiguer certains conseils aux manifestants quant aux actions à entreprendre et à la manière d'aborder les journalistes[13].

Sur le plan technique, on sait que le RAJ ne disposait pas des ressources et de l'expertise nécessaires pour encadrer le travail des journalistes. À cet égard, les membres du RAJ ont pu faire preuve d'amateurisme — comme en témoigne la facture des communiqués de presse[14] —, mais il s'agissait d'un amateurisme que les militants assumaient dans la mesure où ils avaient décidé de se présenter à la presse tels qu'ils étaient, de jouer le jeu de l'ouverture. C'est ainsi que ce sont les éléments eux-mêmes et les conversations informelles qui sont devenus les moyens utilisés pour informer la presse. Il s'agissait de moyens peu orthodoxes — en tout cas moins habituels que la conférence de presse et le communiqué de presse en bonne et due forme —, mais ces moyens ont été malgré tout relativement efficaces. Quelques journalistes ont pu être indisposés par une source si peu organisée sur le plan des communications. Certains même s'en sont plaints. Mais, dans l'ensemble, il semble que les journalistes aient plutôt apprécié favorablement cette manière de fonctionner. Ils n'avaient pas l'impression de se faire manipuler ou d'agir comme simple courroie de transmission. Au contraire, ils avaient plutôt l'impression d'être en contact avec du « vrai monde » qui ne se conforme pas au comportement habituel des sources d'information. Certains y ont vu une occasion de

---

13. Des journalistes ont suggéré au RAJ des noms de collègues des autres médias susceptibles de s'intéresser à leur cas. C'est aussi un journaliste qui a conseillé au RAJ de manifester à l'ouverture du congrès du Parti québécois, parce que tous les grands médias allaient être présents.

14. Ces communiqués étaient produits de façon artisanale et ne s'apparentaient pas aux pochettes de presse que les journalistes ont l'habitude de recevoir.

pratiquer un journalisme de témoignage plutôt qu'un journalisme « événementiel » et institutionnel. Un journaliste nous a dit : « Nous n'avions pas l'impression d'être manipulés, nous étions plutôt invités à témoigner de leur situation. »

Des problèmes mineurs ont pu se poser aux journalistes du fait du non-respect par le RAJ de certaines contraintes journalistiques, mais, somme toute, il semble que les journalistes n'aient pas eu de difficulté à contacter des membres du RAJ et à obtenir l'information recherchée. Il faut remarquer à ce propos qu'au début des actions l'initiative de contacter les journalistes était celle du RAJ, mais le mode de fonctionnement du groupe a amené les journalistes à prendre eux-mêmes l'initiative de contacter le RAJ pour se tenir au courant des événements à venir. Enfin, il faut noter que malgré leur manque de ressources et d'expertise les membres du groupe ont manifesté un souci de collaborer avec les journalistes et ont pris des moyens certes inhabituels mais relativement efficaces d'informer la presse.

On voit donc que c'est la teneur du message du RAJ ainsi que son adéquation avec le type d'actions entreprises qui ont été parmi les éléments les plus déterminants dans les relations du RAJ avec les journalistes. Par ailleurs, le manque d'expertise en communication s'est parfaitement conjugué au message et à l'image du RAJ, si bien que la relative incompétence du RAJ à cet égard pouvait difficilement lui être reprochée par les journalistes et devenait même, dans une certaine mesure, un élément positif dans l'esprit de certains journalistes. Cette relative incompétence conduisait à des contacts moins artificiels et permettait également une pratique journalistique moins routinière.

4.5 L'ANALYSE DE CONTENU

Nous avons avancé l'idée que le pseudo-événement permettait à un groupe politiquement et économiquement faible d'obtenir une couverture de presse de ses activités et d'acquérir une certaine notoriété, mais qu'il ne permettait pas au promoteur d'exercer de contrôle sur la transmission du message et qu'il orientait la presse vers un type de couverture qui pouvait ne pas être approprié aux objectifs de communication de la source. Pour vérifier cette hypothèse, nous avons procédé à une analyse du contenu du message de la source et à une analyse de contenu des articles publiés par la presse écrite quotidienne. Nous avons ensuite comparé les résultats des deux analyses en considérant que l'écart entre les deux résultats nous permettrait de mesurer l'efficacité de la stratégie de communication.

4.5.1 Quelques précisions sur la méthode

Avant d'entreprendre cette analyse, il convient d'apporter quelques précisions méthodologiques. Le message du RAJ correspond ici au message tel qu'il a été transmis à la presse par les communiqués de presse du RAJ[15].

Comme nous l'avons vu précédemment, le RAJ n'a pu faire autrement que d'adopter une stratégie de relations ouvertes et informelles avec les journalistes. Nous savons en effet que les conversations et les discussions informelles avec les journalistes sur les lieux des manifestations ont été un important canal de transmission de l'information. Comme nous ne pouvions reconstituer de telles conversations, nous avons été contraints de limiter notre analyse aux communiqués de presse.

Ce choix, imposé par les circonstances, se justifie cependant par le fait que nous nous intéressons à l'efficacité du pseudo-événement en regard du message tel qu'il a été formulé par les leaders du RAJ. Ce sont ces leaders qui ont défini les objectifs de communication et choisi les moyens de les atteindre ; ce sont également eux qui ont développé l'argumentation du RAJ telle qu'on la retrouve dans les communiqués de presse.

Mais nous avons également pu constater, à partir de ces entrevues et à partir du bilan que les leaders ont fait de la campagne[16], que les militants « circonstanciels », moins au fait du dossier, n'ont pas tenu le même discours que les leaders. Mais cela relève d'un problème de communication interne dont nous n'avons pas à tenir compte ici, puisque nous voulons mesurer l'écart entre le discours des leaders et le discours de presse, mais dont nous devrons

---

15. Sous l'appellation « communiqué de presse », nous avons regroupé les textes suivants :
— deux communiqués de presse émis le 16 mai (soit une semaine avant le début de l'occupation du CSS-MM) au cours d'une conférence de presse tenue conjointement par la Confédération des syndicats nationaux (CSN) et le RAJ dans le cadre du 52e congrès de la CSN ;
— sept communiqués remis directement aux journalistes entre le 28 mai et le 21 juin 1984 ;
— les copies de trois lettres du RAJ, adressées respectivement à Pauline Marois, au premier ministre René Lévesque et aux députés de l'Assemblée nationale, et remises à la presse ;
— une « Déclaration en trois points au Gouvernement du Québec », également remise à la presse ;
— une lettre adressée à Pauline Marois et à René Lévesque et dont le contenu a été diffusé par l'agence Telbec ;
— seize communiqués ou convocations transmis aux médias par l'agence Telbec (aux frais de la CSN).

16. *RAJ : Bilan (rapport moral). Comité de coordination nationale*. 2e congrès national, les 22, 23 et 24 juin 1984.

tenir compte ultérieurement lorsque nous voudrons expliquer cet écart. Notons enfin que nous ne cherchons pas à porter un jugement sur la performance journalistique, auquel cas il aurait fallu disposer de toutes les informations que les journalistes ont eux-mêmes reçues pour pouvoir mesurer l'écart entre ce qu'ils ont vu et su et ce qu'ils ont transmis.

Dans ce contexte, la question que pose l'analyse de contenu est la suivante : les éléments du contenu des communiqués de presse, ce contenu étant considéré ici comme le message « officiel » du RAJ, ont-ils été repris dans les articles de presse et, si oui, dans quelles proportions ?

Notre analyse de la couverture de presse s'est limitée à la presse écrite : nous avons analysé les textes publiés par *La Presse*, *Le Devoir*, *Le Journal de Montréal* et *The Gazette*, ainsi que quelques articles publiés par le *Sunday Express* et le *Dimanche Matin*. Nous avons également analysé les articles publiés par *Le Soleil* de Québec, de façon à évaluer l'impact national (québécois) de la campagne essentiellement montréalaise du RAJ. Le corpus couvre la période qui s'étend du 24 mai au 23 juin 1984[17], c'est-à-dire la période au cours de laquelle le RAJ, par ses manifestations publiques, a maintenu le débat dans l'actualité. Nous avons d'abord retenu tous les articles (à l'exception de lettres de lecteurs et d'autres commentaires de sources non journalistiques) qui traitaient du RAJ et des problèmes des jeunes assistés sociaux. Quelques articles ont été rejetés par la suite, parce que, bien que traitant des jeunes assistés sociaux, ils ne concernaient pas directement le dossier qui nous intéresse ici. Le corpus complet comprend 107 textes, dont 10 éditoriaux (ou autres textes de commentaires) qui seront étudiés séparément.

Sur les 97 articles publiés (si on exclut les éditoriaux), plus de la moitié (52,5 %) portent principalement sur les actions et le message du RAJ, alors que le quart seulement (26,8 %) portent principalement sur la réaction gouvernementale dans ce dossier. Les autres articles n'ont pas de source dominante ou portent principalement sur les « tiers partis » qui ont participé au débat. Il faut souligner qu'à une exception près tous ces tiers partis ont émis des opinions qui allaient dans le sens des intérêts du RAJ. En un sens, on peut déjà dire que les pseudo-événements ont porté fruit, puisque le RAJ a réussi à attirer l'attention de la presse : pendant la période étudiée, le RAJ a été plus présent dans les pages des journaux que son adversaire gouvernemental.

---

17. Des communiqués du RAJ ont été transmis aux médias dès le 16 mai, mais ils n'ont fait l'objet d'aucun compte rendu. Ces communiqués ont cependant été retenus pour l'analyse du message du RAJ, parce que les médias en avaient obtenu copie et que, même si les médias n'en ont pas parlé, ils faisaient partie intégrante du message que le RAJ avait transmis à la presse.

4.5.2 L'analyse thématique des articles de nouvelles

L'hypothèse qui est à la base de cette analyse concerne le traitement journalistique accordé aux messages du RAJ : la définition de la nouvelle détermine au préalable un type particulier de couverture qui, dans le cas d'un message véhiculé par des pseudo-événements de contestation, risque de ne prendre en considération que les aspects du message qui sont directement liés aux actions elles-mêmes et qui collent parfaitement à la définition de la nouvelle.

Plusieurs auteurs[18] ont étudié la fonction de sélection des médias en se demandant quelles dimensions des événements et des messages faisaient qu'ils étaient retenus comme matériaux pour construire des nouvelles. À partir de leurs travaux, on peut retenir les principales dimensions suivantes :

- l'« actualité » de l'événement ou du message de la source, c'est-à-dire sa relation avec le temps présent, l'immédiat ;
- l'impact ou les conséquences évalués en fonction soit du nombre, soit du statut des personnes et des groupes susceptibles d'être touchés ou concernés par l'événement ou le message ;
- la présence d'éléments conflictuels, lesquels facilitent la construction de la nouvelle sous une forme narrative incluant des éléments tels des acteurs en opposition, un déroulement chronologique du conflit, des rebondissements, des enjeux, une issue inconnue créant un effet de suspense, etc. ;
- la proximité géographique et/ou culturelle de l'événement ou du message, laquelle suscite un intérêt immédiat et facilite l'interprétation par les consommateurs de nouvelles ;
- la présence d'éléments dits d'intérêt humain qui font vibrer des cordes profondes (mort, violence, gloire, échec, scandale, sexe, etc.) et mettent en branle les mécanismes psychologiques d'identification et de projection.

Ces dimensions peuvent varier selon les genres journalistiques, mais elles semblent s'appliquer de façon particulière aux faits divers, aux conflits armés, aux nouvelles politiques, aux conflits de travail, aux nouvelles sportives, etc. C'est, en tout cas, les principales dimensions sur lesquelles on s'appuie généralement pour créer des pseudo-événements de contestation.

Ces dimensions de la « bonne » nouvelle constituent une sorte de grille de lecture qu'appliquent les journalistes à la réalité des choses et à partir de

18. Notamment : Buckalew (1974), Buckalew et Clyde (1969), Galtung et Ruge (1965). Voir aussi Gans (1979) et Johnston (1979).

laquelle se construit la nouvelle. Le pseudo-événement idéal, construit à partir de cette grille par les promoteurs eux-mêmes, sera un événement ponctuel, d'« actualité », d'une certaine ampleur, qui présente, bien sûr, un écart par rapport au déroulement habituel et attendu des choses, qui touche un nombre important de personnes ou un nombre plus limité de personnes importantes, qui s'inscrit dans une situation de conflit, qui est facilement accessible aux journalistes, dont l'interprétation ne pose pas de difficulté et, enfin, qui comporte des éléments dits d'intérêt humain. En corollaire, la couverture de presse sera axée principalement sur ces dimensions au détriment du message ou de la situation qui sont sous-jacents au pseudo-événement.

Pour vérifier cette hypothèse, nous avons procédé à une analyse thématique comparative du message formulé par les leaders du RAJ dans les communiqués de presse et du message que les journaux ont transmis à leurs lecteurs à travers les articles de nouvelles.

L'analyse des communiqués de presse du RAJ nous a permis d'identifier 23 thèmes que nous avons regroupés en six catégories. Ces thèmes résument l'ensemble du message véhiculé par les leaders du RAJ.

Les deux premières catégories renvoient aux deux principales revendications du RAJ, alors que les catégories 3 et 4 détaillent l'argumentation liée à chacune de ces revendications. Les catégories 5 et 6 renvoient respectivement à des thèmes stratégiques et à différents thèmes secondaires.

Le tableau 4.1 et la figure 4.1 permettent de comparer le message du RAJ tel qu'il a été formulé par les leaders dans les communiqués de presse avec la couverture que les différents journaux ont effectuée de ce message. Le tableau 4.1 donne une lecture détaillée du traitement journalistique, alors que la figure 4.1 en fournit une vue d'ensemble. Il ressort de l'examen de la figure que le traitement a été conforme à l'ensemble du message du RAJ, sauf pour deux catégories de thèmes.

Le thème de la parité de l'aide sociale (thème 1) a été très fortement « surreprésenté » dans les articles. Cette « surreprésentation » s'explique par le fait que la presse a eu recours à ce thème pour étiqueter le RAJ, « ce groupe qui réclame la parité de l'aide sociale ». Cette étiquette permettait d'expliquer les manifestations par une revendication simple et concrète, mais elle introduisait une distorsion dans le message fondamental du RAJ qui réclamait deux choses indissociables dans l'esprit des leaders : la parité et des emplois.

Mais la différence la plus significative concerne les arguments liés aux programmes gouvernementaux et à l'emploi (thèmes 4). Ces thèmes ont été les plus fréquents dans les communiqués (24 %), alors que la presse n'en a presque pas fait mention (3,6 %). À quinze reprises dans les communiqués, il a été question de vives critiques à l'égard du programme gouvernemental de stages

TABLEAU 4.1
Structure thématique comparée : RAJ et presse écrite

Thèmes*	Communiqués du RAJ		Le Devoir		La Presse		Le Journal de Montréal		The Gazette		Le Soleil		Autres		Ensemble des journaux	
	N^{bre}	%	N^{bre}	%	N^{bre}	%	N^{bre}	%	N^{bre}	%	N^{bre}	%	N^{bre}	%	N^{bre}	%
1	**13**	**12,0**	10	21,2	16	30,7	10	27,7	16	42,1	2	25,0	4	30,7	**58**	**29,8**
2	**6**	**5,5**	3	6,3	4	7,6	1	2,7	3	7,8	–		1	7,6	**12**	**6,1**
3	**22**	**20,3**	**11**	**23,4**	**10**	**19,2**	**11**	**30,5**	**7**	**18,4**	3	37,5	**2**	**15,3**	**44**	**22,6**
3.1	8	7,4	3	6,3	2	3,8	2	5,5	1	2,6	1	12,5	–		9	4,6
3.2	7	6,4	6	12,7	6	11,5	8	22,2	5	13,1	2	25,0	2	15,3	29	14,9
3.3	2	1,8	1	2,1	–		–		1	2,6	–		–		2	1,0
3.4	1	0,9	1	2,1	1	1,9	1	2,7	–		–		–		3	1,5
3.5	1	0,9	–		1	1,9	–		–		–		–		1	0,5
3.6	2	1,8	–		–		–		–		–		–		–	
3.7	1	0,9	–		–		–		–		–		–		–	
4	**26**	**24,0**	**2**	**4,2**	**3**	**5,7**	**2**	**5,5**	–		–		–		**7**	**3,6**
4.1	1	0,9	–		–		–		–		–		–		–	
4.2	2	1,8	1	2,1	–		1	2,7	–		–		–		2	1,0
4.3	15	13,8	–		1	1,9	1	2,7	–		–		–		2	1,0
4.4	1	0,9	–		–		–		–		–		–		–	
4.5	3	2,7	–		–		–		–		–		–		–	
4.6	4	3,7	1	2,1	2	3,8	–		–		–		–		3	1,5
5	**24**	**22,2**	**15**	**31,9**	**11**	**21,1**	**6**	**16,6**	**9**	**23,6**	**1**	**12,5**	**5**	**38,4**	**47**	**24,2**
5.1	10	9,2	7	14,8	7	13,4	3	8,3	6	15,7	–		**2**	**15,3**	**25**	**12,8**
5.2	6	5,5	5	10,6	2	3,8	3	8,3	3	7,8	–		2	15,3	15	7,7
5.3	8	7,4	3	6,3	2	3,8	–		–		1	12,5	1	7,6	7	3,6
6	**10**	**9,2**	**6**	**12,7**	**8**	**15,3**	**6**	**16,6**	**3**	**7,8**	**2**	**25,0**	**1**	**7,6**	**26**	**13,4**
6.1	2	1,8	–		–		–		–		–		–		–	
6.2	1	0,9	1	2,1	–		1	2,7	–		–		–		2	1,0
6.3	2	1,8	1	2,1	5	9,6	2	5,5	–		–		1	7,6	9	4,6
6.4	1	0,9	–		1	1,9	–		1	2,6	–		–		2	1,0
6.5	4	3,7	4	8,5	2	3,8	3	8,3	2	5,2	2	25,0	–		13	6,7
Autres	**7**	**6,4**	–		–		–		–		–		–		–	
TOTAL DES OCCURRENCES	108		47		52		36		28		8		13		194	

***Thèmes du message du Regroupement autonome des jeunes**

1. Le RAJ réclame la parité de l'aide sociale pour les assistés sociaux de moins de trente ans.

2. Le RAJ réclame une véritable politique de création d'emplois pour les jeunes et le retrait des programmes gouvernementaux destinés aux jeunes assistés sociaux.

3. Les arguments du RAJ en faveur de la parité de l'aide sociale :
   - 3.1 La politique gouvernementale est discriminatoire, elle marginalise et dévalorise les jeunes assistés sociaux.
   - 3.2 La situation des jeunes assistés sociaux est dramatique : misère, pauvreté, faim, délinquance, prostitution, vol, etc.
   - 3.3 Les coûts sociaux qu'engendre la politique gouvernementale sont plus élevés que les coûts de la parité.
   - 3.4 Huit provinces au Canada ne tolèrent pas une telle discrimination dans leur politique d'aide sociale.
   - 3.5 Le coût de la vie à vingt ans n'est pas moins élevé qu'à trente ans.
   - 3.6 Les solutions à long terme ne peuvent se substituer à l'action à court terme pour améliorer le sort des jeunes assistés sociaux.
   - 3.7 Le gouvernement envisage de couper l'aide sociale aux moins de vingt ans, c'est-à-dire là où se situe la majorité de ceux qui n'ont droit qu'à 125 dollars par mois.

4. Les arguments du RAJ contre les programmes gouvernementaux et en faveur d'une politique de création d'emplois :
   - 4.1 Les programmes gouvernementaux ne créent pas d'emplois.
   - 4.2 Les programmes développent la disponibilité des jeunes alors qu'il n'y a pas d'emplois ; c'est un cercle vicieux pour les jeunes et une échappatoire pour le gouvernement.
   - 4.3 Le programme de stage en entreprise équivaut à du *cheap labor*, il nie le principe du salaire minimum, crée une pression à la baisse sur les salaires des travailleurs et provoque des mises à pied au profit des « stagiaires en entreprises ».
   - 4.4 Ce type de programmes nuit à la création d'emplois car, après leur stage en entreprise, les stagiaires ne sont pas embauchés mais remplacés par d'autres stagiaires.
   - 4.5 Ces programmes sont fondés sur un chantage de la misère et de la faim.
   - 4.6 Le RAJ propose de soumettre les programmes au Code du travail, d'élaborer une politique de création d'emplois syndicables, non militaires et non pornographiques et de réduire le temps de travail sans perte de revenus.

5. Les thèmes stratégiques :
   - 5.1 Le RAJ est déterminé à poursuivre la lutte jusqu'au bout.
   - 5.2 Le gouvernement a opté pour le mépris et la répression.
   - 5.3 Le RAJ jouit de l'appui d'un nombre croissant de groupes sociaux et du soutien de l'opinion publique.

6. Les thèmes secondaires :
   - 6.1 Critiques à propos des subventions aux entreprises.
   - 6.2 Le RAJ appelle au boycott de la campagne de financement du Parti québécois.
   - 6.3 Motion à l'Assemblée nationale en faveur de la parité de l'aide sociale. Le RAJ réclame une commission parlementaire.
   - 6.4 Le RAJ fait état d'une rencontre avec la ministre responsable du programme d'aide sociale, madame Pauline Marois.
   - 6.5 Position du RAJ sur la grève de la faim.

FIGURE 4.1
Comparaison schématique : RAJ et presse écrite

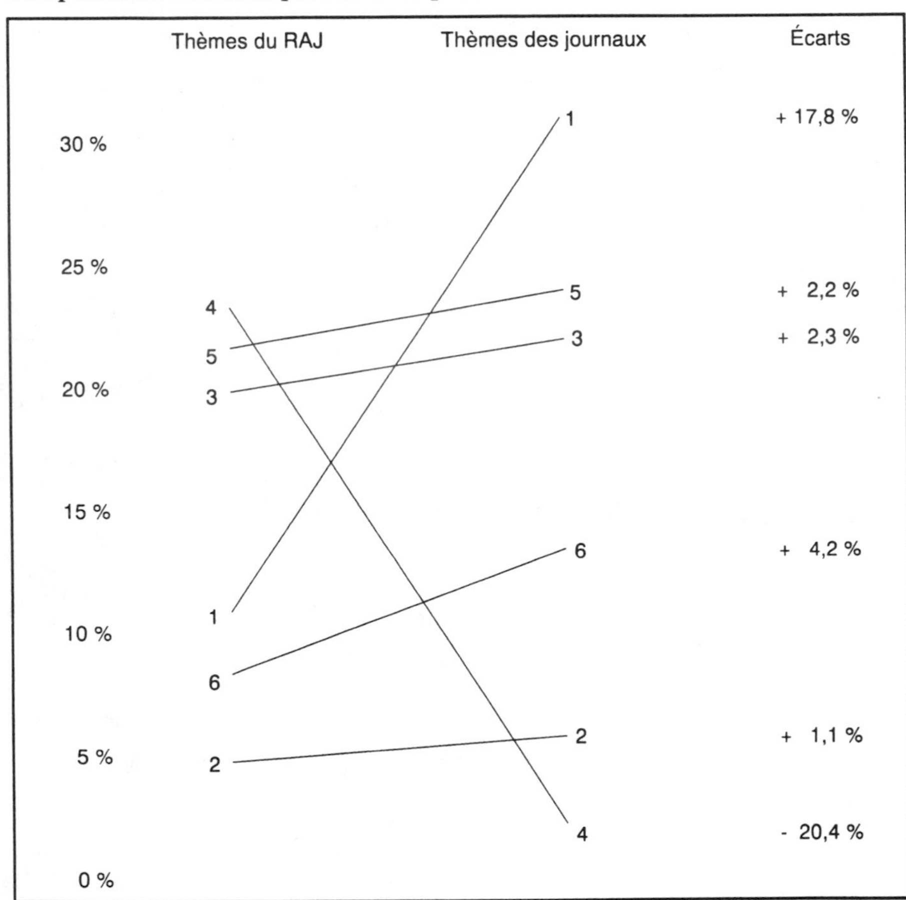

en milieu de travail (thème 4.3), alors que *La Presse* et *Le Journal de Montréal* n'en ont fait qu'une seule mention et que les autres journaux n'en ont pas parlé. Ces critiques analysaient certaines conséquences négatives de ce programme sur le marché de l'emploi, sur le niveau du salaire minimum et sur les travailleurs non syndiqués. Le RAJ réclamait que ces stages soient soumis au Code du travail et qu'il y ait des ententes conclues avec les syndiqués des entreprises concernées. De tels arguments n'étaient pas directement liés aux pseudo-événements et ne correspondaient pas étroitement à la définition de la nouvelle, ce qui explique que la presse ne les ait pas retenus. On peut penser, cependant, qu'ils auraient pu faire la nouvelle s'ils avaient été avancés par une source « autorisée » ; dans ce cas, c'est la source elle-même qui justifie la nouvelle et non le message.

Par ailleurs, on note, au tableau 4.1, une différence significative dans le traitement des thèmes 3. Le thème 3.2, qui porte sur les aspects dramatiques et misérables de la situation vécue par les jeunes assistés sociaux, a été « sur-représenté », alors que les autres thèmes de cette catégorie, moins misérabilistes, ont été « sous-représentés »[19]. Le thème 3.2, qui était tout à fait secondaire dans les communiqués, est devenu dans les articles un des thèmes les plus fréquents, alors que les autres thèmes de cette troisième catégorie étaient plus importants dans les communiqués, puisqu'ils constituaient une série d'arguments politiques et économiques en faveur de la parité. Cette prédominance du thème 3.2 s'explique d'une part parce que ce thème permettait de donner une dimension spectaculaire à la nouvelle et, d'autre part, parce qu'il permettait d'expliquer les manifestations d'une manière simple et évidente pour les consommateurs de nouvelles.

Enfin, on constate que les thèmes stratégiques (thèmes 5) ont été largement repris par la presse, conformément aux communiqués de presse. Nous avons qualifié ces thèmes de stratégiques parce qu'ils visaient à affirmer la crédibilité de la menace que devait représenter le RAJ face au gouvernement, tout en discréditant l'attitude « répressive » du gouvernement. Nous pensons que ces thèmes ont été repris par la presse parce qu'ils insistaient sur la dimension conflictuelle de la situation, qu'ils créaient un effet de suspense, puisque le RAJ affirmait vouloir répliquer au gouvernement coup par coup, et enfin parce qu'ils étaient étroitement associés aux actions entreprises.

On peut donc conclure que la presse a principalement retenu trois éléments du discours des leaders du RAJ : la revendication de la parité de l'aide sociale (thème 1), la situation dramatique des jeunes (thème 3.2) et les thèmes stratégiques, notamment celui de la détermination des contestataires (thème 5.1) et celui de l'attitude « répressive » du gouvernement (thème 5.2). Les arguments plus politiques et techniques concernant les politiques gouvernementales (thèmes 4, particulièrement le thème 4.3) ont été presque ignorés par la presse, bien qu'ils aient été les arguments le plus fréquemment utilisés dans les communiqués du RAJ.

En d'autres termes, la presse a privilégié les thèmes directement associés aux manifestations, et ceux qui présentaient un intérêt humain et dont l'interprétation était immédiate. Par contre, elle a négligé les thèmes relevant de l'analyse politique et économique, qui commandaient quelques explications aux lecteurs et qui n'éveillaient pas une curiosité spontanée chez l'ensemble des lecteurs.

---

19. Dans la figure 4.1, ces thèmes sont regroupés dans une seule catégorie (thèmes 3), ce qui explique l'apparence de conformité entre la couverture de presse et le message du RAJ.

Ces données confirment notre hypothèse : les thèmes « surreprésentés » sont ceux directement liés aux actions ou impliquant des dimensions spécifiques de la « bonne » nouvelle ; les thèmes « sous-représentés » sont plus analytiques et techniques, et ont peu de valeur en regard des dimensions que nous avons soulignées.

Les dimensions de la « bonne » nouvelle indiquent donc comment, dans le cas des pseudo-événements de contestation, la couverture de presse est orientée vers des aspects particuliers du message de la source, ce qui ne permet pas au groupe contestataire de transmettre efficacement au public sa propre analyse de la situation[20]. Cette définition de la nouvelle représente, pour la source « non autorisée », une contrainte lourde dans sa relation avec la presse, qui détermine largement à l'avance le résultat de l'échange entre les journalistes et la source. Dans le cas de la source « autorisée », cette contrainte est moins présente ; c'est le statut de la source elle-même qui justifie la nouvelle.

Il faut souligner ici un autre facteur qui permet d'expliquer les différences entre le contenu des communiqués de presse du RAJ et leur traitement dans les journaux.

Le RAJ, nous l'avons dit, ne disposait pas des ressources et de l'expertise qui lui auraient permis d'élaborer et de mettre en application une stratégie de communication sophistiquée et efficace. Cela a conduit les leaders du RAJ à préconiser des relations spontanées et ouvertes avec les journalistes.

Ainsi, les leaders du RAJ et les militants de longue date, c'est-à-dire ceux qui avaient élaboré une argumentation en faveur de la parité et contre les programmes gouvernementaux, n'ont pas conservé le monopole de la parole ; et ils ont cédé en partie le contrôle de la transmission du message au profit des manifestants, dont une bonne part se sont joints au RAJ au cours de la campagne du printemps de 1984. Ces militants « circonstanciels » connaissaient peu les arguments mis de l'avant par les militants de plus longue date et ils étaient plus habilités à parler de leur propre vécu d'assistés sociaux qu'à développer une argumentation serrée en faveur de la parité et du retrait des programmes gouvernementaux.

Dans ce contexte, les arguments qui nécessitaient une connaissance plus approfondie du dossier, bien que présents dans les communiqués de presse, ont été peu utilisés par les manifestants lors de leurs conversations avec les

20. On peut penser que c'est la nouveauté de la source sur la scène publique qui a incité la presse à parler davantage de la source elle-même et de ses actions que de son message. On notera cependant qu'il n'y a eu qu'un seul article qui s'est attardé à décrire sommairement l'organisation, l'effectif et la structure décisionnelle du RAJ. Les leaders du groupe ont d'ailleurs été fort mécontents de la parution de cet article qui, selon les leaders, véhiculait des demi-vérités.

journalistes[21]. Cette absence de contrôle sur la diffusion du message par les leaders, ceux-là mêmes qui avaient pensé et mis sur pied la campagne du printemps, peut expliquer « la surreprésentation » des thèmes misérabilistes et la « sous-représentation » des thèmes liés à la critique des programmes gouvernementaux.

Le discours « officiel » du RAJ, tel qu'on le retrouve dans les communiqués de presse, réclamait la parité de l'aide sociale comme mesure d'urgence en attendant une politique de création d'emplois. Cette structure thématique a été apparemment modifiée par les manifestants qui ont mis l'accent sur la revendication immédiate de la parité de l'aide sociale et ont négligé les thèmes de la création d'emplois et la critique des programmes gouvernementaux, lesquels nécessitaient une connaissance minimale des politiques gouvernementales. De plus, les leaders du RAJ considéraient leur lutte comme une lutte à longue échéance comportant plusieurs volets, dont celui de la création d'emplois véritables pour les jeunes, alors que plusieurs manifestants croyaient pouvoir obtenir la parité de l'aide sociale à court terme, ce qui peut également expliquer que ces derniers aient surtout mis l'accent sur cet objectif immédiat[22].

Pour conserver un certain contrôle sur la transmission de leur message aux journalistes, les leaders auraient dû recourir à des techniques d'encadrement à la fois des militants de la base et des journalistes, par exemple en choisissant un porte-parole officiel, unique, expérimenté et bien informé et en limitant les contacts entre les journalistes et les militants de la base.

Pour exercer un tel encadrement, il aurait fallu disposer des ressources et du personnel adéquats, ce dont ne disposent pas, par définition, les groupes politiquement et économiquement faibles. De plus, la stratégie des pseudo-événements de contestation ne semble pas propice à des relations très encadrées entre les journalistes et un porte-parole. Enfin, nous avons vu précédemment que la plupart des journalistes avaient eu une réaction positive face au caractère informel et spontané de leurs contacts avec les membres du RAJ ; on peut donc penser qu'un encadrement plus strict de ces contacts aurait été contre-productif et aurait pu éveiller un sentiment de méfiance de la part des journalistes.

---

21. C'est du moins ce qui ressort de nos entrevues avec les leaders du RAJ et avec les journalistes.

22. On notera au passage que l'écart entre le discours « officiel » des communiqués et celui des articles indique que les journalistes ont privilégié les sources orales plutôt que les sources écrites, ce qui tend à confirmer l'analyse qu'a faite Jean de Bonville (1977) du peu d'utilisation que font les journalistes de la presse écrite des sources documentaires.

En somme, non seulement une source « non autorisée » est défavorisée par son statut et par la stratégie d'accès qu'elle est contrainte d'utiliser, mais en plus il lui est difficile de recourir à des mesures d'encadrement de la relation qui lui assureraient un traitement journalistique conforme à ses objectifs.

4.5.3 Les commentaires et les éditoriaux

Bien qu'on puisse présumer que l'éditorial n'est pas la partie la plus lue du journal, il reste que les éditorialistes, en tant que leaders d'opinion, peuvent prétendre à une certaine influence dans un processus d'opinion publique. En ce sens, leurs opinions et commentaires revêtent une certaine importance pour les groupes sociaux en conflit. Pour le RAJ, le simple fait que les éditorialistes abordent la question des jeunes assistés sociaux était déjà un indice de succès de l'opération. Au total, 10 éditoriaux ou textes de commentaires ont été publiés entre le 24 mai et le 23 juin. *Le Devoir*, à lui seul, en a publié la moitié (5 textes), *Le Soleil* et *La Presse* en ont publié deux chacun et *The Gazette*, un seul. *Le Journal de Montréal* ne publie pas d'éditoriaux.

En général, on peut dire que les éditorialistes adoptent, face aux conflits sociaux, une philosophie du « juste milieu » ; ils cherchent le plus souvent à se frayer un chemin au milieu des arguments des opposants en balisant leur prose de « toutefois », « d'un autre côté » et de « par contre ». C'est en tout cas la ligne de pensée unanime qui a prévalu dans le cas du conflit opposant le RAJ et le gouvernement québécois.

Tous les éditorialistes ont reconnu la légitimité et le bien-fondé de la contestation de la politique de l'aide sociale ; ils ont convenu de l'ampleur et de l'urgence du problème et ils ont tous réclamé quelques concessions de la part du gouvernement. En ce qui concerne plus précisément le thème de la parité de l'aide sociale, les avis étaient toutefois partagés ; certains ont accepté l'argumentation gouvernementale selon laquelle la parité aurait un effet « désincitatif » ; d'autres ont rejeté le principe de la discrimination fondée sur l'âge et ont réclamé sinon la parité dans l'immédiat, au moins une hausse substantielle des prestations pour les moins de trente ans. Mais à court terme, tous les éditorialistes ont réclamé des mesures d'urgence sous forme de subventions au logement et d'aide financière aux plus démunis. Cette position s'explique par le fait que les éditorialistes ont surtout été impressionnés par les arguments misérabilistes des membres du RAJ et par l'étude de l'Ordre des diététistes sur la malnutrition des jeunes assistés sociaux.

Comme les articles de nouvelles, les éditoriaux n'ont fait aucune mention des critiques formulées par le RAJ au sujet des programmes gouvernementaux. Tous les éditorialistes ont vu ces programmes comme des mesures positives mais insuffisantes ; ils ont suggéré au gouvernement d'injecter davantage de fonds dans ces programmes pour assurer que tous les jeunes assistés sociaux puissent y participer. Cette position était évidemment en opposition avec celle du RAJ qui recommandait d'abolir ces programmes, mais comme le point de vue du RAJ sur cette question n'était vraiment exprimé ni dans les éditoriaux ni dans les articles de nouvelles, le lecteur pouvait avoir l'impression que les programmes gouvernementaux constituaient la réponse aux demandes du RAJ à condition que l'accès à ces programmes soit élargi.

Les éditorialistes ont également soulevé le problème sous l'angle plus général de l'emploi des jeunes en réclamant l'élaboration d'une véritable politique à cet effet. Ces aspect du problème était au cœur de l'argumentation « officielle » du RAJ, mais il a été peu soulevé dans les articles de nouvelles et dans le discours des militants de la base. On peut dire que sur ce point les éditoriaux ont contribué à rééquilibrer le message des leaders du RAJ dans l'ensemble de la couverture de presse en faisant mieux ressortir le thème de l'emploi, thème que les manifestants ont eux-mêmes un peu négligé, de l'avis des leaders du mouvement.

On peut conclure que les éditorialistes ont adopté un point de vue en apparence favorable au RAJ, mais en apparence seulement, car les lecteurs n'avaient pas les informations suffisantes pour se rendre compte qu'en réalité la position des éditorialistes était largement en opposition avec celle du RAJ. Bien que tous les éditorialistes aient reconnu la légitimité de la lutte des jeunes assistés sociaux et que certains aient adopté un ton parfois virulent à l'endroit du gouvernement, il faut reconnaître que leur approche du problème, notamment au niveau des solutions à apporter, se situait davantage dans la ligne de pensée du gouvernement que dans celle du RAJ, principalement à travers leur appui aux programmes gouvernementaux et leur appel au renforcement de ces programmes.

En ce qui concerne l'argumentation du RAJ, on constate que les éditoriaux ont souligné l'importance d'une politique de création d'emplois pour les jeunes, ce que n'ont pas fait les articles de nouvelles, mais ils n'ont ni discuté ni même exposé la critique formulée par le RAJ à l'égard des programmes gouvernementaux, ce qui, comme on l'a vu, faussait la cohérence même du discours du RAJ. Sur ce point, les éditoriaux n'ont pas corrigé les lacunes observées dans les articles de nouvelles.

CONCLUSION

Notre recherche a tenté, à travers la logique des pseudo-événements de contestation, de faire ressortir le caractère contraignant du système d'information de masse pour les groupes politiquement et économiquement faibles et de montrer ainsi un aspect de l'action des médias dans les phénomènes d'opinion publique. Les manifestations de contestation ne sont certes pas le moyen le plus orthodoxe d'établir une relation avec les journalistes, mais c'est un moyen couramment utilisé par les groupes politiquement et économiquement faibles qui, par définition, n'ont pas les ressources nécessaires pour procéder par des voies plus « normales ».

Mais, en ce qui nous concerne, c'est surtout une stratégie dont l'analyse permet de voir l'effet contraignant du processus de la nouvelle sur certaines sources d'information. En effet, nous avons vu comment la définition de la nouvelle et les critères qu'appliquent les médias dans la sélection des sources permettaient de comprendre pourquoi les sources politiquement et économiquement faibles devaient recourir à une telle stratégie pour provoquer des phénomènes d'opinion publique à propos de problèmes les concernant. Le pseudo-événement de contestation permet à son promoteur d'accéder à l'« actualité » telle qu'elle est définie par les médias, et cela, en l'absence des qualités généralement exigées pour figurer parmi les sources « autorisées » : crédibilité, notoriété, autorité, expertise, fiabilité, etc. Cela s'explique par le fait que le pseudo-événement commande presque inévitablement une couverture de presse, simplement parce qu'il est construit selon le modèle même de la nouvelle.

Cette stratégie a une efficacité relative. Notre étude a pu montrer qu'elle avait permis au RAJ d'acquérir une certaine notoriété par une couverture de presse abondante. Si tel était l'objectif du groupe contestataire, on peut dire qu'il a été atteint. Mais, sur le plan de la communication publique d'un message, l'efficacité des pseudo-événements est moins évidente. Le principal thème véhiculé par la presse pendant la campagne de contestation du RAJ a été celui de la parité de l'aide sociale pour les moins de trente ans. Ce thème s'est imposé à l'ordre du jour des débats publics au point de devenir l'un des thèmes majeurs lors de la campagne électorale québécoise de 1985.

Toutefois, le débat a été centré presque exclusivement sur la question de la discrimination fondée sur l'âge et il a pris une tournure fort différente de celle que lui avait insufflée le RAJ. Les leaders du RAJ ont voulu éviter que les programmes gouvernementaux puissent être évoqués comme solution à leurs problèmes ; ils ont donc accordé la priorité à la critique de ces programmes. Or ce thème n'a pas été repris par la presse, ce qui a eu pour effet de minimiser un aspect important du dossier — important pour le RAJ — et de priver les lecteurs d'une série d'arguments nécessaires à la compréhension de la position exacte du RAJ dans ce débat.

Ce que les lecteurs des journaux ont su du RAJ, ce fut d'abord ses actions : des jeunes manifestent bruyamment — parfois même dans la violence comme ce fut le cas à la Bourse de Montréal le 30 mai — pour réclamer la parité de l'aide sociale. Ces jeunes sont en colère et sont déterminés à aller jusqu'au bout pour obtenir gain de cause. Pourquoi réclament-ils la parité ? Parce qu'ils sont dans la misère : soit qu'ils mangent dans les poubelles ou qu'ils quêtent des restes dans les restaurants, soit qu'ils volent ou qu'ils se prostituent. Mais pourquoi ne s'inscrivent-ils pas à l'un des programmes prévus pour eux ? Là-dessus, la presse n'a pas fourni de réponses. C'est pourtant à cette question que les leaders du RAJ se sont évertués à répondre (thèmes 4). Mais la réponse ne s'est pas inscrite dans les nouvelles, d'une part parce que les leaders du mouvement n'ont pas su ou n'ont pas pu prendre les moyens nécessaires pour transmettre efficacement une telle argumentation — ce qui semble être le lot des groupes sans ressources — et, d'autre part, parce que ces éléments d'analyse des politiques gouvernementales cadraient mal avec l'ensemble des autres matériaux disponibles pour construire les nouvelles : éléments événementiels, éléments conflictuels, éléments d'intérêt humain, éléments d'interprétation immédiate de sens commun.

Pour sensibiliser l'opinion publique à leur problématique et à leurs revendications, les groupes politiquement et économiquement faibles n'ont guère le choix en général ; ils doivent procéder à des campagnes de presse fondées sur des pseudo-événements spectaculaires. Mais en se conformant ainsi aux finalités, aux normes et au code des médias, les groupes contestataires perdent généralement le contrôle de leur propre message. S'il est réussi, le pseudo-événement, en tant que tel, sera couvert par la presse, mais il n'est pas du tout certain que la problématique qui le sous-tend et le justifie atteindra la conscience publique.

CHAPITRE

5

QUÉBEC 84 OU DES MÉDIAS « MER ET MONDE »

Caroline Riverin Beaulieu et
Florian Sauvageau

Qui ne se souvient de l'été « mer et monde » ? Des Grands Voiliers, de la Transat Québec – Saint-Malo, des 63 jours de festivités soulignant le 450e anniversaire de la venue de Jacques Cartier ? *Québec 84*. L'annonce de foules énormes, le pont de Québec fermé, réservé aux urgences, les laissez-passer pour rentrer dans le Vieux-Québec ou à l'île d'Orléans, les hôtels bondés à des kilomètres à la ronde, les motels de Plessisville « en *stand by* », pour reprendre l'expression du journaliste Benoît Aubin.

Puis vint la déception, les visiteurs attendus restant chez eux, de peur d'affronter une ville assiégée ; le site, sans grand intérêt, déserté tout de suite après le départ des grands voiliers, peu de jours après le début des fêtes ; et ce fut l'échec financier. Suivit l'autocritique de certains journalistes à l'égard d'une excellente initiative qui a « connu, en cours de route, une telle enflure, avec le concours d'une presse complaisante collée aux anticipations gargantuesques des organisateurs, que le bateau risque de faire naufrage avant d'atteindre le port » (Roger Bellefeuille, *Le Soleil*, 29 juin 1984, p. A-10).

À Québec, surtout au *Soleil*, premier média à parler du projet, en 1978, les débats sur le rôle de la presse dans ce gâchis se poursuivront pendant des semaines, animés par des journalistes frustrés de s'être laissé prendre par leur enthousiasme pour ce qui devait être « les plus grandes festivités nautiques des temps modernes » et aussi agacés, sans doute, par la sévérité de certains des reproches qu'on leur adressait.

Dans un bilan du « merveilleux échec », publié par *L'actualité* en novembre 1984, Benoît Aubin n'est pas tendre envers ses collègues de Québec :

> Les médias d'information, ceux de Québec surtout, qui se prêtèrent longtemps au jeu des promoteurs, peignant le mirage aux couleurs de l'arc-en-ciel

avec une complaisance bien embarrassante, se retournèrent très rapidement, et jetèrent les hauts cris indignés, en manchette, de cette cruelle déception populaire. (*L'actualité*, novembre 1984, p. 86.)

Il est vrai en effet que, quand le rédacteur en chef du *Soleil*, Alain Guilbert, écrit (14 juillet 1984, p. A-14), en pleine crise de l'été « mer et monde », que « les groupes impliqués dans l'organisation de Québec 84 ont tous péché par excès d'optimisme, un optimisme appuyé sur des prévisions totalement exagérées, pour ne pas dire délirantes », il oublie trop facilement que les médias, dont le sien, ont fidèlement rapporté ces délires en s'interrogeant bien peu sur le bien-fondé des données qui permettaient de faire ces prévisions.

Selon Benoît Aubin, la couverture enthousiaste des médias pendant les mois précédant l'événement s'explique aisément : « Les médias avaient intérêt à ce que cet été soit... mer et monde. Radio-Canada parrainait un voilier de course et couvrait 'objectivement' l'événement. *Le Soleil* imprimait son quotidien d'une presse, et le programme souvenir de l'autre[1]. » Et il ajoute dans une allusion claire aux préoccupations de marketing des médias et en citant Claude Masson, rédacteur en chef du *Soleil* au moment où se préparaient les fêtes : « Les tirages, les cotes d'écoute, sont toujours en baisse l'été ; les médias cherchent toujours la grosse affaire qui fait vendre. (...) Pour une fois que cette grosse affaire ne se passait pas à l'autre bout du monde, mais ici même... »

Cela rejoint l'une des propositions que nous avons posées comme principes pour l'analyse de l'ensemble des relations entre les journalistes et les autres communicateurs et que nous avons présentées en introduction de cet ouvrage : plus il y a adéquation entre les stratégies de communication des sources et les politiques de marketing des médias, plus le traitement journalistique sera conforme aux objectifs de communication des sources.

Une autre de nos hypothèses de départ nous a également semblé particulièrement utile pour comprendre le rôle des médias de la ville de Québec dans ce dossier : plus le point de vue de la source fait l'objet d'un fort consensus

---

1. Benoît Aubin évoque ici « l'apparence de conflit d'intérêts » créée par la participation des médias aux activités de Québec 84. Dans le cas du *Soleil*, le rédacteur en chef, Claude Masson, avait prévu le coup. Le 17 décembre 1983 (*Le Soleil*, p. A-14), il expliquait de la façon suivante la décision prise par le journal de produire et de distribuer, « par l'intermédiaire d'une compagnie affiliée », le programme souvenir : « Par ce geste, *Le Soleil*, à titre d'entreprise importante de la région, veut s'impliquer dans le milieu et participer directement aux fêtes qui auront lieu à Québec l'été prochain. (...) Comme journal d'informations quotidiennes, *Le Soleil* conserve toute sa latitude face à Québec 84. Aucun(e) journaliste du *Soleil* ni aucun responsable de l'information ne participeront à la réalisation du programme souvenir. » M. Masson n'a pas convaincu tout le monde. Un des journalistes du *Soleil* nous dira qu'on affaiblit le journal quand on mine sa crédibilité, « en échange d'un plat de lentilles bien souvent ». *Le Soleil* a effectivement subi une perte financière avec le programme souvenir.

social, plus le traitement journalistique sera conforme aux objectifs de communication de cette source.

On souhaitait à Québec que les fêtes soient un succès, et médias et journalistes devaient tenir compte de ce facteur. Cette explication a d'ailleurs été reprise par le directeur de l'éditorial du *Soleil* à l'époque, Jacques Dumais :

> Le monde journalistique n'étant pas complètement inhumain ou déraciné, il souhaitait lui aussi le succès d'un événement aussi exceptionnel pour la région de Québec. En même temps, il devait lutter contre des préjugés ancrés, dans le public et l'élite de Québec, à propos du soi-disant « négativisme » de la presse quotidienne, à l'endroit notamment des Québécois qui-font-quelque-chose. (*Le Soleil*, 11 novembre 1984, p. B-2.)

Dumais évoque ici le principe de la solidarité régionale, qui, selon certains, devrait logiquement inciter les médias à donner leur appui aux grands projets de la collectivité qu'ils desservent. Il faut ranger dans le camp des tenants de cette opinion l'ancien maire de Québec, M. Jean Pelletier. Le texte d'une lettre qu'il transmettait au président de Radio-Canada, le 31 août 1983, près d'un an avant les fêtes, en témoigne. M. Pelletier parle des « spectaculaires événements de caractère international (...) que commandite largement le Canada » et ajoute : « Il m'apparaît normal que la Société Radio-Canada assure la couverture de ces événements et donne à celle-ci, grâce aux satellites de communications, une portée internationale. » Le président Pierrre Juneau répond, le 4 octobre 1983, qu'il est déjà établi que la Société Radio-Canada sera présente aux cérémonies d'ouverture et de clôture des fêtes, au retour des grands voiliers, à la course Challenge Canada et au départ de la Transat. Mais il conclut, prudent, qu'il est trop tôt pour tracer un portrait détaillé du genre de couverture que fera la Société.

La lettre de M. Pelletier manifeste ses attentes vis-à-vis des médias. Cela permet de mieux comprendre les reproches qu'il adressa aux journalistes à l'été 1984, alors que rien n'allait plus et que la presse enfonçait le clou : une presse qui cherchait, selon lui, les petites bêtes et montait en épingle les inévitables accidents de parcours. M. Pelletier écrit plus tard au rédacteur en chef du *Soleil* :

> C'est un fait : j'ai traité certains journalistes de « négatifs » à l'égard de notre été 1984. Non quant à leur désir de lumière sur le sujet (...) mais quant à leur parti pris évident de tout trouver de travers dans le menu offert par la Corporation 1534-1984 (organisateur des fêtes). Votre journal en particulier en avait décidé ainsi depuis longtemps... (Lettre du maire de Québec au rédacteur en chef du *Soleil*, publiée le 17 octobre 1984, p. B-4.)

La perception de la couverture de Québec 84 varie, on le voit, selon les lorgnettes et la subjectivité de celui qui analyse. Des journalistes ont trouvé la presse complaisante, le maire Pelletier a parlé, dans le cas précis des médias de Montréal, d'une couverture « vicieuse et délétère ». Par contre, tout ce débat manifeste en même temps l'importance de la communication et du marketing pour Québec 84 et l'importance des médias dans les activités de communication de la Corporation Québec 1534-1984.

Rien n'illustre mieux l'importance des médias que ces confidences faites à *Sélection du Reader's Digest* (mai 1984, p. 192) par les « pères » des fêtes de la voile, MM. Gaston Truchon et André Langlois. En septembre 1978, ils élaborent des projets : rassemblement de grands voiliers, course transatlantique, etc.

> Puis nous avons fait du porte à porte au fédéral, au provincial et au municipal, raconte Gaston Truchon. Tout le monde soutenait moralement notre initiative, mais personne ne voulait ouvrir les cordons de la bourse. Jusqu'au jour où nous avons pu persuader la rédaction du *Soleil* de Québec de nous consacrer un article en première page, un samedi. Le lundi suivant, le sous-ministre du Tourisme nous recevait. Et la roue a commencé à tourner.

On peut en déduire que sans ce coup de pouce du journal, Québec 84 n'aurait peut-être jamais eu lieu.

En octobre 1983, M. Jean-D. Legault, directeur du marketing et des communications de la Corporation Québec 1534-1984, parlait de Québec 84 comme du « plus grand événement canadien depuis les Jeux olympiques de 1976 » et, en même temps, du « plus grand défi actuel » dans le domaine des communications (cité dans *Québec 84*, journal de la Corporation, n° 4, octobre 1983). Dès février 1984, un communicateur au service de la Corporation nous confiait en outre que, faute de fonds, on devait délaisser la publicité, trop coûteuse, pour les relations de presse. Cela rendait l'appui des médias encore plus important pour les organisateurs des fêtes. Ce soutien aurait-il été si enthousiaste qu'il aurait contribué à la « survente » de l'événement ? Selon M. Robert McGoldrick, professeur de marketing à l'Université Laval, l'organisme avait créé dans la population des attentes qu'il lui avait ensuite été impossible de satisfaire (*Le Soleil*, 10 août 1984).

Un regard plus critique des médias aurait-il permis de redresser le tir ? Était-ce possible dans un contexte de solidarité régionale, où le désir du milieu était que les fêtes constituent un succès ? Comment expliquer l'engouement de la presse ? Par les préoccupations de marketing ? Par la qualité exceptionnelle des stratégies de communication de la Corporation ? Certains ont dit au contraire que l'appareil de communication laissait grandement à désirer. Des communicateurs nous ont parlé de tiraillements et d'une structure de direction « un peu conflictuelle », d'une salle de presse mal organisée, de rédacteurs sans doute talentueux mais inexpérimentés, d'une équipe disparate. Au mieux, on peut qualifier les opérations de presse de Québec 84 d'usuelles et de normales : rencontres et conférences de presse, communiqués, *lobbying* auprès des recherchistes de la radio et de la télévision, etc.

Avant d'analyser certains aspects de la couverture de presse, en essayant de voir si le traitement journalistique a été conforme aux objectifs des sources, nous présenterons les grandes lignes du plan de communication de la Corporation 1534-1984 et les projets de couverture de quelques médias. Enfin, nous ferons état de la réflexion menée par les journalistes eux-mêmes sur leur rôle, leur marge de manœuvre, le souci de marketing des entreprises, etc. Dans cette dernière partie, nous accorderons une place privilégiée au quotidien *Le Soleil*, vu l'importance que ce journal a voulu accorder à l'événement, mais aussi parce que ce sont les journalistes du *Soleil* qui se sont posé le plus de questions, tout au moins publiquement, pendant les mois qui ont suivi les malheurs de l'été « mer et monde ».

5.1 LA STRATÉGIE DE COMMUNICATION ET LES PLANS DE COUVERTURE

5.1.1 Le plan de communication de la Corporation Québec 1534-1984

La Corporation Québec 1534-1984, un organisme sans but lucratif créé pour réaliser l'événement, et présidé par Me Richard Drouin[2], était le maître d'œuvre des fêtes de la voile. Le projet, parrainé par la Chambre de commerce et d'industrie du Québec métropolitain, consistait à célébrer le 450e anniversaire de l'arrivée de Jacques Cartier, mais aussi, sinon surtout, à promouvoir le nautisme et à « revitaliser le potentiel touristique de Québec en particulier et du Québec en général ». La fête n'était qu'un prétexte, le *media event* qui devait permettre d'atteindre les objectifs poursuivis. La Corporation devait aussi financer l'événement par la vente de passeports d'accès au site et à certains privilèges.

La Corporation allait devoir travailler avec un grand nombre de partenaires, dont l'entreprise privée (la Transat Québec – Saint-Malo, la Brasserie Labatt, commanditaire du Challenge Canada et des Voiles filantes Labatt Bleue), la Ville de Québec et les commissariats aux fêtes et célébrations mis en place par les gouvernements de Québec et d'Ottawa. Chacun de ces partenaires cherchera à tirer le plus de profit possible de l'événement, soit sur le plan du marketing, soit sur le plan politique.

---

2. M. Drouin avait, en 1974, dirigé l'organisation de la Superfrancofête, un grand rassemblement, à Québec, des peuples de la francophonie. Compte tenu de l'immense succès qu'avait connu cet événement, il bénéficiait certainement, en 1984, d'un « préjugé favorable » auprès de plusieurs.

Si la présence de ces divers partenaires offrait l'avantage évident de donner plus de visibilité et d'ampleur à l'événement, elle comportait aussi un risque certain de confusion et d'ambiguïté concernant le message véhiculé. Le plan de communication de la Corporation insistait sur l'importance de l'unité et notait que la tâche des communicateurs de Québec 1534-1984 « consistera donc à convaincre les divers intervenants d'adopter un langage, des formes et un style de communication cohérents avec la stratégie générale de communication de la Corporation ».

Cela fut-il réalisé ? La présence d'un trop grand nombre de participants a-t-elle, au contraire, ajouté aux difficultés de la Corporation ? Il semble que oui, selon les témoignages que nous avons pu recueillir, mais nous ne pouvons l'affirmer de façon certaine, puisque ce n'est pas là-dessus qu'a porté notre analyse.

Les objectifs de communication

Dans son plan directeur de communication (28 juin 1983, 51 pages), préparé par Optimum, une filiale de Cossette Communication-Marketing, la Corporation établit ses six principaux objectifs de communication (p. 8) :

1- Faire connaître la programmation générale, hebdomadaire et quotidienne de l'événement.
2- Maintenir un intérêt de participation durant toute la durée de l'événement.
3- Assurer une présentation homogène fortement caractérisée de l'événement.
4- Accréditer la Corporation auprès de ses interlocuteurs et des pays participants en précisant ses rôles et en valorisant sa capacité d'organisation, sa valeur et sa compétence.
5- Soutenir la vente (aux sens propre et figuré) de la « destination Québec » à l'été 84 et la notion de passeport comme condition essentielle pour vivre l'événement.
6- Coordonner l'ensemble des activités communicationnelles de l'événement dans le respect des intérêts marketing et politiques des principaux partenaires financiers.

Le document ajoute qu'il s'agit « d'un événement, donc plus qu'une fête ou un anniversaire », que les stratégies permettront de positionner en démontrant son caractère « unique, exceptionnel et spectaculaire », en valorisant la dimension « ambiance » (entre guillemets dans le texte) du produit. « Québec 84 est une expression de ralliement, et une appellation qui se mémorise bien. Elle est courte et factuelle puisqu'elle indique une destination et une date. Elle se situe également dans la lignée d'autres événements d'importance (Expo 67, Olympiques 76). » À cet égard, les stratèges de la communication ont réussi leur coup. On se souvient toujours de Québec 84, même si certains préféreraient peut-être en avoir oublié les lendemains financiers.

Le rythme de la communication

Le plan définit aussi le « rythme de la communication » et distingue « quatre temps spécifiques », chaque phase comportant ses « stratégies » (p. 13-14) :

Phase de sensibilisation (juin - septembre 83)

- Alimenter certaines cibles particulières et certains multiplicateurs en présentant les grands éléments de la programmation.
- Établir un premier contact de nature publicitaire en créant une notoriété pour Québec 84 et en véhiculant le positionnement de l'événement.
- Annoncer la venue prochaine d'un passeport sur le marché.
- Recruter les ressources privées d'hébergement dans la région de Québec.

Phase d'invitation (octobre 83 - mai 84)

- Promouvoir et stimuler la vente de passeports (longue durée).
- Renforcer le positionnement de l'événement.
- Présenter les éléments de la programmation et les modalités d'hébergement.

Phase de célébration (juin - août 84)

- Stimuler la vente des passeports (longue durée et billets un jour).
- Communiquer la programmation quotidienne de l'événement.
- Au besoin, communiquer des informations spécifiques aux visiteurs (hébergement, circulation maritime, contrôle des foules, etc.).

Phase de remerciement (septembre 84)

- Conditionner un bilan positif de l'événement et établir un prolongement de nature touristique ou événementiel au lendemain de Québec 84.

Enfin, au chapitre des « moyens de communication », le plan précise les fonctions respectives de la publicité, des relations de presse, des activités de promotion et des publications (dépliants et brochures, dont le journal mensuel de la Corporation, *Québec 84*, affiches et productions audio-visuelles).

En matière de relations de presse, le document distingue quatre groupes de presse ou de journalistes que l'on souhaite voir transmettre des contenus bien établis (p. 29-30) :

Groupe de presse	Contenus
1- Presse éditoriale/générale	Dossier Corporation, programmation, financement, participation des pays, etc.
2- Presse sportive	Compétitions nautiques

3- Presse touristique : vacances, conseiller de voyages, etc.	Destination Québec, ville, région et province
4- Presse spécialisée	Éléments de programmation (science, voile, culture, arts, etc.)

Le plan de communication souligne l'importance, pour la Corporation, de soigner ses relations de presse, « compte tenu de l'impact que peut procurer une bonne couverture-média à des frais relativement modestes ».

Des réductions budgétaires décrétées en décembre 1983, au cœur de l'importante « phase d'invitation », empêcheront le recours à la publicité[3] et rendront les relations de presse plus importantes encore. Ces conditions ne permettent évidemment pas le même contrôle sur le message que l'on entend transmettre. En février 1984, l'un des responsables des communications à la Corporation nous parle d'improvisation : « On a une perspective d'un mois et un plan précis d'une semaine à l'avance, on doit improviser. Nous essayons de répartir la parution de nos nouvelles de manière à avoir des apparitions fréquentes et régulières. » À la Corporation, on « sent que la presse est dans l'attente, qu'elle manque encore de confiance en nous ; il nous reste du travail à faire avant d'obtenir un appui inconditionnel des médias. »

5.1.2 La présence des médias

Certains médias voudraient pourtant que les fêtes de la voile réussissent. *Le Soleil* en tête. Le 25 octobre 1983, d'Osaka, au Japon, où il assiste à un rassemblement de voiliers, le rédacteur en chef Claude Masson écrit : « Le spectacle maritime offert en fin de semaine à Osaka (...) avait de quoi convaincre les plus irrésistibles (...) C'est une démonstration magnifique et féerique des valeurs de la mer et de tous ses attraits. » Il regrette que les organisateurs de Québec 84 n'aient pas su convaincre l'ensemble de la population du Québec de l'importance des événements qui viennent et conclut : la Corporation « doit s'enligner au plus tôt sur la communication sans quoi... »

Quelques semaines plus tard, ne voulant sans doute pas être en reste, il dévoile le projet de couverture (voir document en annexe) des fêtes par *Le Soleil*, qui doit « conserver le leadership de l'information » dans ce dossier ; le document, qui ne pêche pas par excès de regard critique, témoigne de l'ardeur de M. Masson face à ce « défi professionnel emballant ». « Pour Québec, avec les nuances appropriées, écrit-il, ce sera l'équivalent de l'Exposition universelle de 1967 et des Jeux olympiques de 1976 à Montréal. » C'est aussi,

3. Le plan de communication prévoyait des « investissements publicitaires » de 3 980 300 $. Plus de la moitié de cette somme (2 305 000 $) devait être dépensée au cours de la « phase d'invitation », soit de l'automne 1983 au printemps 1984.

nous l'avons vu, l'image que les communicateurs de Québec 84 désiraient transmettre. Pour *Le Soleil*, Québec 84 « sera définitivement notre grand projet de l'été 1984 ». La direction souhaite que, après discussion, le plan de couverture devienne « un projet collectif d'information ». « L'information offerte doit être complète, de qualité, fiable, critique, diversifiée, pratique, vulgarisée, visuelle, accessible aux gens d'ici et d'ailleurs. » Dès janvier 1984, propose M. Masson, l'effectif serait constitué de deux journalistes affectés en permanence au dossier et de journalistes affectés de façon ponctuelle, selon les sujets à développer. Il annonce aussi que, à 100 jours du début des événements, soit vers la mi-mars, *Le Soleil* devrait publier un premier cahier spécial sur les origines du projet, sur les initiateurs et les dirigeants en place, sur les origines des Grand Voiliers et les principaux rassemblements dans le monde, sur les effets économiques et touristiques prévisibles, et comble d'ironie, sur les préparatifs des médias.

Le cahier spécial est publié le samedi 31 mars. En voici quelques titres qui témoignent de l'enthousiasme du *Soleil* :

- « Dans 84 jours, la plus grande fête nautique de l'histoire » ;
- « Un grand défilé sera l'apothéose du retour des grands voiliers » ;
- « Jamais on n'aura pu admirer aussi longtemps les Formule Un de la mer » ;
- « Ce sera 1 200 bateaux et 1 500 participants (les Voiles filantes Labatt Bleue) ».

L'un des textes (p. E-1) rappelle bien « qu'on manque encore de précisions sur ce qu'on pourra voir et entendre » (*La programmation est à compléter*), mais l'ensemble du cahier donne, et de loin, une image plus que positive du « projet fou d'il y a cinq ans (qui) éblouira tous les Québécois et les centaines de milliers de visiteurs attendus dans la Capitale pendant tout l'été qui arrive à grands pas ».

À partir du 18 juin et jusqu'au 25 août, *Le Soleil* publiera ensuite une section spéciale quotidienne consacrée aux divers aspects de la fête. En annonçant ce cahier tabloïd (une équipe d'une dizaine de journalistes sera affectée à sa réalisation), le 2 juin, le nouveau rédacteur en chef, Alain Guilbert, reprend le discours de Claude Masson sur l'information offerte, qui doit être « complète, de qualité, fiable, critique, diversifiée, pratique, visuelle, vulgarisée et accessible aux gens d'ici et d'ailleurs ». Son texte, qui rappelle que le journal a consacré « des milliers d'heures et de pages » à couvrir tous les aspects des célébrations, « depuis leur conception jusqu'à aujourd'hui », témoigne de la dimension « marketing et promotion » de l'opération :

> À compter du 18 juin, les presses du *Soleil* commenceront à tourner à 5 h plutôt qu'à 6 h 30 comme en temps normal.
>
> En avançant notre heure de publication de 90 minutes, cela nous permettra d'être présent dans tous les kiosques à journaux, dans les hôtels, motels,

autres lieux d'hébergement, restaurants, ainsi que dans des dizaines de stations-service dès 7 h le matin (...)[4].

Somme toute, ceux et celles qui liront *Le Soleil* durant les trois prochains mois sont d'ores et déjà assurés de vivre un grand été avec un grand journal...

Bref, avec *Le Soleil*, mettez le cap sur Québec 84.

Un survol rapide des efforts de couverture des autres médias montre bien que *Le Soleil* n'était pas seul à attacher sa barque au bateau de Québec 84. Radio-Canada ne ménageait pas non plus ses efforts tant à la radio qu'à la télévision. CBVT, la télévision de Radio-Canada à Québec, préparera une émission de télévision quotidienne diffusée sur l'ensemble du réseau : 40 émissions au cours de l'été, requérant une animatrice, trois journalistes, trois recherchistes, cinq réalisateurs et des équipes techniques, une affaire de 300 000 à 400 000 dollars.

À la radio, la station de Radio-Canada, « CBV — la radio de Québec 84 », propose aussi à l'ensemble du réseau un magazine quotidien couvrant les événements nautiques, historiques et culturels de Québec 84. C'est, dit-on, l'émission « point de repère » quotidien. Coût : un modeste 75 000 dollars. En outre, les samedis et dimanches, on diffusera tout l'été, d'un bateau-studio, une émission dont on nous a décrit les objectifs de la façon suivante : « Communiquer la passion du nautisme, avec des témoignages et des reportages spéciaux, et un gros déploiement technique : hélicoptère, unité mobile terrestre (en plus du bateau !). » On offrira un « gros spectacle de communication » pour la modique somme de 150 000 dollars.

Si l'on ajoute à cela les frais entraînés par « l'effort » des émissions régulières et le travail des journalistes de la salle des nouvelles affectés à la couverture de l'événement, il est bien évident que c'est une somme de beaucoup supérieure à un demi-million de dollars (des dollars de 1984 !) que Radio-Canada a consacrée à l'aventure.

La télévision privée (CFCM) n'a pas non plus ménagé son appui à l'été « mer et monde ». « On voulait aider le bateau, nous a confié l'un des dirigeants de CFCM. On s'en est servi, comme ils (la Corporation 1534-1984) se sont servi de nous. » La télévision privée locale proposait son émission quotidienne (d'une heure) diffusée sur l'ensemble du réseau TVA, les jeudis et vendredis. L'un des recherchistes était André Langlois, un des « pères » de l'événement. Cela ne garantissait pas particulièrement la distanciation critique, mais qu'importe !

---

4. Ce cahier de l'été 1984 allait aussi servir au rodage du tabloïd sport que *Le Soleil* publie depuis l'automne 1984. Les nouvelles heures de tombée servaient aussi d'« exercice » en vue de la transformation du *Soleil* en quotidien du matin.

Quoi qu'en ait pensé le maire de Québec, les médias montréalais n'ont pas négligé l'événement. Bien au contraire. À preuve, toutes ces émissions de télévision et de radio diffusées par les réseaux. Au quotidien *La Presse*, malgré certaines hésitations, la direction s'est aussi laissé convaincre par l'enthousiasme de certains journalistes et c'est une équipe composée de trois photographes, d'un dessinateur (pour les Grands Voiliers) et de deux journalistes que le journal a affectée à la couverture de Québec 84. De façon générale, cette équipe remplissait quotidiennement une page du journal. L'appui des médias montréalais était essentiel au succès des fêtes ; les prévisions de vente de passeports faisaient état d'un objectif de 400 000 ventes pour la région de Montréal, sur un total escompté de 1 206 000.

5.2
LE CONTENU DES MÉDIAS

Après ce survol des outils que les médias s'étaient donnés pour rendre compte de l'été « mer et monde », et de la stratégie de la Corporation 1534-1984, qui organisait l'événement, voyons maintenant certains résultats de ces préparatifs. Il était évidemment matériellement impossible d'analyser l'ensemble de la couverture. Nous avons donc choisi de donner quelques coups de sonde à des moments qui nous semblaient particulièrement cruciaux, compte tenu du plan de communication et des entretiens que nous avions eus avec des communicateurs.

Dans le cas de la phase dite d'invitation, l'un des responsables des communications de la Corporation nous avait signalé, dès février 1984, qu'il y aurait des opérations de presse importantes à partir du 10 avril afin de souligner le départ des grands voiliers de Saint-Malo : « Les voiliers sont partis, ils s'en viennent vers Québec, voilà, nous avait-il dit, une nouvelle concrète qui devrait stimuler la vente des passeports. » Toutefois, parce que tous les bateaux qui viendraient à Québec ne seraient pas à Saint-Malo, les stratèges avaient décidé de faire preuve d'une certaine réserve : « On s'assure que l'événement sera couvert, mais on est prudent. » Néanmoins, et puisqu'une importante conférence de presse annonçant (enfin !) l'ensemble de la programmation devait avoir lieu le 18 avril, et qu'il s'agissait d'un autre événement-clé dans la stratégie de communication, nous avons décidé de donner notre premier coup de sonde à ce moment. Le second aura lieu à l'occasion de l'inauguration des festivités, à partir du 20 juin, alors que les grands voiliers remonteront le Saint-Laurent jusqu'à Québec. Le plan de communication présentait les Grands Voiliers, « rideau d'ouverture de Québec 84 », comme « le grand 'teaser' pour attirer les foules à Québec ».

5.2.1 La phase d'invitation et les quotidiens

Nous avons voulu évaluer, pour la période s'étendant du 9 au 22 avril 1984, dans quelle mesure et de quelle façon les journalistes ont couvert les thèmes de la Corporation. Notre analyse a porté sur 120 articles parus dans trois quotidiens, deux de Québec, *Le Soleil* et *Le Journal de Québec*, et l'un de Montréal, *La Presse*. Nous avons vérifié la présence et la récurrence des thèmes de la Corporation dans ces journaux.

Remarques préliminaires

Nous avons constaté que, au cours de la période étudiée, le nombre d'articles a été plus important dans les quotidiens de Québec. Ceux-ci ont respectivement publié 46 articles (*Le Soleil*) et 44 articles (*Le Journal de Québec*), comparativement à 30 articles pour le quotidien de Montréal. Néanmoins, la couverture de *La Presse* fut également appréciable. Du 9 au 22 avril, période particulièrement importante dans les opérations de presse de la Corporation, *Le Soleil* et *Le Journal de Québec* ont publié sur Québec 84 près de 4 articles par jour, en moyenne, et *La Presse*, plus de 2 articles par jour.

Par ailleurs, la quantité remarquable de photos publiées, soit un total de 55 pour les trois journaux (*Le Journal de Québec* : 21, *Le Soleil* : 20, *La Presse* : 14), ne représentait alors qu'une faible ébauche par rapport à l'aspect hautement visuel qui fut développé plus tard pour la couverture de cet événement.

Les thèmes des sources

Nous avons divisé les thèmes établis par la Corporation 1534-1984 en thèmes liés aux objectifs poursuivis par l'organisme et en thèmes relatifs aux événements (*media events*) ou aux moyens d'action mis en œuvre pour réaliser ces objectifs ; dans ce dernier cas, nous parlons de thèmes stratégiques[5]. Voici donc la liste de ces différents thèmes.

1) **Les thèmes stratégiques principaux**
   - Les Grands Voiliers
   - La programmation (spectacles, etc.)
   - La Transat Québec – Saint-Malo
   - Les autres compétitions nautiques

5. Cette classification découle de l'analyse que nous avons faite du plan de communication de la Corporation et de nos entretiens avec des communicateurs. Elle tient compte de l'objet ou de la nature des thèmes et de l'importance que chacun de ces thèmes nous a semblé revêtir, aux yeux de la Corporation.

2) **Les autres thèmes stratégiques**
   - L'autofinancement
   - L'accessibilité au site (passeports vendus par rapport à la capacité d'accueil)
3) **Les thèmes principaux liés aux objectifs de la Corporation**
   - Le développement économique régional
   - Le développement touristique régional
   - L'image, la crédibilité, la valeur, la compétence de la Corporation
4) **Les autres thèmes liés aux objectifs de la Corporation**
   - Le fonds historique de l'événement, c'est-à-dire Jacques Cartier, etc.
   - Le monde de la science et de la technologie appliquées à la mer
5) **Les thèmes des autres sources**
   - Les gouvernements provincial et fédéral
   - Les commanditaires privés (comme la Brasserie Labatt)
   - Les autochtones

L'analyse du contenu des articles nous a permis, en notant la fréquence d'apparition respective des thèmes énumérés plus haut, d'établir l'importance relative de ces thèmes dans la couverture de presse. Nous avons constaté que, pour les trois médias étudiés, les thèmes de la Corporation 1534-1984, tels que nous les avions identifiés, ont été repris dans une proportion largement majoritaire (tableau 1). En fait, pour *Le Journal de Québec*, 76 % des thèmes traités reprenaient ceux de la Corporation 1534-1984, pour *Le Soleil*, 75,3 % et pour *La Presse*, 71,3 %. Les thèmes des autres sources, dont la proportion respective était de 23,2 %, 24,3 % et 28,5 % dans l'ordre précédent d'énumération, composaient le reste du corpus. Ces autres sources étaient en outre, pour la plupart, « associées » à la Corporation dans la préparation des fêtes et leur discours, bien que pouvant comporter des variantes, devait, sauf exception, concourir à la réalisation des objectifs de la Corporation.

L'analyse des trois quotidiens au cours de cette période révèle donc que les thèmes traités dans ces journaux sont en étroite concordance avec la thématique de la Corporation.

Une autre constatation intéressante ajoute à cette assertion : les médias ont clairement mis l'accent sur les thèmes les plus importants pour la Corporation, dans sa stratégie qui visait à vendre son produit par les aspects spectaculaires, par les *media events* — Grands Voiliers, présentation de spectacles et autres activités, Voiles filantes Labatt Bleue, etc. Ces thèmes stratégiques principaux comptent pour 51,5 % de l'ensemble des thèmes traités dans les articles du *Journal de Québec*, pour 42,5 % des thèmes dans le cas du *Soleil* et pour 42,8 % des thèmes dans le cas de *La Presse*.

Nous avons indiqué plus haut que nous avions retenu la période du 9 au 22 avril en raison, entre autres, du départ des grands voiliers de Saint-Malo et de l'importance stratégique des Grands Voiliers pour la vente des passeports.

À cet égard, notre analyse révèle que, pour les trois médias retenus, les Grands Voiliers se retrouvent en première position dans la hiérarchie des thèmes : 24,0 % des thèmes touchaient aux Grands Voiliers dans *Le Journal de Québec*, 17,3 % dans *Le Soleil* et 16,3 % dans *La Presse*.

Une dernière observation : *La Presse* de Montréal a, plus que les autres médias, exposé les thèmes secondaires liés aux objectifs de la Corporation (voir tableau 5.1), notamment au chapitre du fonds historique de l'événement. De façon générale, cependant, les thèmes de la Corporation jouissent d'autant d'importance à *La Presse* que dans les deux quotidiens régionaux, alors que nous avions pensé au départ que la presse « nationale » couvrirait l'événement avec moins d'enthousiasme que les médias plus directement concernés.

TABLEAU 5.1
Présence des thèmes de la Corporation dans trois quotidiens, du 9 au 22 avril 1984 (en % des thèmes)

	Le Journal de Québec (N^{bre} = 137)		Le Soleil (N^{bre} = 127)		La Presse (N^{bre} = 98)	
Thèmes stratégiques						
• principaux	51,5		42,5		42,8	
• autres	11,6		11,7		5,1	
• TOTAL		63,1		54,2		47,9
Thèmes liés aux objectifs						
• principaux	10,0		13,3		10,2	
• autres	2,9		7,8		13,2	
• TOTAL		12,9		21,1		23,4
Total		76,0		75,3		71,3
Thèmes des autres sources		23,2		24,3		28,5
TOTAL GLOBAL*		99,2		99,6		99,8

* Les totaux n'atteignent pas 100 %, compte tenu de l'arrondissement décimal.

Des articles le plus souvent favorables, sinon toujours enthousiastes

On pourra dire que ces résultats n'ont rien d'étonnant et que la presse ne pouvait faire autrement que de parler du départ des voiliers de Saint-Malo ou de rapporter, puisqu'il s'agissait de nouvelles, ce que la Corporation avait à annoncer, notamment la programmation attendue depuis longtemps. Fort bien. Mais il y a plus.

Les trois journaux analysés ont non seulement retenu les thèmes que la Corporation souhaitait les voir couvrir, mais ils l'ont souvent fait avec un enthousiasme qui correspond plus aux canons d'une certaine presse sportive ou artistique qu'à la tradition journalistique classique. Les exemples suivants illustrent bien notre propos :

- « René Lévesque (...) se disait ébloui de voir le grand trois-mâts polonais *Dar Mlodziezy* (...) il le sera quatorze fois plus (...) à Québec car ... 14 (voiliers de classe A) défileront... » (*Le Soleil*, 16 avril 1984, p. 1.)
- « ... à Québec, les visiteurs seront littéralement choyés ; c'est tout juste si les grandes vergues (...) n'effleureront pas le nez des milliers de Québécois entassés sur les estrades naturelles... » (*Le Soleil*, 16 avril 1984, p. 1.)
- « Québec emportera le gros morceau l'été prochain (...) Des noms prestigieux, des vedettes de partout, qu'on n'a pas eu souvent l'occasion de voir ici. Des chiffres à vous renverser... » (*La Presse*, 19 avril 1984, p. D-1.)
- « Des foules très intéressées se présentent sur les quais de Saint-Malo pour visiter les voiliers. Qu'en sera-t-il à Québec, avec la présence d'un nombre beaucoup plus grand de navires de classe A ? » (*Le Journal de Québec*, 13 avril 1984, p. 6.)
- « Le rêve prend forme (...) ... 87 navires en tout qui feront du rassemblement de Québec le plus grand des temps modernes. » (*Le Journal de Québec*, 20 avril 1984, p. 4.)
- « Un grand gala de fermeture terminera l'été le plus hallucinant (on n'aurait pu mieux dire) de l'histoire dans la vieille Capitale. » (*Le Journal de Québec*, 19 avril 1984, p. 3.)

En fait, une analyse sommaire nous permet d'affirmer que, dans les trois médias étudiés, la tendance des articles est largement favorable à Québec 84.

Nous avons repéré certains commentaires négatifs au lendemain de la conférence de presse du 18 avril relative à la programmation. La décision de la Corporation de tenir deux conférences de presse, l'une à Montréal le matin, l'autre à Québec l'après-midi, a provoqué la colère des journalistes de Québec, frustrés de jouer les seconds violons. Le lendemain, dans *Le Soleil*, c'est une dépêche de l'agence Presse canadienne qui fait part du mécontentement des journalistes de Québec. Objectivité oblige ! Quant au *Journal de Québec*, son journaliste parle du « manque de respect à l'égard des gens de la presse sur lesquels elle (la Corporation) devra compter, à l'été, si elle veut faire de toutes ces manifestations un succès » (Le *Journal de Québec*, 19 avril 1984, p. 3). Des commentaires négatifs, soit, mais qui manifestent fort bien le désir des journalistes d'appuyer les fêtes de la voile. Toutefois, si les journalistes de Québec sont disposés à soutenir ce projet régional, ils attendent des organisateurs qu'ils en fassent autant et qu'ils privilégient la presse régionale. C'est donnant, donnant !

5.2.2 La phase de célébration et la télévision

Passons maintenant à notre second coup de sonde, donné celui-là au moment de l'inauguration des fêtes, à partir du 20 juin. C'est au cours de cette période qu'on a noté un certain revirement et une attitude plus sceptique de la part de différents médias. Ainsi, dès le 20 juin, sous le titre « Les Gaspésiens déçus », le journaliste A. Dionne du *Soleil* évoquait la « publicité monstre qui circulait depuis fort longtemps et (...) l'attente (qui) était peut-être démesurée » (p. H-2). Il s'ensuivra, comme nous le savons, une critique accrue, qui ne parviendra pas cependant à faire contrepoids, dans le cas du *Soleil* par exemple, aux innombrables photos du cahier quotidien consacré à la fête, et qui se noiera de façon plus générale dans l'ambiance euphorique créée par les images télévisées.

Nous avons choisi de nous intéresser de plus près à la télévision, au cours de cette phase de célébration, en raison du caractère hautement visuel du déploiement des Grands Voiliers, « rideau d'ouverture de Québec 84 », pour reprendre l'expression de la Corporation. Nous avons enregistré et analysé les bulletins de nouvelles (région et réseau)[6] de Radio-Canada et de CFCM/TVA du 18 au 25 juin inclusivement, soit dans les jours qui précédaient immédiatement l'inauguration des fêtes, le vendredi 22 juin, et tout au long de la première fin de semaine de l'été « mer et monde ».

Radio-Canada

Il est intéressant de constater que, toutes proportions gardées, le *Télé-Journal* de Radio-Canada s'est presque autant intéressé à Québec 84 que les bulletins régionaux de la Société. Du lundi 18 juin au vendredi 22 juin, l'émission régionale *Ce soir* de 18 heures a consacré 12 « topos » et un temps d'antenne de 16 minutes et 32 secondes à l'événement, et le *Télé-Journal*, 9 « topos » et un temps d'antenne de 12 minutes et 13 secondes (voir tableau 5.2).

Le *Télé-Journal* a donc accordé à Québec 84 plus de 10 % de tout son temps d'antenne au cours de cette semaine capitale pour les organisateurs des fêtes. Le tempo s'est même accéléré au cours de la fin de semaine : le *Télé-Journal* consacrait plus de 3 minutes chaque soir, les samedi et dimanche, à Québec 84, et ce, dans chaque cas en tête de bulletin.

---

6. Nous avons laissé de côté les émissions spéciales dont on s'attend à ce qu'elles ne répondent pas aux règles habituelles du journalisme, mais qu'elles fassent plutôt la promotion de l'événement.

TABLEAU 5.2
Québec 84 et les nouvelles télévisées, du 18 au 22 juin 1984

	Nombre de « topos »	Temps d'antenne
Radio-Canada (local)	12	16 min 32 s
Radio-Canada (réseau)	9	12 min 13 s
CFCM (local)	13	19 min 43 s
TVA (réseau)	5	6 min 50 s

On fait bien écho, le 23 juin, par exemple, à un « départ lent en matinée » et aux pavillons inachevés, mais tout cela se voit neutralisé par l'abondance des reportages « positifs » et très certainement par l'éclat des belles images.

La Société Radio-Canada s'était bien préparée pour couvrir les aspects féeriques des Grands Voiliers qui constituaient, faut-il le rappeler, la thématique stratégique de vente de la Corporation. Ainsi, une équipe montée à bord du grand voilier *Kruzenstern* a remarquablement suivi les exploits de cette majestueuse « cathédrale de la mer » au cours de sa remontée du Saint-Laurent vers Québec. Revoyons les images qui accompagnaient les textes suivants, diffusés au *Télé-Journal* , le 20 juin 1984. Voici d'abord ce que disait Bernard Derome : « Eh bien, c'était aujourd'hui le début du grand spectacle qui aura pour scène la vallée du Saint-Laurent, de l'embouchure du fleuve jusqu'aux rives escarpées de Québec. Les grands voiliers ont entrepris leur remontée du Saint-Laurent. »

Suivaient les reportages de Jean-Robert Faucher et de Gilles Morin.

Texte	**Image**
G. Morin : « Les uns à la suite des autres, mais dans un ordre plutôt distancé, les grands voiliers ont quitté Gaspé pour hisser leurs voiles vers Québec, dernière étape de leur voyage au Canada.	Plan d'ensemble de plusieurs voiliers
« Quelques voiliers avaient déjà quitté la baie de Gaspé quand le signal du départ fut donné. « C'est notamment le cas du *Bluenose* parce qu'il veut se rendre à Pointe-au-Pic dans deux jours.	Gros plan, sans doute du *Bluenose*

« Les Gaspésiens et leurs visiteurs ont quand même pu admirer la grâce, l'élégance de ces navires d'une autre époque.

Plan des voiliers depuis la rive

« En tête du défilé, le *Sagrès II* du Portugal ; à bonne distance derrière le *Dar Mlodziezy* de Pologne, le *Gloria* de Colombie et ainsi de suite jusqu'au *Kruzenstern* de l'Union soviétique, qui a hissé les voiles en après-midi.

Plan des divers voiliers

« La majorité de la flotte pourra être observée demain matin à la hauteur de Sainte-Anne-des-Monts.
« Toutefois, le spectacle y perdra un peu, parce que des vents contraires ne leur permettront pas de hisser les voiles.
« En fin d'après-midi demain, ils s'approcheront de Matane pour mettre le cap sur la Côte-Nord en direction de Baie-Comeau, Forestville.
« Ils ne sont attendus que samedi aux Escoumins où ils seront pris en charge par les pilotes du Saint-Laurent.
« De là, ils iront rejoindre le chenail sud à la hauteur de Kamouraska et ils s'immobiliseront près de Saint-Vallier de Bellechasse dimanche avant de faire leur entrée à Québec, lundi, le 25.

Carte du Saint-Laurent avec indication électronique des divers endroits mentionnés (voiliers en médaillon)

« Un seul grand voilier, le *Sagrès II*, longera le chenail nord, soit celui de la marine marchande, pour se rendre à Québec.

Voilier en gros plan

« Gilles Morin à Gaspé. »

Plan général

J.-R. Faucher : « Les 235 membres de l'équipage du *Kruzenstern* soviétique s'affairent en silence sur le pont.

Plan du voilier

« Ils préparent les cordages qui auront à hisser, dans quelques heures, les 31 voiles du navire.	Cordages
« On sent tout de suite, au premier contact, cette discipline qui caractérise tous les voiliers où il y a des cadets de marine en formation.	Mâts ; matelots s'affairant aux cordages
« Le marin en charge des manœuvres des mâts distribue ses ordres (plein son en russe).	Marin avec porte-voix 
« Le *Kruzenstern* a été l'un des derniers grands voiliers à quitter la baie de Gaspé ce matin, par un bon vent d'ouest, le quatre mâts barque soviétique est le deuxième plus gros voilier au monde après le ... (inaudible), également de l'U.R.S.S.	Matelots et mâts
« Il fait 324 pieds de long (104 mètres) et ses mâts les plus hauts font également 324 pieds de haut (104 mètres).	Matelot montant au mât
« Sous voiles, le navire peut atteindre facilement 10 nœuds.	Plan du voilier
« Jean-Robert Faucher à bord du *Kruzenstern.* »	

Et cela se poursuivit toute la semaine, parsemé de quelques critiques, bien sûr, mais quel téléspectateur aurait voulu écouter l'éteignoir qui serait venu ternir la fête et détruire le rêve ?

CFCM/TVA

Si la station Télé-4 de Québec a, dans ses bulletins locaux, accordé beaucoup d'importance à Québec 84 (plus encore que Radio-Canada au cours de la semaine étudiée), on ne peut en dire autant du réseau TVA. À l'époque, certains auront sans doute reproché son peu d'enthousiasme à la tête de pont montréalaise du réseau ; on pourrait dire avec le recul que, dans la couverture de l'été « mer et monde », TVA a fait preuve de plus de mesure que la plupart des médias. Ainsi, au cours de cette semaine du 18 au 22 juin, les *Nouvelles TVA* (réseau) n'ont consacré qu'un « topo » par soir aux événements (y inclus les fêtes à Gaspé) pour un maigre temps d'antenne de 6 minutes 50 secondes au cours de toute la semaine. *Aujourd'hui*, le bulletin régional de 18 heures, s'enthousiasmait au contraire pour les événements, y consacrant près de 20 minutes (19 min 43 s) et 13 « topos » (voir tableau 5.2). Soulignons que CFCM a accordé plus de temps d'antenne à la couverture de « sous-produits » des festivités : par exemple, présentation du trophée Cutty Sark, bande dessinée (Jacques Cartier), jeu de société, jeu des Grands Voiliers, « qui sera disponible un peu partout... au prix de 12,95 $ ».

À défaut de s'être payé, comme Radio-Canada, une équipe à bord d'un des voiliers, la télévision privée s'est principalement attardée à l'animation sur le site et à la logistique (stationnement, transports). Notons que le 22 juin, alors que d'autres ont au moins commencé à se poser des questions sur l'optimisme démesuré des mois précédents, Télé-4 parle encore des neuf stationnements de périphérie « qui seront reliés à tous les quarts d'heure au site de Québec 84 par un système de navettes », du pont de Québec fermé à la circulation jusqu'au 3 juillet, et des « responsables de la sécurité (qui) fermeront les portes d'accès au site lorsque 45 000 visiteurs seront entrés ».

Le lendemain, si l'on évoque le site « demeuré quasiment désert » en matinée, on parle aussi de la foule qui « grandissait en nombre sans doute à l'annonce de l'arrivée prématurée de certains des grands voiliers ». La semaine suivante, le 29 juin, la critique se fera plus vive ; on parlera, à l'occasion, d'un reportage sur l'île d'Orléans, où les visiteurs craignaient de s'aventurer à cause de la cohue appréhendée et où les commerçants criaient famine, du « nombre de victimes de la mauvaise planification » de Québec 84 qui continue d'augmenter. Mais le même jour, au sujet de la parade des grands voiliers, prévue pour le lendemain, on annonce que « le spectacle promet d'être inoubliable ». Ce qui fut d'ailleurs le cas.

Bref, malgré certaines critiques, tant à Télé-4 qu'à Radio-Canada, le spectacle télévisé et la mise en valeur des grands voiliers ont clairement contribué, croyons-nous, à promouvoir les intérêts de la Corporation, au cours de cette semaine stratégique.

5.3
LA PERCEPTION DES ACTEURS

C'est à partir des interviews que nous avons réalisées auprès d'une douzaine de journalistes et de quelques communicateurs que nous essaierons maintenant de mieux comprendre les relations qu'entretenaient les acteurs des événements, de même que leur perception des principales raisons qui expliquent le comportement des journalistes et l'attitude des médias dans le dossier. Faut-il chercher du côté des entreprises de presse, qui souhaitaient mousser leur image de marque en s'associant au succès présumé de Québec 84 ? L'engouement du milieu et les pressions exercées sur les médias pour qu'ils contribuent au succès de la fête expliquent-ils plutôt la difficulté de porter un regard critique ? Ou alors, l'enthousiasme de la presse résulte-t-il, tout simplement, de la qualité des stratégies de communication de la Corporation ?

5.3.1 L'efficacité de la Corporation ou la paresse des journalistes

Nous avons déjà souligné l'importance des relations de presse dans la stratégie de la Corporation qui, faute d'argent, avait dû renoncer à ses ambitions publicitaires. Nous avons également évoqué les difficultés de la Corporation, telles qu'elles ont été vécues par certains communicateurs (tiraillements, salle de presse mal organisée) pour en conclure qu'on pouvait, au mieux, qualifier les opérations de presse de Québec 84 de normales.

Les journalistes interrogés ne voient pas nécessairement les choses de la même façon. Pour plusieurs, c'est l'efficacité des relations publiques de la Corporation qui explique l'absence de sens critique qui a caractérisé les médias avant l'événement, au moment où il aurait fallu, par exemple, s'interroger sur les prévisions d'affluence :

> La stratégie de communication de Québec 84 était très bien élaborée. Je rends hommage à M. Legault (le directeur des communications). Le risque de s'embourber est un risque constant chez nous.

> La stratégie de communication de Québec 84, c'était très fort, lié au contenu. Tous les journalistes les ont crus. C'était la machine à J.-D. Legault, une grosse machine mise au service d'une bande d'imbéciles.

Le professeur Robert McGoldrick estimait aussi dans son post-mortem, auquel nous avons fait référence au début de ce chapitre, que le « travail de persuasion » de la Corporation avait été efficace, trop efficace, puisqu'il parlait d'un événement « survendu » : « Ils ont fait marcher tous les gouvernements et aussi les médias comme Radio-Canada, TVA et *Le Soleil* avec son cahier spécial. » (*Le Soleil*, 10 août 1984.)

Plusieurs journalistes ont, malgré tout, décelé des carences dans l'organisation, une absence de planification sérieuse, un manque d'expérience, voire une incompétence évidente. L'un d'entre eux a dressé ce portrait négatif de la Corporation :

> On créait l'événement car on n'avait rien d'eux. Les conférences de presse étaient vaporeuses. À chaque fois, il n'y avait rien de neuf. Ils faisaient pitié

quand venait le temps de répondre à des questions. Il a fallu qu'on se débrouille nous-mêmes. On a bâti le *build-up*, ils n'étaient pas capables de le faire. Ils étaient toujours pris au dépourvu. Leurs dossiers étaient nos coupures de journaux.

En même temps, ce témoignage en dit long sur le rôle des journalistes !

Mais les lacunes se voyaient comblées par « certaines pressions de Québec 84 dans leur effort pour nous tenir occupés sur ce qui avait l'air de marcher. Il y avait une atmosphère d'été, de vacances, de bateaux... » Un autre nous a dit : « J'ai trouvé ça beau, j'ai parlé avec mon cœur, je l'ai vu avec des yeux d'enfant. » Cela se concilie difficilement avec ce constat d'un communicateur : « On n'a pas réussi à faire 'tripper' les journalistes. »

Efficacité de la Corporation ? Paresse des journalistes ? Voici un autre commentaire :

> Je le répète : les journalistes ont dormi comme des enfants d'école. J.-D. Legault a embarqué tout le monde. Ils (les journalistes) ont perdu le sens critique ou ont démontré qu'ils ne l'ont pas. Moi aussi. L'absence de sens critique résulte de ce qu'ils (les journalistes) étaient trop lâches (lire « paresseux ») pour vérifier le contenu d'un communiqué.

Plusieurs journalistes ont cherché à expliquer la dépendance envers les sources et l'information officielle :

> On cherchait à aller au-delà de l'information officielle, sauf qu'on manquait de temps souvent. Avec les déplacements et le travail, c'était difficile d'aller au fond des choses autant qu'on aurait voulu.

> Je vérifie toujours ce que mes sources me transmettent comme information. Dans le cas d'opinions, c'est attribué, on peut le vérifier. Dans le cas de faits précis et de chiffres, il y a une moins forte vérification. C'est là où on s'est fait prendre.

Dans le cas des prévisions d'affluence, par exemple, la notoriété, habilement utilisée par les communicateurs, d'une société comme Lavalin[7] a joué un rôle important dans l'attitude des journalistes. Un journaliste a regretté

---

7. Plusieurs ont cru en effet que diverses études de marché, dont une effectuée par Lavalin, annonçaient la marée humaine prévue. Or le rapport Lavalin était en réalité une analyse, à partir des prévisions des organisateurs, des mesures à prendre en matière de circulation et de stationnement. Après l'événement, certains se sont interrogés sur le sérieux des prévisions d'affluence, comme le professeur McGoldrick et le journaliste Pierre Pelchat, qui doutent même que Québec 84 ait fait une véritable étude de marché. Pourquoi ne pas s'être interrogé plus tôt ? « Quelle firme aurait accepté de contredire Lavalin ? » nous a répondu un cadre d'une entreprise de presse. On le voit, l'ambiguïté était bien entretenue et fort utile à la Corporation.

d'avoir tenu pour acquis des chiffres avancés « présumément par des experts ». « C'était censé être des experts, a dit un autre en parlant de l'équipe de la Corporation, « des hauts fonctionnaires très compétents prêtés par le Conseil du Trésor. » La fascination que les experts exercent souvent sur la presse explique en partie la « confiance » des journalistes : « Envers les sources, mon attitude était partagée entre la confiance et la méfiance. On sentait qu'il y avait exagération dans bien des cas. Dans certains cas, il faut faire confiance. Moi, je faisais confiance pour l'organisation. »

5.3.2 La crédibilité de la source : le cas du président de la Corporation

Confiance en l'organisation d'une part, volonté de laisser la chance au coureur d'autre part :

> On était tous conscients qu'on aurait pu « varger » et on ne l'a pas fait. On était tous contents de voir une certaine critique. Mais nous étions impuissants à cause des liens d'amitié et on voulait laisser la chance au coureur. » Pour Richard Drouin (le président de la Corporation) et pour le déficit, ce n'était plus le temps de critiquer. Si on avait « vargé », on aurait fermé Québec 84 en trois jours.

Ajoutons que des journalistes nous ont affirmé ne pas avoir manqué de « sources confidentielles » qui auraient pu leur permettre de court-circuiter l'information officielle :

> Des sources confidentielles, j'en avais à tous les niveaux de l'organisation. Il y avait beaucoup de frustration... Mes sources disaient : « Vous dormez sur la 'switch' comme des enfants d'école et les gens sont bien contents. »

> On savait qu'il y avait conflit, nous a dit un autre, mais les organisateurs ne le laissaient pas paraître, n'en disaient rien, donc nous non plus... Notre travail est de rapporter ce que l'on dit.

Drôle de conception du journalisme !

Plusieurs commentaires font ressortir l'influence du président Drouin :

> Je voulais sauver la peau de Drouin. À travers tout ça, il a été le seul à se tenir debout. Je n'avais pas la capacité d'attaquer, par respect pour Drouin et par amitié (...). C'est la raison pour laquelle j'ai voulu l'aide d'un autre journaliste, pour qu'il soit plus critique.

Les communicateurs étaient d'ailleurs bien conscients du rôle de M. Drouin, comme nous l'a expliqué l'un d'entre eux : « Pour accroître notre crédibilité, on joue beaucoup sur le président ; il donne une bonne performance en conférence de presse lorsqu'on le prépare bien. »

Voici le commentaire d'un autre journaliste : « Les liens d'amitié, c'est ce que Drouin voulait. Il faut toujours se méfier des conflits d'intérêt. L'amitié est une grande source de conflit d'intérêt. »

Mais d'autres éléments, plus généraux, plus structurels, ont entraîné la collaboration des journalistes et des médias et ont contribué à ce que passe le message des stratèges de la Corporation, malgré la faiblesse de leurs moyens et une improvisation certaine. Retenons ces deux derniers témoignages :

> En général, les médias ont embarqué « de plein pied » dans tout ça. L'aspect spectacle a été développé par les médias. Au début, les journalistes ont été happés par toute la mise en marché. Ça démontre que, dans les grands événements, les journalistes doivent être très prudents pour ne pas tomber dans le piège des organisateurs et des promoteurs. Les journalistes doivent garder une réserve et un sens critique et c'est difficile car ils deviennent presque partie de la machine. (...) On perd son sens critique sans s'en apercevoir. (...) Une couverture quotidienne colle les journalistes à l'événement et les organisateurs tiennent des conférences de presse hebdomadaires et annoncent les événements miette par miette pour entretenir le suspense. C'est difficile de se dégager de cela.

> Québec 84 a adopté une technique semblable au Carnaval (d'hiver de Québec) : on brûle pas tout d'un coup. On est à la remorque des techniques des informateurs. Il faut s'en défaire. Ils ont amorcé leur travail avec une bonne technique de communication : régularité, impact, importance de l'événement. Ils ont beaucoup joué sur le subliminal : QUÉBEC, QUÉBEC, QUÉBEC... C'était difficile de ne pas embarquer ; les journaux sont toujours à la recherche de bons événements. C'est du bonbon. (...) La promotion de Québec, ça a joué. On a tous embarqué mentalement là-dessus avant que ça commence.

Ce dernier commentaire fait ressortir à la fois les dimensions de solidarité régionale et de marketing que nous avons évoquées plus haut.

5.3.3 La solidarité régionale

Au sujet de la solidarité régionale, les témoignages suivants concourent à confirmer notre hypothèse selon laquelle plus le point de vue de la source fait l'objet d'un fort consensus social, plus le traitement journalistique sera conforme aux objectifs de communication de cette source :

> L'euphorie résultait du fait que tous les journalistes auraient voulu que ça réussisse. C'était une question de prestige, de solidarité, de fierté.

> La solidarité régionale a beaucoup joué : ça a pris longtemps avant d'avoir de la critique. Il y avait une implication sociale, ce qui ne veut pas dire malhonnêteté. (...) On est toujours plus conciliants dans notre milieu, c'est toujours comme ça dans les événements.

> Ce fut un « flop » journalistique. Il y a eu des exagérations. On a été trop conciliants, pas assez critiques au début. Après, ce fut l'inverse. On est plus conciliants quand on est régionalement impliqués.
>
> On n'est pas uniquement influencés par les sources dans un dossier comme celui-là, mais aussi par l'opinion publique qui veut cet événement (comme l'Expo 67). Si un média est trop négatif, c'est l'opinion publique qui va le rejeter. Des médias ont tenté de prendre les précautions voulues avant, mais ils sont entrés dans le moule pendant...

Comme le démontre bien ce dernier témoignage, la solidarité régionale dépasse le strict enjeu des relations qu'entretiennent les journalistes avec leurs sources ; elle concerne aussi, sinon davantage, l'entreprise de presse, pour qui la présence dans la communauté et l'appui à des projets du milieu sont souvent un gage de réussite sur le plan des affaires.

5.3.4 Les entreprises de presse : le marketing

Nous avons vu dans la partie de ce chapitre consacrée à la présence des médias aux fêtes de la voile que la couverture devait s'analyser à la lumière de stratégies de marketing destinées à répondre aux intérêts de vente et de promotion des médias. Dans le cas du *Soleil*, par exemple, la dimension marketing est sous-jacente au projet de couverture que nous reproduisons en annexe. Elle est aussi évidente dans les propos des responsables de la rédaction, dont nous avons fait état.

Au *Journal de Québec*, on n'avait pas de projet écrit de couverture comme au *Soleil* : « On est restés exactement dans notre formule : sortir la nouvelle la plus intéressante, la discussion du jour. Il faut publier la nouvelle qui sera lue. On fait des nouvelles pour faire acheter le journal. » On convient qu'information et marketing sont voisins, et que la frontière entre les deux est ténue, tout en ajoutant :

> Le marketing ne consiste pas à déformer l'information. *Le Journal* n'a pas embarqué dans l'importance qu'on avait voulu accorder à Québec 84 avant que ça ait lieu. L'objectif de la Corporation était de faire croire que c'était tellement gros que ça le serait (...) On l'a couvert pour ce que ça valait. (...) On n'était pas coincés dans un carcan de faire tant de pages par jour (allusion évidente au cahier quotidien du *Soleil*). On n'a pas eu à faire de l'officiel pour combler les pages. On n'a pas embarqué dans le bateau du succès foudroyant. (Mais) au départ, on se sentait marginaux de ne pas avoir poussé plus loin notre couverture...

Néanmoins, un journaliste estime que *Le Journal de Québec* était considéré comme « le vendeur de Québec 84 ». « Et pourtant, comparativement au *Soleil*, on n'a rien investi. Eux, c'était du marketing pur ; ça n'avait pas de lien avec l'information. Tout ce qu'on attendait ici, c'étaient les « gros coups »

(Grands Voiliers, etc.). » Les grands coups qui se vendent bien, serait-on tenté d'ajouter. *Le Journal de Québec* a tout de même libéré un journaliste pendant 60 jours pour couvrir la fête : « Ça a coûté cher, énormément cher, au journal. Les yeux de la tête. Je considère malgré tout que ces dépenses sont justifiées. La ville de Québec n'a jamais eu autant de publicité. »

Mais c'est au *Soleil* que l'enchevêtrement du marketing de Québec 84 et de celui du journal qui avait fait des fêtes son grand projet de l'été, a créé le plus de remous. Ce débat s'est déroulé en partie dans les pages mêmes du journal et nous en avons été, indirectement, les acteurs.

Le 10 novembre 1984, le journaliste Pierre Boulet consacrait, sous le titre « Les médias face aux communicateurs, *Un pouvoir qui change de main* », deux longs articles à nos travaux de recherche et en particulier à l'exemple de Québec 84 (p. B-1). Il faisait état de certaines de nos observations préliminaires sur le pouvoir des sources institutionnelles et l'absence de sens critique du côté de la presse dans le dossier de l'été 1984, par exemple face aux supposées « études d'experts » qui annonçaient une marée humaine à Québec.

Le lendemain, le directeur de l'éditorial, Jacques Dumais, écrivait (p. B-2) : « Il est juste de parler d'une sorte d'autocensure, consciente ou inconsciente, des journalistes tout au long des préparatifs des fêtes de la voile. » Après avoir reconnu que le monde journalistique souhaitait lui aussi le succès de l'événement (solidarité régionale), il ajoutait : « Mais de là à avoir épousé servilement le délire promotionnel de Québec 84, (...) voilà qui témoigne d'une complaisance tout à fait étrangère à l'abc du métier de journaliste. » Il attribuait cette situation au « journalisme d'étude de marché » : « Dans un contexte de survie ou de grande compétitivité, la presse écrite et électronique a tendance à mettre l'accent sur un marketing qui flatte le public, mais qui escamote aussi son droit de tout savoir et le devoir de ses journalistes de tout dire. » Il n'en fallait pas plus pour mettre le feu aux poudres.

Quelques jours plus tard (14 novembre, p. B-4), *Le Soleil* publiait, avec un souci de transparence qui n'est pas coutumier dans nos médias, une réplique de quatre journalistes qui avaient participé à la couverture des événements de l'été 1984. Les quatre journalistes accusent M. Dumais de « mystification » parce qu'il aurait confondu médias et journalistes. Au sujet du marketing dénoncé par l'éditorialiste, ils écrivent :

> Notre redresseur de torts fait quelques oublis. Ou bien M. Dumais ne sait pas ce qu'il dit ou bien il ne suit pas la doctrine qu'il prône en taisant certaines vérités gênantes. Qui est responsable de cette politique d'information axée sur le marketing ? Le silence de M. Dumais est significatif.
>
> En tant qu'un des principaux cadres de la rédaction au *Soleil* et coresponsable de la politique d'information, où était M. Dumais lorsqu'il a été question

de la politique de couverture de Québec 84 et de son suivi ? Où était-il lorsque *Le Soleil* est intervenu comme partenaire commercial dans Québec 84 ? Pourquoi tous ces silences ?

On serait tenté de répondre pour Jacques Dumais que non seulement la section éditoriale qu'il dirigeait avait toujours gardé un regard critique sur le dossier des fêtes de la voile et le rêve « mer et monde », malgré l'enthousiasme ambiant, mais qu'il avait lui-même, dès janvier 1984 et quelques jours après la publication des projets de couverture du *Soleil*, mis les médias en garde contre un engouement prématuré :

> Comme c'est souvent le cas dans notre système de marketing et de publicité, on privilégie le contenant comme si le contenu était secondaire. (...) Les médias que nous sommes avons une mission de dosage à respecter lors de ces grands événements qui s'annoncent. (*Le Soleil*, 3 janvier 1984, p. A-12.)

5.3.5 Quelques voix critiques... malgré tout

Une lecture attentive de la page éditoriale du *Soleil* au cours des mois qui ont précédé l'événement permet de comprendre les réactions (que contredit l'analyse des seules pages d'information et des nouvelles télévisées) de ceux qui, comme l'ancien maire Pelletier, avaient jugé la presse négative à l'égard de Québec 84. Retenons seulement quelques exemples de mises en garde faites par Roger Bellefeuille, éditorialiste du *Soleil* :

> ... à peine six mois avant le coup d'envoi de ces festivités, personne ne semble encore vraiment en mesure de préciser ce à quoi le passeport donne accès, sinon au site du Vieux-Port. (...) Cela frise l'indécence de réclamer maintenant un prix d'entrée de $ 30 et de $ 24 (compte tenu des investissements publics dans le dossier). (...) À cause justement de cette valse des millions, il aurait été certainement possible d'épargner aux véritables bailleurs de fonds, les contribuables, un effort supplémentaire, sous forme de passeports ou de visas. (*Le Soleil*, 5 janvier 1984, p. A-14.)

> Elle sont (les révélations d'une ponction dans les prévisions de dépenses) une bonne indication en outre du danger que court tout projet de cette nature de sombrer dans une certaine mégalomanie ou de perdre un certain sens de la mesure. Ce qui peut humainement arriver à des administrateurs provisoires de tels événements éphémères. (...) Les données financières fournies par l'organisme, hier, en conférence de presse, ne sont guère rassurantes à cet égard. Ainsi, au chapitre des commandites, on prévoit des rentrées de $ 5 millions ; jusqu'ici, il n'y a que $ 1,6 million de sûr. (*Le Soleil*, 15 février 1984, p. A-12.)

> Quant à Québec 84, avec ses tergiversations, ses vaporeuses conférences de presse hebdomadaires, ses fréquents changements de cap, l'organisme donne de plus en plus l'impression d'un capitaine à la recherche du bon cap (...) La

> Corporation se doit d'être plus transparente. Elle a suscité attentes et espoirs. Elle se doit maintenant de donner l'heure juste. (*Le Soleil*, 9 avril 1984, p. A-14.)

Ces textes de Roger Bellefeuille ne plaisaient ni au maire de Québec ni à la direction du *Soleil* qui, on l'a vu, avait tout intérêt « commercial » à ce que les fêtes réussissent. Ils permettent par contre à un autre éditorialiste du quotidien, Raymond Giroux, de pavoiser, ou presque, lors d'une émission de radio consacrée à la couverture de Québec 84 (CBV – Radio-Canada, *Présent Québec*, 10 juillet 1984) :

> D'où viennent les prévisions de 350 000 touristes américains à Québec ? D'où viennent les prévisions de retombées économiques de 92 millions ? D'où vient l'idée qu'il y aurait 5 000 emplois sur le site du Vieux-Port cet été ? Toutes ces questions-là ont été posées dans la page éditoriale du *Soleil*. Également dans les pages dossier du *Soleil* par les journalistes qui couvrent l'événement, qui avaient à rapporter, si vous voulez, les annonces, les décisions. Ça, c'est un travail, c'est de la stricte information, ça peut avoir un effet de relations publiques, quand c'est encadré de photos dans un cahier spécial, mais ces mêmes journalistes-là ont aussi à l'occasion désarticulé la promotion du groupe qui organise les fêtes.

Tout en prenant la défense de ses camarades, M. Giroux fait aussi ressortir, indirectement, le peu de poids de l'éditorial ou de quelques dossiers épisodiques, plus critiques, dans un contexte où l'artillerie lourde de la rédaction avait été déployée pour relever le « défi professionnel emballant » (voir le projet de couverture en annexe) de l'été 1984.

Dans ce cadre où les préoccupations de marketing de l'entreprise de presse rejoignaient celles des promoteurs, s'ajoutant au désir légitime que ce projet collectif réussisse, *Le Soleil* pouvait-il pousser plus loin ses critiques sans accroître l'image de négativisme que certains lui collaient déjà ? Les médias, en particulier les médias locaux, n'étaient-ils pas piégés ? C'est ce que pense en tout cas l'un des journalistes du *Soleil* qui a couvert les fêtes de la voile. Dans un long texte qu'il nous a transmis à la suite de la publication de nos premières observations, Pierre Pelchat écrit :

> Avant tout, j'aimerais vous faire part d'une conclusion que je tire après huit mois de couverture dans ce dossier. Pour toutes sortes de raisons qui n'ont souvent rien à voir avec l'information, je crois que, peu importe ce que les journalistes affectés à cette couverture pouvaient écrire de positif ou de négatif sur les fêtes de Québec 84, ces mêmes journalistes étaient perçus par plusieurs comme les promoteurs ou les fossoyeurs de Québec 84[8].

---

8. Pierre Pelchat, texte adressé à Florian Sauvageau, 23 pages dactylographiées plus annexes, décembre 1984.

Mais l'ambiguïté ne loge pas que du côté des sources ou du public. L'ambivalence des journalistes et des médias par rapport à l'événement est aussi partout évidente. Même le « commentateur » le plus critique de Québec 84, André Arthur, dont les propos provoquaient la terreur chez les organisateurs[9], nous a confié en entrevue que, au fond de lui-même, il croyait à un miracle.

Bien avant le début des festivités et à l'encontre de ce qui se dégageait de l'image d'ensemble véhiculée par les médias, André Arthur avait laissé planer de nombreux doutes quant aux prévisions de la Corporation. Quarante-huit heures avant l'inauguration des fêtes, le 20 juin, son scepticisme se maintient. Dans un entretien avec le journaliste Bernie Pelletier, il dit à propos du passage des voiliers à Gaspé :

> Est-ce que j'ai tort ou raison d'avoir l'impression, de loin, sans y être, en me fiant aux témoignages de journalistes comme vous qui y sont, mais en essayant de lire parfois entre les lignes parce que les gens sont parfois un peu discrets sur ces choses, qu'il y a une légère odeur de broche à foin là-dedans ? (...) Vous savez, ça tient souvent à des petits détails que la différence entre un échec puis un succès... Moi ça fait un an que je dis que le succès de Québec 84, ça sera d'abord et avant tout le succès des à-côtés. Et que c'est pas les bateaux qui vont faire le succès de Québec 84. Ça, c'est une excuse.

C'est le même jour, comme nous l'avons signalé, que *Le Soleil*, en évoquant la déception des Gaspésiens, parlait d'une attente « peut-être démesurée ». Le 26 juin, selon le « suivi des médias » de la Corporation, André Arthur dira qu'on « s'est soufflé une 'baloune' plus grosse qu'elle ne l'est vraiment ».

Toutefois, à côté d'un répertoire largement négatif, le « suivi des médias » fait aussi état d'éléments positifs dans le discours d'André Arthur et dans celui de son équipe (il est alors à CJRP), dont une description détaillée de l'arrivée des grands voiliers à Québec, par deux journalistes de la station, l'un en hélicoptère, l'autre à bord du bateau *Louis-Jolliet*. Bref, en dépit d'une attitude plus critique, marquée du ton acidulé qui le caractérise, André Arthur a lui aussi contribué, dans une certaine mesure, à promouvoir les intérêts de la Corporation.

---

9. La lecture du « suivi des médias » préparé par la Corporation et auquel nous avons eu accès permet de mesurer l'importance de l'attention que l'on portait à l'animateur vedette de même que « l'angoisse » que ses critiques pouvaient susciter chez les organisateurs.

CONCLUSION

Nos travaux nous ont permis de vérifier ce que divers commentateurs avaient observé : à quelques nuances près, c'est avec enthousiasme que les médias ont appuyé les projets de la Corporation Québec 1534-1984. Nous avons pu déceler, au cours de nos interviews, un ensemble de facteurs qui expliquent ce comportement et qui vont de la tendance coutumière des médias et des journalistes à rapporter tel quel ce qu'on leur dit (c'est la conception traditionnelle de la nouvelle) à la difficulté de faire preuve de sens critique, quand on fait en quelque sorte partie de la « machine » ou de la « famille ».

À cet égard, un journaliste a comparé fort à propos la couverture de Québec 84 à celle d'une campagne électorale où la « promiscuité » crée des liens qui rendent difficile le regard extérieur ; l'attitude de certains journalistes envers le président Richard Drouin illustre bien ce phénomène. N'oublions pas que quelques journalistes avaient été affectés au dossier près de deux ans avant les fêtes. La difficulté de faire preuve d'une vision critique quand on « couvre » le même secteur depuis longtemps est bien connue ; c'est ainsi qu'en campagne électorale, par exemple, des médias procèdent à une rotation des journalistes qui accompagnent les chefs de parti.

Certains des facteurs qui expliquent le comportement des médias correspondent tout à fait à nos propositions de départ : le consensus qui s'était créé à Québec autour de Québec 84 et le désir des médias de collaborer à la réussite de l'événement (solidarité régionale), tout en profitant de ses retombées économiques (marketing). Encore qu'il ne faille pas exagérer l'influence de la solidarité régionale, puisque les médias de Montréal (entre autres, *La Presse* et Radio-Canada, comme nous l'avons vu) ont aussi accordé beaucoup de place à l'événement. Dans ce cas-ci, comme dans le dossier de la construction de la nouvelle usine d'Alcan, il faut nuancer l'hypothèse selon laquelle le traitement journalistique serait plus conforme aux objectifs des sources dans la presse régionale.

Les plans de couverture que les médias s'étaient donnés nous obligent à préciser une autre des hypothèses que nous avons présentées en introduction de cet ouvrage. Nous affirmions en effet que plus la politique d'information d'un média est structurée, moins le traitement journalistique est conforme aux objectifs de communication des sources. Cette proposition ne tient pas compte des objectifs qui sous-tendent cette politique d'information et postule, à tort, que les médias qui se dotent d'une politique d'information seront plus critiques. Dans ce cas-ci, les projets de couverture des médias, du *Soleil* en particulier, étaient sans doute plus « structurés » que de coutume, mais l'approche, positive, rejoignait les objectifs des sources, lesquels concordaient, comme nous l'avons vu, avec les préoccupations de marketing des médias. Bref, on peut dire que si le traitement journalistique a été conforme aux objectifs de la Corporation, c'est que les médias l'ont bien voulu.

Par contre, il faut rappeler qu'il y a eu des notes discordantes dans l'appui des médias au projet. *Le Soleil*, qui a sans doute été le plus critiqué des médias pour sa « complaisance », a aussi été blâmé pour le « négativisme » de certains dossiers et de sa page éditoriale. Cela nous oblige à distinguer les objectifs d'entreprise (marketing) des objectifs d'information, dont l'opposition est souvent source de conflits entre les journalistes et les directions, et à reconnaître que les journalistes gardent une certaine marge de manœuvre, quels que soient les objectifs de l'entreprise. Dans ce cas-ci, les intérêts du *Soleil*, comme entreprise, allaient dans le sens de l'appui au projet. Si certains journalistes, et surtout l'éditorialiste Roger Bellefeuille, ont pu, malgré cela, rester critiques, c'est à cause de la dynamique qui existe dans les grandes entreprises de presse : la liberté des journalistes est garantie par la convention collective et les cadres de la rédaction, qui servent de tampon entre les intérêts d'affaires et le « messianisme » de certains journalistes, absorbent en outre une partie des pressions qui viennent de la direction.

En apparence, les médias semblaient, en raison de leurs préparatifs de couverture, s'être à ce point engagés qu'ils avaient abandonné à l'avance toute possibilité d'être critiques. Ils conservaient au contraire beaucoup de pouvoir. Celui de contribuer, dans un premier temps, à « créer » l'événement, puis de « retourner leur veste », ce qu'ils ont fait quand la Corporation s'est retrouvée en difficulté, avec un site déserté après le départ des grands voiliers. Médias et journalistes sont-ils alors devenus trop critiques, comme pour faire contrepoids au trop grand enthousiasme des mois précédents ? Ont-ils voulu se venger, croyant qu'ils avaient été roulés ? Voici le témoignage d'un journaliste :

> Avant l'événement, tout le monde, même Montréal, était dans l'euphorie. Ce fut un mouvement de balancier : avant, on a été trop conciliant ; après, ce fut le retour du boomerang, exagéré. C'est dégueulasse que le « focus » ait été si fort. C'est dû au « backlash » de l'information.

Mais là non plus, il ne faut rien exagérer. Les journalistes, devenus soudainement si critiques, étaient à la remorque de nouvelles sources.

> Dès que ça s'est mis à mal tourner à Québec 84, écrit Pierre Pelchat dans le texte déjà cité, les perdants se sont mis à se faire aller, passez-moi l'expression, de façon quasi indécente. (...) Alors qu'ils se battaient entre eux, quelques semaines auparavant, pour avoir une place au Vieux-Port, il n'y avait pas un boutiquier, un concessionnaire ou un artisan qui n'était prêt à vous raconter ses malheurs...

Et quand on sait que les mauvaises nouvelles pour certains font les bonnes nouvelles pour la presse !

Enfin, si les fêtes de l'été 1984 avaient été un grand succès, on peut se demander si la couverture de l'événement aurait entraîné, au *Soleil*, par exemple, un post-mortem sur le rôle du journal dans ce dossier de « marketing événementiel ». Notons que l'appui annuel et enthousiaste des médias au Festival *Juste pour rire*, au Festival international de jazz de Montréal, au Festival des films du monde, au Festival d'été de Québec, pour ne donner que ces quelques exemples, ne provoque pas, à ce que nous sachions, de profondes autocritiques.

La création de festivals ou d'autres événements susceptibles d'attirer l'attention des médias est un phénomène de plus en plus répandu. Les promoteurs cherchent de toutes les façons possibles à associer les médias à ces manifestations, puisque l'appui de ces derniers est déterminant dans la décision des commanditaires d'y participer financièrement[10]. On a vu dans les propos des « pères » des fêtes de la voile, cités au début de ce chapitre, l'importance de «l'appui » du *Soleil* au projet de l'été « mer et monde. » Et comme les promoteurs de Québec 84, les animateurs de ces diverses manifestations comprennent souvent mal que les médias et les journalistes hésitent à les appuyer et à souligner, en outre, la participation des commanditaires. Fischer et Brouillet citent le vice-président du Festival *Juste pour rire*, qui s'indigne du fait que les journalistes font davantage mention des commanditaires des événements sportifs que de ceux des événements culturels : « Les journalistes ont leur rôle à jouer dans le soutien des événements culturels par les commanditaires, qui doivent être satisfaits des retombées médiatiques, si l'on veut qu'ils continuent de s'associer à des événements[11]. »

On confond ici journalisme et publicité ! Il n'y a rien d'étonnant à ce qu'un promoteur le fasse. Dans un monde où les médias eux-mêmes le font de plus en plus souvent en s'associant, pour motifs confondus de marketing et de présence dans le milieu, à diverses causes et à divers événements que leurs journalistes doivent ensuite couvrir « objectivement », il y a lieu de se poser bien des questions. En fait, l'appui des médias à Québec 84 faisait partie de cette tendance, de plus en plus fréquente, où se rencontrent et s'affrontent les diverses « loyautés » ou la « double éthique » des entreprises de presse.

La morale du journalisme voudrait que l'entreprise se limite à **décrire** la vie de la collectivité sans s'y engager, au risque de perdre sa crédibilité. Selon la façon de voir du monde des affaires, que partage aussi l'entreprise de presse, un journal, comme toute autre entreprise consciente de ses responsabilités sociales, serait non seulement libre, mais soumis à l'obligation civique

---

10. Vincent Fisher et Roselyne Brouillet, *Les commandites : la pub de demain*, Les Éditions Saint-Martin, Montréal, 1990, p. 24 et 33.

11. *Idem*, p. 114.

de **participer** à la vie communautaire. (*The Paper as Good Citizen, The Editor as Citizen*, comme on dit aux États-Unis[12].)

Le conflit engendré par ces deux principes contradictoires est moins facile à résoudre qu'on ne peut l'imaginer. La direction du *Soleil*, par exemple, aurait pu utiliser sa déclaration de principe pour justifier son rôle et son appui à Québec 84. Dans cette belle déclaration de solidarité régionale, on affirme : « *Le Soleil* considère qu'il doit prioritairement s'identifier avec l'agglomération québécoise et travailler à son épanouissement dans tous les domaines[13]. » Qui pourrait s'opposer à la vertu ? Le journal derrière toutes les bonnes causes ! Nous sommes pourtant loin de l'idéal journalistique d'une presse autonome, critique par rapport à tous les autres pouvoirs.

---

12. Voir à ce sujet John B. Webster, « Business Ethics May Serve Publishers Better than Journalism Ethics », *Newspaper Research Journal*, vol. 3, nº 2, janvier 1982, p. 67-74.

13. Déclaration de pincipe, Convention collective entre *Le Soleil* et le Syndicat des journalistes de Québec inc., 1984-1986, annexe 1. (La même déclaration figure en annexe de la convention de 1988-1990.)

ANNEXE

LE SOLEIL : Projet de couverture de Québec 1534-1984 du 23 juin au 24 août 1984

Préambule

Québec sera, à l'été 1984, la capitale mondiale de la voile pour marquer le 450e anniversaire de la traversée de Jacques Cartier en Amérique.

Pour Québec, avec les nuances appropriées, ce sera l'équivalent de l'Exposition universelle de 1967 et des Jeux olympiques de 1976 à Montréal.

LE SOLEIL a été le premier média à parler de ce projet par un article de Michel David, le 16 décembre 1978, intitulé : « La Cité de Champlain, capitale de la voile en 1984 ».

LE SOLEIL a été le premier média à consacrer un journaliste à temps plein à ce projet, Guy Dubé, depuis le 12 juin avec un cours de voile du Club des Blanchons et en accompagnant le *Joana I* du 8 juillet au 12 août 1982.

LE SOLEIL doit conserver le leadership de l'information d'ici au 23 juin et durant les événements des 63 jours, tant pour nos lectrices et lecteurs actuels et potentiels d'ici que pour les milliers de visiteurs et de touristes qui séjourneront dans la capitale. Ce sera définitivement notre grand projet de l'été 1984.

Au moins huit grands secteurs d'information doivent être privilégiés : les aspects administratif (la Corporation 1534-1984), économique (coûts et retombées), politique (implication des gouvernements aux trois paliers), logistique (hébergement, circulation, sécurité, transport, protocole), touristique (accueil, restauration, hôtellerie), historique (450e de la venue de Jacques Cartier), sportif (Grands Voiliers, Challenge-Labatt-Canada et Voiles filantes Labatt Bleue), scientifique (importance de l'eau), culturel (programmation).

LE SOLEIL doit être prêt. L'information offerte doit être complète, de qualité, fiable, critique, diversifiée, pratique, vulgarisée, visuelle, accessible aux gens d'ici et d'ailleurs.

D'ici au 23 juin

Les sept prochains mois seront importants au chapitre de l'information. C'est durant cette période que les nouvelles essentielles, officielles ou exclusives, doivent être offertes aux lectrices et aux lecteurs. C'est surtout durant la période des préparatifs qu'il faut être alerte, présent, curieux, surtout en regard des huit grands secteurs d'information mentionnés plus haut.

Un journaliste (Guy Dubé) devrait être rattaché en permanence à l'ensemble de la couverture officielle des activités de la Corporation et de tout ce qui s'y attache avec un accent particulier pour tout ce qui entoure la venue des Grands Voiliers, sa spécialité, et en multipliant la parution de la chronique « Cap sur Québec 84 » pour qu'elle devienne quotidienne à quatre mois du début des fêtes, soit le 23 février.

Un/e journaliste devrait être assigné/e en permanence, au plus tard le premier janvier, aux sujets exclusifs, aux informations privilégiées reçues et qui demandent des recherches ou des enquêtes prolongées. Cette personne pourrait travailler en collaboration avec Guy Dubé.

Un/e journaliste des sections économie, politique, tourisme, sport, arts et spectacles, spécialisée (science et technologie) et générale (faits divers et histoire) devrait se consacrer selon les besoins de l'information aux reportages entourant les sujets reliés à son domaine particulier d'activités professionnelles. De plus chacun/e des journalistes devrait, en particulier au régional et aux affaires urbaines, être à l'affût des informations concernant Québec 84 qui pourraient émaner de son milieu de couverture.

À 100 jours du début des événements, soit vers la mi-mars, LE SOLEIL devrait publier un premier cahier spécial sur les origines du projet (il y a déjà cinq ans), sur les initiateurs (MM. André Langlois et Gaston Truchon), sur les dirigeants actuels (MM. Richard Drouin, Georges Dragon, etc.), sur les origines des Grands Voiliers et sur les principaux rassemblements dans le monde, sur les impacts économiques et touristiques prévisibles, sur les fêtes prévues dans le cadre du 450e anniversaire de l'arrivée de Jacques Cartier (Québec, Gaspé, Saint-Malo), sur les intervenants publics (gouvernements et organismes associés) et privés (industries financières, culturelles, sportives), sur les préparatifs (accueil, hébergement, circulation, sécurité, transport, protocole), sur les personnalités attendues, sur les préparatifs des médias, sur les renseignements et services que peuvent attendre les citoyens (passeport, sites, expositions, horaires, cédules).

Les effectifs, au départ, seraient donc de deux journalistes affectés en permanence à ce dossier et des journalistes assignés ponctuellement selon les sujets à développer.

Cette équipe multidisciplinaire serait coordonnée par André Forgues, chef des nouvelles, en étroite collaboration avec Gilles Ouellet et les directeurs de section.

Du 23 juin au 24 août

Pendant l'événement comme tel, les informations d'intérêt seront nombreuses et variées. D'ici l'échéance et à la lumière des indications dont nous pourrons prendre connaissance d'ici là, il faudra planifier et organiser notre couverture. Un ou deux autres cahiers spéciaux pourraient être publiés. Un cahier spécial quotidien pourrait être envisagé. Il faudra y revenir...

Conclusion

Ce projet est volontairement préliminaire, compte tenu que c'est la première fois qu'un tel événement aura lieu au Québec et à Québec. Je souhaite qu'il soit l'objet d'une discussion élargie et positive de la part de tous les intéressés/es afin d'en faire un projet collectif d'information. Pour LE SOLEIL, cet événement journalistique est important : c'est un défi professionnel emballant. Je « Nous » invite à le relever tous ensemble.

Claude Masson
Éditeur adjoint
et Rédacteur en chef

Le 7 décembre 1983

CHAPITRE

6

LES RELATIONS ENTRE JOURNALISTES ET RELATIONNISTES : COOPÉRATION, CONFLIT ET NÉGOCIATIONS*

Jean Charron

INTRODUCTION
La coopération et le conflit

Il apparaît clairement, à la lumière des études de cas, que la capacité d'une source à faire passer son message dans les médias et à contribuer ainsi à la définition de la réalité publique tient essentiellement à son aptitude à donner à ce message un contenu et une forme qui correspondent le plus possible à ce que les médias considèrent être de la « bonne information ». Cette aptitude est plus facilement acquise par les groupes organisés, en particulier lorsqu'ils ont les moyens de se payer les services de professionnels de la communication publique et des relations avec les médias. Il est clair que plus une organisation dispose de ressources de tous ordres, et particulièrement de ressources financières, plus elle est en mesure d'en investir une part substantielle dans la fabrication de ses messages et de son image publique. Et plus elle a d'intérêts en jeu dans le processus de la communication publique, plus elle aura tendance à y apporter une attention soutenue. Cela étant dit, doit-on conclure que les médias sont définitivement à la remorque et au service des grandes organisations et de ceux qui détiennent le plus de pouvoir dans la société ?

De même qu'il n'est pas impossible à une source marginale de passer la rampe des médias en leur proposant des informations « attrayantes » et conformes à leurs attentes, de même il n'est pas certain qu'une organisation importante sur le plan social, économique ou politique jouira nécessairement,

* Ce chapitre a fait l'objet d'une version abrégée parue dans le *Canadian Journal of Communication*, vol. 14, nº 2.

de ce fait, d'un accès automatique aux médias et d'un traitement journalistique favorable à ses intérêts. L'« attrait » journalistique d'une source ou d'une information n'a pas pour effet d'évacuer pour autant tout esprit critique chez les journalistes. La lecture des quatre études de cas qui précèdent suggère d'ailleurs quelques remarques à cet égard.

La campagne électorale du Parti conservateur lors des élections fédérales de 1984 (chapitre 2) constitue un exemple où une habile stratégie de communication vient renforcer un accès privilégié aux médias, cet accès étant garanti par la fascination que les campagnes électorales exercent sur les médias et par la règle du traitement équitable des partis lors des élections. Les conservateurs ont su tirer profit de la conception journalistique de la « bonne information télévisée », en misant sur la tendance de la télévision à rechercher les bonnes images, ainsi qu'à personnaliser et à dramatiser la campagne autour de la performance des chefs et de l'issue du scrutin.

Certes, cela donne dans l'ensemble une couverture qui peut paraître très superficielle et qui fournit un aperçu très incomplet du programme politique du parti, mais les stratèges ont ce qu'ils recherchent : de belles images du leader dans un contexte euphorique de victoire. Le Parti conservateur a réussi à court-circuiter en quelque sorte l'intermédiaire journalistique en transposant dans l'image télévisuelle l'essentiel de son propos. Dans la mesure où les médias acceptent la collaboration et les appuis techniques qui leur sont offerts sur le plan de l'image, le message qui en résulte, malgré quelques notes critiques des journalistes, s'avère largement favorable au parti.

Le cas de l'annonce officielle de la construction d'une nouvelle usine d'ALCAN (chapitre 3) est une autre illustration d'un accès privilégié aux médias. Dans ce cas-ci, ALCAN fournit aux médias, en échange d'une publicité gratuite, une brochette de dignitaires du monde des affaires et de la politique, réunis à l'occasion d'une cérémonie protocolaire : l'annonce officielle d'un investissement industriel majeur. Ici peu importe que soit déjà connu ce qui, pourtant, est présenté comme « nouvelle » (les caractéristiques techniques et financières du projet d'usine) : c'est la cérémonie elle-même qui est l'objet de la nouvelle, du fait de son caractère officiel et solennel qu'attestent les personnalités prestigieuses réunies pour l'occasion. De façon générale, le message d'ALCAN passe bien, d'autant plus qu'on a réussi comme l'a fait le Parti conservateur à contrôler l'environnement de l'événement : en déplaçant à Montréal la cérémonie qui devait initialement avoir lieu à Chicoutimi, on a minimisé les risques d'« interférences » de la part des opposants régionaux au projet d'usine.

En somme, le cas du Parti conservateur et celui d'ALCAN illustrent des situations où une source « puissante », pour maintenir ou construire une image médiatique favorable, mobilise d'importantes ressources de manière à fournir aux médias ce qu'ils recherchent. Le Regroupement autonome des jeunes (chapitre 4) a mis au point, avec des moyens extrêmement limités, une stratégie analogue et relativement efficace de communication publique. Le RAJ, comme ALCAN, appuie les médias dans la fabrication de la nouvelle en mettant en scène des pseudo-événements spectaculaires. Mais, à la différence d'ALCAN, la dimension spectaculaire des actions du RAJ ne tient à aucun caractère officiel ou solennel, mais au contraire à l'aspect déviant et contestataire des actions et du groupe lui-même. Ainsi, bien que les moyens d'action soient loin d'être identiques, on ne peut conclure que l'accès aux médias soit l'apanage des puissants.

Par ailleurs, on observe dans le cas du RAJ et dans celui du Parti conservateur que le traitement journalistique demeure plutôt superficiel : les contenus (le projet politique du PC et les revendications du RAJ) prennent moins de place que les « vecteurs » des messages, c'est-à-dire la façon dont ces contenus sont présentés aux médias (performance du chef, manifestations contestataires). Si cette couverture simplifiée peut convenir à un parti politique ou à une grande organisation industrielle préoccupés d'abord par la recherche d'une « aura » publique positive, elle peut devenir une arme à double tranchant pour un mouvement marginal engagé dans une partie de bras de fer avec les autorités politiques et qui cherche à promouvoir la légitimité de ses revendications et de son statut d'interlocuteur. De fait, si le RAJ a pu marquer l'actualité pendant quelques jours, il n'a pas survécu bien longtemps à ses actions du printemps de 1984, et la majeure partie de son programme reste à réaliser six ans plus tard[1].

Le cas de Québec 84 montre, comme celui du RAJ, que l'accès aux médias ne suffit pas, et que la dimension spectaculaire des événements et des informations qu'on offre à la presse n'est pas toujours la garantie d'une couverture conforme à ses attentes. Pourtant, au départ, la Corporation 1534-1984 proposait aux médias un dossier plutôt exceptionnel : une série d'événements sportifs et culturels à grand déploiement visant un très vaste public, en plein été, dans une période de disette pour les médias. Effectivement, dans la phase préparatoire des Fêtes de la voile, quand tout était encore dans l'imaginaire des organisateurs et des journalistes, la presse de la région de Québec s'est associée, autant par solidarité régionale que pour des raisons de marketing, à la promotion des événements. Certes, les éditorialistes et certains analystes du secteur « affaires publiques » ont sans doute voulu, dans les circonstances, conserver le regard critique qui sied au journalisme, mais leur poids est demeuré somme toute assez faible à travers l'abondante couverture positive

1. Si la réforme du programme d'aide sociale décidée par le gouvernement libéral accorde bien la parité des prestations aux assistés sociaux de moins de trente ans, l'ensemble des mesures mises en place par cette réforme vont totalement à l'encontre des principales revendications formulées par le RAJ.

et optimiste produite par le secteur des nouvelles et les émissions d'information-divertissement.

Lorsqu'il est apparu que la Corporation 1534-1984 ne saurait tenir promesse, aurait-il été possible de minimiser, sinon d'éviter la volte-face des médias ? On peut le penser, mais les communicateurs de la Corporation et des autres sources satellites, en répondant de façon trop enthousiaste aux demandes des médias pour des éléments spectaculaires, avaient créé auprès de ceux-ci et de leurs auditoires des attentes exagérées, voire même un sentiment de panique face au gigantisme de l'événement, gigantisme qui ne se matérialisera (et encore !) que durant une seule journée, celle du défilé des Grands Voiliers.

En somme, l'échec de Québec 84 tient moins à l'affrontement entre les médias et les organisateurs lors de la tenue des événements qu'à un trop grand empressement des médias et des sources à collaborer lors de la phase préparatoire.

Il se dégage de l'analyse des quatre cas étudiés que, si les relations entre les médias et les sources impliquent une part de méfiance et d'esprit critique, comme le suggèrent les normes journalistiques dans une société qui se veut démocratique, elles reposent aussi largement sur un processus d'échange et de coopération entre les acteurs. Il est facile de voir en effet que la dimension de coopération avec les sources est profondément ancrée dans le processus de la production des nouvelles. Le journaliste n'est pas dans la position de celui qui explore l'environnement, qui y désigne, de sa propre initiative, en toute autonomie et en toute objectivité, les éléments significatifs pour ensuite en faire rapport dans la nouvelle. Il participe plutôt à un système contraignant qui lui impose certains comportements, notamment au regard de ses relations avec les sources. L'entreprise de presse, en tant qu'organisation, nourrit, bien sûr, des attentes précises à l'égard du journaliste et auxquelles celui-ci doit répondre. Elle le paie pour remplir une tâche déterminée. Le journaliste qui, par exemple, est chargé de couvrir les faits divers pour tel journal devra produire un type prédéterminé de nouvelles ; il devra nécessairement entretenir des contacts avec telle et telle source (les corps policiers, les services des incendies, les hôpitaux, les tribunaux, etc.) ; ses patrons ne seront pas satisfaits s'il n'a pas obtenu autant de détails que les journaux concurrents, ils seront tout à fait mécontents s'il a manqué une « bonne » nouvelle. Il est facile d'imaginer qu'un journaliste ne pourrait exercer son métier s'il refusait toute espèce de collaboration avec les sources ; il serait vite à court de nouvelles... C'est donc dire que le journaliste est dépendant de ses sources. Voilà une contrainte fondamentale dans l'exercice de son métier. De façon générale, on peut dire que le processus de production de la nouvelle tend à institutionnaliser le rapport entre les journalistes et les sources les plus importantes (entendre :

les plus productives) pour assurer un approvisionnement constant en nouvelles, lequel nécessite une collaboration minimale entre le journaliste et les sources[2].

Mais cette dépendance n'est pas à sens unique : la source a aussi besoin du journaliste pour faire connaître son message au public. Si les sources courtisent les médias et élaborent de savantes stratégies de relations de presse, c'est qu'elles ont de bonnes raisons de le faire. Ou bien elles ont un pressant besoin de faire parler d'elles, ou bien elles savent que la presse va parler d'elles et elles craignent une couverture, disons, fâcheuse...

La relation entre les journalistes et les sources se caractérise donc par l'interdépendance des acteurs. Mais c'est une interdépendance relative ; la dépendance d'un acteur vis-à-vis de l'autre varie en fonction des choix possibles. La source est moins dépendante des journalistes si elle peut recourir à d'autres moyens de communication. De la même façon, le journaliste est moins dépendant de telle source en particulier s'il peut obtenir ailleurs l'information qu'il recherche.

Dans la relation entre les journalistes et les sources, il y aurait donc à la fois une dimension critique d'opposition, voire de conflit, et une dimension de collaboration ou de coopération. D'une part, le journaliste a besoin de la source pour exercer son métier, mais d'autre part il se méfie de la source qui, virtuellement, peut tenter de le manipuler, à plus forte raison si cette source est un « professionnel » (relationniste de presse) qui a développé une expertise en la matière. De la même façon, la source a besoin du journaliste ou bien elle ne peut l'éviter, mais elle se méfie de son « mauvais esprit », elle n'a pas confiance en la manière dont le journaliste transmettra son message au public. On peut donc assimiler la relation entre le journaliste et la source à un jeu où se mêlent à la fois le conflit et la coopération.

Dans ce chapitre, nous allons proposer un cadre conceptuel qui vise à intégrer à la fois la dimension de coopération et la dimension de conflit dans l'analyse des relations entre les journalistes et les communicateurs, et qui permette également de voir comment peut s'exercer une influence à travers des relations de cette nature. Nous allons le faire à partir des résultats d'une recherche exploratoire dans le cadre de laquelle nous avons procédé à trois entrevues de groupe auprès de journalistes et à trois entrevues de groupe auprès de com-

2. La dépendance des journalistes à l'égard des sources et la collaboration qui s'établit entre les deux groupes ont été constatées par la plupart des analystes des médias. Voir, par exemple, Gans (1979), Gieber et Johnson (1961), Gandy (1982), Tuchman (1978), Tunstall (1971), Lacy et Matustik (1983), Nimmo (1964).

municateurs québécois[3]. Ces entrevues visaient à connaître les perceptions qu'ont les acteurs de leurs relations mutuelles. Trois thèmes ont été abordés au cours des discussions : l'évolution et l'état actuel du journalisme au Québec, le développement de la communication publique et les relations entre les journalistes et les communicateurs.

6.1 LA NÉGOCIATION

Pour synthétiser les dimensions de conflit et de coopération qui caractérisent les relations entre les journalistes et les communicateurs, on peut convenir de concevoir ce type de rapports comme une négociation entre des partenaires qui, bien qu'ayant des intérêts divergents, participent à une relation mutuelle en échange d'un avantage quelconque. Autrement dit, chacun négocie sa participation à la relation en échange d'un bénéfice que l'autre peut lui offrir. Dans le cas du journaliste, l'avantage recherché c'est, bien sûr, la nouvelle. Pour la source, c'est une forme ou une autre de publicité[4]. Chacun est prêt à certaines concessions pour obtenir ce qu'il cherche.

Pour simplifier encore, disons que cette relation s'apparente à celle qui s'établit entre un vendeur et un client. Leurs objectifs sont à la fois opposés et complémentaires. Le vendeur voudrait vendre au prix le plus élevé possible alors que le client voudrait acheter au plus bas prix possible. Mais pour vendre, le vendeur a besoin du client ; et pour acheter, le client a besoin du vendeur. Alors ils cherchent un compromis, ils négocient. La négociation doit cependant se situer à l'intérieur de certains paramètres. Au-dessous d'un certain prix, le vendeur refusera de vendre ; il préférera garder son bien et chercher un autre client. Si le prix est trop élevé, le client cherchera un autre fournisseur ou se privera du produit. Ainsi, chacun dispose d'une certaine marge de manœuvre, variable selon les circonstances.

Mais revenons aux journalistes et aux sources. D'un côté il y a un journaliste à la recherche d'informations et de l'autre côté il y a une source qui voudrait

---

3. Ces entrevues ont eu lieu à Québec et à Montréal en février et mars 1986. La sélection des répondants s'est faite par choix raisonné, c'est-à-dire que nous avons choisi nos répondants en fonction de critères socio-démographiques et professionnels, de façon à assurer une diversité au sein de chaque groupe. Au total, 19 journalistes et 20 communicateurs ont été interrogés. Compte tenu de la taille de l'échantillon et de la technique d'échantillonnage utilisée, toute généralisation à partir des résultats des entrevues est à éviter.

4. Nous supposerons ici que la source cherche à voir telle information diffusée par la presse. Il faut se rappeler que la source peut aussi « négocier » pour que telle information ne soit pas diffusée par la presse.

bien voir telle information diffusée par les médias. En ce sens, leurs objectifs sont complémentaires. Mais le journaliste recherche un type particulier d'information, une information susceptible de constituer une nouvelle. La source détient des informations, mais il n'est pas certain que ces informations satisfassent aux exigences de la nouvelle[5]. Il s'établit alors une négociation entre les deux acteurs dans le but d'en arriver à un compromis, dans le but de faire correspondre l'offre de la source à la demande du journaliste. Par exemple, on pourra voir la source chercher à adapter son message aux exigences de la nouvelle. C'est ce qui se passe lorsque le communicateur rédige un communiqué de presse qui épouse le format de la nouvelle. C'est aussi ce qui se passe lorsque la source crée des « pseudo-événements » à l'intention des médias dans le but d'obtenir la publicité qu'elle recherche.

Le contrôle de la nouvelle est donc l'enjeu de la négociation. C'est dans la nouvelle comme produit de la négociation que s'inscrit le compromis auquel en arrivent les deux partenaires. D'une part, le journaliste cherche à conserver le plus large contrôle possible sur sa propre production[6] alors que, d'autre part, la source cherche à accaparer, au moins en partie, ce contrôle.

En transmettant plus ou moins intégralement le message de la source, le journaliste cède une partie du contrôle qu'il exerce sur la nouvelle ; en échange il obtient une « bonne nouvelle », c'est-à-dire une nouvelle qui satisfait aux exigences du genre. Pour la source, le compromis consiste à répondre aux exigences journalistiques en échange d'une transmission plus ou moins intégrale de son message par le journaliste. On peut dire que la nouvelle, en tant que résultat de la négociation, témoigne à la fois des intérêts du journaliste et des intérêts de la source.

Qu'il y ait compromis de la part du journaliste en échange d'une nouvelle, cela ne signifie pas que le journaliste abandonne du même coup l'aspect critique de son rôle. Le concept de négociation est utilisé justement pour souligner que la collaboration et l'opposition critique sont deux dimensions présentes dans la relation. Par exemple, le journaliste peut collaborer avec plusieurs sources et faire jouer la dimension critique en confrontant les messages des uns et des autres, cherchant ainsi à déjouer les tentatives de mystification auxquelles peuvent se livrer les sources. Il s'agit là d'un procédé élémentaire en journalisme et qui sert notamment à affirmer l'indépendance et l'« objectivité » du journaliste. En somme, on pourrait dire que les journalistes et les sources sont

---

5. Aux exigences de la nouvelle ou de tout autre genre journalistique. Mais pour simplifier l'exposé, nous nous limiterons aux nouvelles proprement dites.

6. Excluons, encore pour simplifier une réalité complexe, les interventions des affectateurs, des secrétaires de rédaction et autres intervenants dans le processus journalistique, qui, eux aussi, exercent une part importante de contrôle sur la production journalistique.

dans une situation de dépendance mutuelle qui commande la coopération, alors que leurs intérêts divergents commandent la méfiance et l'opposition.

Comme dans l'analogie du vendeur et du client, le journaliste et la source jouissent chacun d'une certaine marge de manœuvre dans la négociation ; cette marge de manœuvre est fixée par un ensemble de facteurs qui contraignent plus ou moins l'action des uns et des autres suivant les circonstances. Parmi les facteurs structuraux les plus déterminants, il faut souligner les contraintes inhérentes au fonctionnement du processus de la nouvelle. Le journaliste est un acteur dans un système de production de nouvelles ; son comportement professionnel est très largement déterminé par les facteurs organisationnels et institutionnels propres à l'industrie des médias. De tels facteurs ne conditionnent pas seulement le comportement des journalistes, ils conditionnent également le comportement des sources. Celles-ci, si elles veulent négocier avantageusement avec les journalistes, doivent tenir compte de leurs contraintes. La source avisée veillera à respecter les heures de tombée des différents médias, évitera de convoquer une conférence de presse à un mauvais moment pour les journalistes, prévoira les appuis techniques nécessaires, etc.

Mais il n'y a pas que des contraintes, il faut aussi tenir compte des ressources dont disposent les acteurs dans la négociation. À l'inverse des contraintes, les ressources sont constituées de tout ce qui permet de maintenir ou d'accroître la variété des actions possibles. Le contrôle qu'il exerce sur la diffusion de l'information constitue sans aucun doute la principale ressource du journaliste. Pour sa part, la source détient des informations qui en font un partenaire utile pour le journaliste et qui incitent ce dernier à la négociation. Souvent la source dispose aussi de temps et d'argent qu'elle peut investir pour s'aménager une position favorable dans la négociation. C'est ce qu'elle fait lorsqu'elle utilise temps et argent pour résumer et traduire un dossier volumineux et complexe dans les quelques paragraphes percutants d'un communiqué de presse qui sera ensuite livré dans toutes les salles de rédaction.

Ce dernier exemple nous permet d'avancer l'idée que c'est à travers le rapport ressources-contraintes que la source peut exercer une influence sur le journaliste : la source utilise ses propres ressources pour agir sur les contraintes du journaliste et amener celui-ci à adopter un comportement conforme à ses propres intérêts. Les contraintes du journaliste sont alors susceptibles de devenir des points d'ancrage pour l'action du communicateur. Cela peut se faire d'au moins deux façons. Le communicateur peut tenter d'enfermer le journaliste dans un comportement prévisible en accentuant le poids des contraintes journalistiques. Par exemple, la source peut jouer sur le facteur temps en convoquant une importante conférence de presse à la dernière minute et à une heure rapprochée de l'heure de tombée. Dans ces conditions, les contraintes de temps font que les journalistes n'ont ni le temps de se préparer adéquatement ni le temps d'analyser le message de façon critique ou de contacter d'autres sources concurrentes pour obtenir des réactions ou des versions différentes. Il y a alors de fortes chances que le journaliste ne puisse que rapporter ce qui lui a été dit à la conférence de presse.

Cette première tactique n'est efficace que si la source et/ou le message sont suffisamment intéressants sur le plan journalistique pour garantir que les journalistes vont se plier à de telles contraintes. Elle comporte aussi certains risques ; dans la mesure où elle consiste à alourdir le poids de leurs contraintes, elle est susceptible de provoquer des réactions négatives de la part des journalistes. Enfin, elle ne peut être efficace qu'à court terme et elle risque de nuire aux relations futures avec la presse.

La deuxième tactique, sans doute plus efficace, est l'inverse de la première ; plutôt que d'accentuer le poids des contraintes, la source s'emploie à l'alléger. La source cherche alors à faciliter le travail du journaliste de façon à l'orienter dans la direction voulue. Elle utilisera ses propres ressources pour prendre à sa charge certaines contraintes du journaliste, pour exécuter une partie du travail à sa place[7]. Cet appui peut prendre une multitude de formes. La source pourra, par exemple, prévoir des moyens de transport pour les journalistes, elle leur réservera des locaux et des lignes téléphoniques, elle leur fournira une documentation de vulgarisation de données techniques, elle fournira des experts ou des dirigeants pour des entrevues, etc. On peut penser que, souvent, la stratégie du communicateur consiste à mélanger les deux tactiques, c'est-à-dire à accentuer le poids de certaines contraintes et à alléger le poids d'autres contraintes.

Dans une situation donnée, toutes les ressources du communicateur et toutes les contraintes du journaliste ne sont pas également pertinentes à la négociation. D'une situation à l'autre selon le contexte et les circonstances, le communicateur peut utiliser différentes ressources et axer son action sur différentes contraintes journalistiques. Pour introduire la variable contextuelle dans le modèle, il est commode de ramener ces différentes « situations » à autant de « jeux ». On peut définir la notion de jeu comme une situation dans laquelle le journaliste et le communicateur ont à prendre des décisions dont dépend un résultat qui les concerne tous les deux, et dans laquelle le comportement des « joueurs » est régi par un ensemble de règles. On sait que dans un jeu, il existe un ensemble de règles qui définissent le jeu et à partir desquelles chaque joueur élabore sa tactique pour gagner. Dans le cas qui nous occupe, il ne s'agit généralement pas de règles formelles inscrites quelque part et reconnues par tous. Il s'agit plutôt de manières de faire dont certaines sont permises et d'autres ne le sont pas.

7. Cela rejoint le concept d'*information subsidies*, élaboré par Gandy (1982).

Toutes les situations concrètes de relation entre un journaliste et un communicateur ne peuvent pas être assimilées à un jeu. Pour que cette notion conserve quelque utilité à l'analyse, il est préférable de réserver la notion de jeu aux situations récurrentes dans lesquelles les relations entre le journaliste et le communicateur tendent à s'« institutionnaliser » dans des rôles, des contre-rôles, des attentes que les partenaires reconnaissent de plus en plus clairement. Dans ce genre de situation récurrente qui en arrive à constituer un jeu, les ressources et les contraintes des « joueurs » vont mener à l'établissement de règles plus ou moins claires et plus ou moins bien connues des « joueurs », selon le degré d'institutionnalisation. Ces règles devraient orienter le comportement des « joueurs » de façon assez étroite.

Supposons un groupe de journalistes et un groupe de communicateurs, tous les deux spécialisés dans le même secteur d'activité et qui, de ce fait, sont régulièrement en relation les uns avec les autres. Nous faisons l'hypothèse qu'avec le temps et la récurrence des contacts il va s'établir certaines règles qui ont trait aux manières de se comporter les uns face aux autres. Les deux groupes vont former un « milieu » spécifique avec ses règles propres. En tenant compte de ces règles, les « joueurs » vont mettre en œuvre des stratégies et des contre-stratégies qui peuvent être différentes d'un jeu à l'autre. On sait, par exemple, que les journalistes et les communicateurs sportifs n'agissent pas de la même façon que les journalistes et les communicateurs politiques ; ils forment deux milieux différents. Tout se passe comme si chaque milieu avait sa « culture » propre en ce qui concerne les relations entre les journalistes et les communicateurs.

Deux exemples concrets vont nous permettre d'illustrer cette notion de règle du jeu. Une attachée de presse, chargée de la promotion et des relations publiques de nombreux artistes populaires, expliquait un jour sur les ondes de la radio de Radio-Canada qu'elle s'assurait que ses artistes ne soient interviewés que par des journalistes qui apprécient leur travail. Pourquoi un journaliste devrait-il faire une entrevue avec un chanteur qu'il n'aime pas ? « Pourquoi se mettre dans l'embarras quand on peut travailler dans la joie », disait-elle. Elle a donc pris l'habitude de s'enquérir des goûts artistiques du journaliste avant de lui aménager une rencontre avec un de « ses » artistes. Il s'agit d'une pratique qui peut être acceptée dans le milieu artistique, mais qui ferait scandale dans le milieu politique. Imagine-t-on que le premier ministre puisse n'être interrogé que par les amis du régime, que par les journalistes favorables au parti au pouvoir ?

Une journaliste qui partageait alors son temps entre Radio-Canada et une agence de relations publiques expliquait au *Devoir* qu'elle trouvait « amusant et intéressant de changer à l'occasion de montures »[8]. Bien sûr, elle n'est pas

---

8. *Le Devoir*, novembre 1987, p. 6.

la seule à faire ainsi la navette entre le journalisme et les relations publiques. Mais ce qui peut être accepté dans un milieu peut devenir suspect dans un autre et tout à fait impensable dans un troisième[9]. Ainsi, les journalistes devenus attachés de presse auprès de personnalités politiques ont souvent de la difficulté à revenir au journalisme ; en général, ils ne peuvent le faire qu'après une période de « purgatoire » plus ou moins longue.

Ces exemples montrent que les comportements des communicateurs et des journalistes n'obéissent pas nécessairement aux mêmes normes d'un milieu à l'autre. Les notions de jeu et de règles du jeu permettent de tenir compte de ces différences.

6.2 LES CONTRAINTES POSITIVES ET NÉGATIVES

Le modèle de la négociation nous a amené à poser l'hypothèse que c'est à travers les contraintes du journaliste que le communicateur peut exercer une influence sur son comportement. Autrement dit, les contraintes du journaliste se traduiraient, pour le communicateur, en occasion d'influence. En agissant sur les contraintes du journaliste, le communicateur pourrait orienter le choix du journaliste dans un sens déterminé. En suivant cette logique, on aboutit à l'idée que la marge de manœuvre du communicateur est inversement proportionnelle à celle du journaliste.

Évidemment, la réalité ne se laisse pas enfermer dans une logique aussi simple. Comme nous allons le voir, les entrevues nous ont permis de relever plusieurs exemples de contraintes journalistiques qui, au lieu d'augmenter la marge de manœuvre du communicateur, tendent plutôt à la limiter. Il y aurait en fait au moins deux types de contraintes :

- celles qui ouvrent effectivement des possibilités d'action pour le communicateur et qui augmentent sa marge de manœuvre ; du point de vue du communicateur, ces contraintes peuvent être qualifiées de « positives » ;
- celles qui ne se traduisent pas en possibilités d'action pour le communicateur ; elles correspondent au contraire à des contraintes qui s'imposent à

9. Il faut noter que, dans une entreprise comme Radio-Canada, les règles du jeu peuvent varier considérablement d'un type d'émissions à l'autre. Par exemple, si on peut tolérer qu'un chroniqueur dans un magazine spécialisé ou dans une émission de variétés soit à la fois journaliste et relationniste, la chose serait interdite pour un journaliste du service des nouvelles ou des affaires publiques.

lui et qui diminuent sa marge de manœuvre ; ces contraintes seront dites « négatives »[10].

Voyons quelques exemples. Avec l'augmentation du nombre des médias et la montée de la presse spécialisée, les entreprises de presse font face à une concurrence de plus en plus vive. Pour les journalistes et les communicateurs interrogés lors de nos entrevues, cette concurrence accrue représente une donnée fondamentale de l'évolution récente de la presse au Québec. Elle provoque une forme de mimétisme dans la mesure où chacun surveille ce que l'autre fait et tend à l'imiter pour ne pas se « faire doubler ». Cela se traduit dans la pratique journalistique par la hantise de manquer une nouvelle.

Ce phénomène de mimétisme est bien connu. Il nous intéresse ici parce qu'il influe sur les relations entre les journalistes et les communicateurs, et cela, d'au moins deux façons. Selon nos répondants, le mimétisme incite les journalistes à privilégier les sources dites « officielles ». Dans la mesure où les nouvelles qui concernent ces sources sont jugées importantes *a priori*, le fait, pour un média, de manquer une telle nouvelle transmise par les autres médias est considéré comme une faute. Le mimétisme devient une contrainte qui peut éventuellement ouvrir une possibilité d'influence pour le communicateur capable de donner un caractère officiel et « obligatoire » à son message. Le caractère officiel que peut acquérir une source devient une ressource qui lui assure une certaine publicité[11]. Comme l'explique un communicateur : « Pour la même nouvelle, si tu leur dis que le ministre va être à la conférence de presse, les journalistes vont venir. Si c'est juste le sous-ministre, ils ne viennent pas. Pour la même nouvelle ! »

La concurrence influe sur la relation journaliste-communicateur d'une deuxième façon : elle peut procurer, dans certains cas, un pouvoir de sanction aux communicateurs. Il arrive en effet que, dans certains secteurs (on nous a parlé des secteurs du sport, du spectacle, du tourisme et des affaires policières), des communicateurs puissent tirer profit de la concurrence entre les

---

10. On pourrait prévoir un troisième type de contraintes journalistiques : celles qui n'influent en rien sur la marge de manœuvre du communicateur. Mais nous pouvons laisser de côté ces contraintes, puisqu'elles ne contribuent en rien à l'influence que le communicateur est susceptible d'exercer sur le journaliste.

11. Si le caractère officiel assure une certaine publicité, il empêche en même temps la source de se faire oublier lorsqu'elle le souhaiterait : les journalistes seront toujours là à l'affût. Ce qui, dans certaines circonstances, peut constituer une ressource d'influence peut, dans d'autres circonstances, constituer une contrainte. Voyez comment tel ministre ou tel PDG sera assailli par une horde de journalistes dans des moments de crise où il préférerait pouvoir se taire. S'il se tait, les journalistes peuvent exercer des « représailles » en faisant de ce refus de collaborer un élément de nouvelle, laissant ainsi entendre que celui qui se tait a des choses à cacher. Qu'il parle ou non, il fera la nouvelle.

médias en récompensant les journalistes complaisants (par des primeurs, des exclusivités ou autrement) et en boycottant ceux qui font preuve de « mauvais esprit ». Ces derniers, s'ils ne veulent pas être à la remorque de leurs concurrents, doivent se conformer aux volontés de ces communicateurs.

Cet exemple est doublement intéressant. D'abord, il montre comment une contrainte (la concurrence) ouvre une possibilité d'action efficace pour le communicateur. Aussi, il présente une situation de négociation où l'échange se réalise malgré la dimension conflictuelle, puisque la coopération de la part des récalcitrants n'est obtenue que par la menace du boycott. Dans de tels cas, la concurrence devient un élément stratégique de première importance, car elle permet au communicateur de forcer le jeu de l'« adversaire ». Le journaliste pourrait préférer ne pas coopérer et refuser de jouer le jeu, mais la contrainte de la concurrence l'empêche de le faire, particulièrement dans les situations où la source détient un monopole de l'information.

Enfin, parmi les contraintes « positives », il faut retenir certains aspects techniques propres à la production journalistique. Il est fréquent, par exemple, que les sources jouent sur les heures de tombée pour fournir une nouvelle importante à la dernière minute. Elles peuvent aussi, comme le montre le cas du Parti conservateur, s'assurer d'une place de choix dans les bulletins télévisés en fournissant aux caméramans l'occasion de saisir des images spectaculaires.

Les journalistes et les communicateurs s'entendent pour dire que l'organisation du travail dans les entreprises de presse se caractérise par une lourdeur et un manque d'efficacité : les conventions collectives seraient trop rigides, le leadership intellectuel et l'encadrement des journalistes seraient déficients, les journalistes manqueraient de motivation et seraient devenus « pantouflards ». Tous ces facteurs tendraient à limiter la marge de manœuvre des journalistes.

Ce sont encore là des phénomènes qui ont été soulignés à maintes reprises. Mais, contrairement à ce que nous avions pensé, il ne semble pas que cette restriction de la marge de manœuvre des journalistes se traduise en un élargissement de la marge de manœuvre des communicateurs. C'est en tout cas ce qui ressort des commentaires des communicateurs que nous avons interrogés. Ceux-ci considèrent en effet que les contraintes journalistiques liées à l'organisation du travail dans les entreprises de presse, loin de se traduire pour eux en occasions d'influence, constituent au contraire des contraintes supplémentaires. Par exemple, les communicateurs nous ont dit que le manque de motivation et de curiosité intellectuelle chez certains journalistes constituait un problème pour eux ; ils doivent redoubler d'adresse pour intéresser de tels journalistes et s'assurer qu'ils ont bien saisi le point de vue qui leur était présenté. Ce sont donc des contraintes « négatives », puisqu'elles compliquent le travail des communicateurs sans accroître leur marge de manœuvre.

Voyons un autre exemple. Les communicateurs ont souligné la tendance des médias à privilégier l'information-spectacle ; les contraintes de la concurrence et de la mise en marché de l'information obligent les médias à rechercher le spectaculaire, l'information qui accroche. C'est une tendance que les communicateurs disent exploiter en préparant des campagnes de presse agrémentées par la présence de vedettes du sport, du spectacle ou de la politique, ou encore axées sur des pseudo-événements grandioses et spectaculaires. Voici ce qu'ont affirmé des communicateurs :

> Quand on fait une conférence de presse et qu'on veut que ça sorte, on fait un show à cause des règles de la mise en marché des médias.
>
> On a fait fumer le calumet de paix à un ministre à Dolbeau et on a eu la « front page » le lendemain. C'était magnifique.
>
> Pour l'Association du diabète, j'ai envoyé un communiqué dans une seringue...

Mais du même souffle, ils condamnent cette tendance des médias à privilégier le spectaculaire et le sensationnel. Les communicateurs se prêtent au jeu, mais souhaiteraient ne pas avoir à le faire. Il s'agit d'une contrainte journalistique qui commande un ajustement de la part des communicateurs et qui est ressentie par eux comme une limite à leur propre marge de manœuvre. En ce sens, on peut dire que, pour eux, la contrainte de l'information-spectacle est une contrainte négative.

Il faut souligner qu'une contrainte n'est pas en elle-même négative ou positive. La « polarité » d'une contrainte, de même que sa pertinence et son importance, est déterminée par les circonstances et par les règles qui prévalent dans un jeu. Autrement dit, une contrainte peut être positive dans un jeu et négative dans un autre. Elle peut être tout à fait déterminante dans un jeu et secondaire dans un autre.

Par exemple, les communicateurs considèrent généralement que le peu de temps dont disposent les journalistes pour faire leur travail est une des contraintes négatives les plus importantes avec lesquelles ils doivent composer. Pourtant, la pression du temps peut devenir une contrainte positive. Un communicateur qui se plaignait des journalistes pressés dira plus tard : « L'influence du communicateur est énorme, mais ça dépend beaucoup du journaliste. Quand je parle au gars qui couvre six conférences de presse par jour, je peux lui faire avaler n'importe quoi. »

Autrement dit, et bien que dans les entrevues les communicateurs aient en général prétendu le contraire, il peut parfois être avantageux pour le communicateur de parler à quelqu'un qui n'a pas le temps de bien comprendre ce qu'on lui dit. Pour autant qu'il répète correctement...

6.3 LA MARGE DE MANŒUVRE DANS LA NÉGOCIATION

De la distinction entre les contraintes journalistiques « positives » et « négatives », nous pouvons retenir la conclusion suivante : on ne peut pas établir de relation constante et mécanique entre la marge de manœuvre du journaliste et celle du communicateur. Il est faux de dire que la marge de manœuvre du communicateur est inversement proportionnelle à celle du journaliste. Nous avons vu que certaines contraintes journalistiques se traduisent en possibilités d'action pour le communicateur. Mais lorsque des contraintes journalistiques deviennent des contraintes pour le communicateur, voilà que celui-ci milite en faveur d'un élargissement de la marge de manœuvre du journaliste. En fait, certains des propos tenus par les communicateurs et les journalistes tendent à montrer que les relations sont plus faciles et profitables pour les deux « partenaires » lorsque chacun dispose d'une bonne marge de manœuvre dans la négociation.

Par exemple, les communicateurs que nous avons interrogés nous ont dit préférer travailler avec des journalistes spécialisés plutôt qu'avec des généralistes, justement parce que les spécialistes jouissent d'une plus grande marge de manœuvre que les généralistes. Ils ont insisté sur le fait que le spécialiste est plus autonome dans la sélection des sujets qu'il couvre, il a plus de temps disponible, il connaît mieux ses dossiers, il est plus minutieux, etc. Le généraliste, pour sa part, doit se plier aux exigences de l'affectateur, il est bousculé par le temps, il connaît peu les sujets qu'il doit couvrir, il est moins intéressé et il est un peu brouillon. Bref, le spécialiste est moins contraint que le généraliste et il dispose de plus de ressources. Les communicateurs se déclarent plus satisfaits du travail du spécialiste, même s'il peut être parfois plus critique, parce que, disent-ils, le risque d'erreur ou d'incompréhension du point de vue de la source est beaucoup moins élevé que dans le cas du généraliste. Pour eux, les commentaires critiques publiés par un spécialiste compétent sont nettement préférables aux erreurs de faits ou d'interprétation dues à l'incompétence[12]. Des communicateurs interrogés en témoignent :

> On ne recherche pas une couverture nécessairement positive ou conforme à ce qu'on dit, mais on veut que le journaliste ait compris. Il peut être contre

12. La compétence du spécialiste n'est pas la seule explication. Les communicateurs, par souci d'économie et d'efficacité, ont tendance à « cibler » leurs messages en fonction de clientèles particulières. Ils cherchent donc à négocier avec des journalistes spécialisés qui, du fait de leur spécialisation, s'adressent à un public qui correspond à la cible visée.

> notre point de vue, à condition qu'il développe de bons arguments. Je respecte beaucoup les journalistes qui sont contre ce qu'on dit, mais dont la critique est « articulée ».
>
> Nous avons tendance à développer de meilleures relations avec les journalistes curieux et perspicaces, parce qu'on les admire professionnellement. Et d'ailleurs ce sont eux (les spécialistes) qui ont le plus de temps.

Dans le même sens, les communicateurs ont déploré la situation des journalistes non syndiqués dont les contraintes sont plus lourdes que celles des syndiqués. Voici ce qu'affirme un communicateur :

> Les boîtes non syndiquées prennent les journalistes, les « barouettent » n'importe où, n'importe comment, sur n'importe quel type d'affectation. Alors on se retrouve avec des journalistes qui ne connaissent rien de ce qu'ils doivent couvrir. Le syndicalisme de presse est un syndicalisme de professionnels qui se sont donné des moyens pour pouvoir travailler des dossiers.

Enfin, les communicateurs voient des tendances encourageantes pour eux dans des développements susceptibles d'élargir la marge de manœuvre des journalistes. Ils constatent par exemple avec satisfaction que les journalistes sont de mieux en mieux formés et qu'il y a de plus en plus de chroniqueurs spécialisés.

Du côté des journalistes, on constate la même tendance à favoriser les communicateurs qui disposent d'une bonne marge de manœuvre. Nous avons constaté dans les entrevues que ce sont les communicateurs « sous-fifres » qui soulèvent la hargne des journalistes ; ils ont peu à offrir aux journalistes et leur fonction est perçue comme une entrave à l'action de ces derniers.

Plus le communicateur occupe une position élevée dans la hiérarchie de son organisation, plus il a d'avantages à offrir au journaliste ; il est plus près des centres de décision, il dispose d'informations plus riches et plus complètes, et il jouit d'une plus grande autonomie[13], comme le confirme un communicateur :

> Ce qui distingue un relationniste efficace d'un autre qui ne l'est pas, c'est sa position dans l'entreprise. C'est la différence entre être proche des canaux de décision et même être impliqué dans la décision et ne pas l'être. Ça, c'est fondamental, ça dépend du niveau où tu te situes dans l'entreprise.

On pourrait donc dire que le rapport est facilité entre le journaliste et le communicateur lorsque chacun dispose d'une marge de manœuvre dans sa

---

13. On notera ici que les communicateurs qui sont proches des dirigeants de leur organisation tendent de plus en plus à exercer une fonction de conseil auprès de ceux-ci et les incitent à « négocier » eux-mêmes directement avec la presse parce qu'ils savent que c'est ce que préfèrent les journalistes.

propre organisation. Cela est cohérent avec l'idée de négociation ; pourquoi négocier avec un partenaire qui n'a rien à offrir ? Si l'un des partenaires n'a pas les ressources suffisantes pour permettre à l'autre d'atteindre ses objectifs, au moins partiellement, alors la négociation n'aboutira pas.

6.4 LES SECTEURS DE COUVERTURE

Nous avons convenu de considérer les relations récurrentes entre des journalistes et des communicateurs comme des jeux, chaque jeu étant organisé en vertu de règles qui lui sont propres. Cela signifie évidemment qu'on ne peut pas expliquer le comportement des « joueurs » sans tenir compte des règles du jeu. Le comportement des journalistes et des communicateurs ne peut s'expliquer qu'en tenant compte de la situation dans laquelle ils se trouvent, puisque la stratégie de chacun est établie à partir des règles propres à cette situation. C'est une réalité dont les acteurs ont conscience :

> Dans quelque secteur que tu sois, il y a toujours un groupe de journalistes qui constituent ta clientèle régulière et avec lesquels il est très important d'avoir cette relation de confiance. (Un communicateur.)

> Il ne faut pas perdre de vue que la presse et le journalisme au Québec, ce n'est pas une réalité unique. Les médias régionaux, la presse parlementaire, la presse spécialisée, les journalistes de Montréal forment des réalités différentes. On ne fait pas une conférence de presse à Rouyn-Noranda de la même façon qu'à Montréal. (Un attaché de presse, ex-journaliste.)

> Parfois on va dans la presse régionale, parfois c'est sectoriel, les finances, l'économie, les arts et spectacles, ça change le portrait. (Un communicateur.)

L'analyste qui veut comprendre le comportement des « joueurs » doit d'abord découvrir les règles du jeu. Le but de nos entrevues n'était pas de découvrir de telles règles qui, de toute façon, varient d'un jeu à l'autre. Seule l'observation sur le terrain d'une situation institutionnalisée et récurrente de négociation entre des journalistes et des communicateurs permettrait de découvrir les règles propres à ce jeu. Nos entrevues nous offrent cependant des indices qui permettent de formuler quelques hypothèses de portée générale à propos de ces jeux.

Il semble qu'on puisse établir un lien entre la nature des jeux et les différents secteurs de couverture de l'actualité. On sait que le processus de production des nouvelles est structuré selon des aires géographiques (local, régional, national, international), thématiques (politique, sport, culture, fait divers, santé, consommation, etc.) et institutionnelles (Parlement, Palais de justice, corps policiers, etc.) qui déterminent des secteurs de couverture de l'actualité. Nous avons vu au premier chapitre comment Tunstall (1971) associait à ces différents secteurs certains objectifs spécifiques poursuivis par l'entreprise de presse. Ces objectifs peuvent être à dominance monétaire (accroître l'auditoire ou accroître les revenus publicitaires), non monétaire (l'influence, le prestige de l'entreprise de presse) ou mixte. Par exemple, selon Tunstall, les correspondants à l'étranger œuvrent dans un secteur à objectifs non monétaires ; les chroniqueurs parlementaires travaillent dans un secteur à objectifs mixtes à dominance non monétaire ; les chroniqueurs spécialisés en éducation ou en relations de travail œuvrent dans un secteur à objectifs mixtes à dominance monétaire ; les chroniqueurs de la mode correspondent à un secteur à objectifs monétaires. Tunstall ajoute que les objectifs d'un secteur ne sont pas sans conséquences sur le travail des journalistes qui œuvrent dans ce secteur, notamment en ce qui concerne l'autonomie du journaliste à l'égard de son média, de ses sources et des autres journalistes.

Autrement dit, les objectifs propres à un secteur influent sur les règles du jeu qui prévalent dans ce secteur. On peut donc avancer qu'à chaque type d'objectifs correspondent un ou des jeux spécifiques. En effet, on a pu constater que nos répondants distinguaient très nettement entre différents secteurs d'actualité lorsqu'ils discutaient des relations entre les journalistes et les communicateurs. Il semblait difficile pour eux d'aborder cette question à un niveau général tellement la dynamique de la relation varie selon les secteurs.

Le lien que nous établissons entre secteurs de couverture et jeux permet de résoudre certaines contradictions apparentes en évitant les généralisations abusives. Par exemple, pour plusieurs journalistes interrogés, la spécialisation constitue un danger pour l'autonomie du journaliste. Le spécialiste, à force de côtoyer toujours le même milieu, perdrait son esprit critique et finirait par partager les valeurs de ce milieu. On nous a donné l'exemple des chroniqueurs financiers qui, à force de fréquenter le monde des affaires, bien pourvu sur le plan des relations publiques, en arrivent à faire la promotion des entreprises et des institutions financières. Les critiques sont encore plus vives en ce qui concerne des secteurs comme le tourisme, la restauration, l'habitation, où l'on dit que les journalistes devraient être rémunérés par la source plutôt que par l'entreprise de presse.

Cette perte d'autonomie pourrait expliquer la préférence des communicateurs pour les chroniqueurs spécialisés. Pourtant, les communicateurs considèrent que ceux-ci sont plus critiques vis-à-vis de leurs sources que les généralistes et font preuve d'une plus grande autonomie[14]. Qui a raison et qui a tort ?

---

14. Ce que confirment par ailleurs les recherches de Gans (1979).

Nous suggérons l'hypothèse suivante : la présence ou l'absence d'esprit critique chez les journalistes spécialisés dépend moins du fait de leur spécialisation que de leur domaine de spécialisation, et plus précisément des buts attribués à chacun des domaines. Les spécialistes des domaines « à prestige » (correspondants à l'étranger, chroniqueurs parlementaires) seraient plus critiques et plus autonomes que les spécialistes qui travaillent dans des secteurs dont l'objectif est de maximiser l'auditoire (le sport, les affaires judiciaires, par exemple). Les spécialistes les moins critiques seraient ceux qui travaillent dans des secteurs dont l'objectif est d'accroître les revenus publicitaires (la mode, l'automobile ou l'habitation). Autrement dit, dans certains secteurs de couverture, les règles du jeu permettraient une plus grande autonomie du journaliste, alors que, dans d'autres domaines, les règles du jeu seraient telles que le journaliste ne pourrait se permettre de critiquer sévèrement ses sources. Si nos répondants semblent se contredire à propos de l'autonomie du journaliste spécialisé, c'est peut-être qu'ils n'ont pas les mêmes secteurs de spécialisation à l'esprit.

6.5 LA CONCURRENCE

L'idée que les différents secteurs de couverture correspondent à des jeux différents permet également de résoudre une contradiction à propos des effets de la concurrence sur la qualité de l'information. Comme nous l'avons indiqué précédemment, certains journalistes et la plupart des communicateurs interrogés considèrent que la concurrence entraîne une uniformisation de l'information. Pourtant, d'autres considèrent au contraire que la concurrence commande plutôt la recherche de l'originalité. On peut faire l'hypothèse que, dans certains secteurs de couverture, le jeu entraîne un mimétisme, une uniformisation de l'information, alors que dans d'autres secteurs la nature du jeu entraîne plutôt la recherche de l'originalité.

À ce propos, un journaliste fait une distinction entre *news information* et *story information*[15]. La *news information* correspond à la nouvelle officielle qui sera reprise par tous les médias et dans laquelle joue la règle du mimétisme. La *story information* correspond à la nouvelle originale qui n'est pas nécessairement liée à l'actualité immédiate et qui peut faire l'objet d'un scénario. C'est une nouvelle dont on fait une « histoire » et qui permet de personnaliser un

15. Cette distinction rappelle celle proposée par George Herbert Mead en 1926 entre deux modèles d'information : *information model* (axé sur le contenu) et *story model* (axé sur la façon de raconter la nouvelle).

média (ou un journaliste), de lui donner une image propre qui le distingue des autres. Ce type de nouvelle ne sera pas repris par tous les médias ou il ne le sera pas de la même façon. Or il est probable que certains secteurs de couverture soient plus riches que d'autres en *news information*. Ainsi, le mimétisme peut être une règle qui organise le jeu des courriéristes parlementaires, mais qui soit moins importante dans le secteur des arts et spectacles ou celui de la consommation.

6.6 LES PERCEPTIONS DES ACTEURS

Dans un jeu de négociation, la stratégie qu'adopte un « joueur » est grandement influencée par la perception qu'il a de l'autre « joueur » et de l'état de la situation. En ce sens les perceptions changent la réalité « objective » et non seulement subjective, puisque l'acteur agit sur la réalité en fonction de sa perception de la réalité. Par exemple, la méfiance qu'entretient le journaliste à l'égard du communicateur peut l'amener à interpréter « faussement » la situation, les actions et les buts du communicateur ; son comportement pourra être inapproprié à la situation, il pourra contribuer à exacerber la dimension conflictuelle de la relation et compromettre la négociation, ce qui ne manquera pas de frustrer le communicateur.

En conséquence, une part importante de l'action des négociateurs consiste à tenter de modifier les perceptions qu'a l'adversaire de lui-même, de l'autre, de l'enjeu, des intérêts en cause, etc. La modification des perceptions devient un élément fondamental de tout processus de négociation. Chacun doit donc essayer de connaître les perceptions de l'autre pour tenter ensuite de les modifier.

Dans ce contexte, il est important de savoir comment les journalistes et les communicateurs que nous avons interrogés se perçoivent mutuellement et comment leurs perceptions peuvent influencer leurs comportements.

L'attitude des journalistes interrogés envers les communicateurs varie de l'indifférence à l'hostilité, certains considérant les communicateurs comme des « nuisances publiques ». Pour leur part, les communicateurs se montrent au contraire ouverts à la collaboration et ils reprochent aux journalistes leur méfiance.

Les journalistes qui ont adopté une attitude très négative envers les communicateurs, les considérant comme des obstacles entre la presse et les sources, ont tendance à attribuer une grande influence aux communicateurs. Ils considèrent que ceux-ci ont l'avantage de l'initiative de l'actualité (« ils contrôlent la source, la nature de l'information et le moment de sa divulgation »). Plusieurs affirment se sentir à la merci des communicateurs, notamment parce que ces derniers connaissent bien le fonctionnement des médias et qu'ils savent exploiter les particularités de chaque média.

Les autres journalistes, dont les opinions sont plus nuancées, manifestent une certaine méfiance à l'égard des communicateurs, mais ils ont surtout tendance à procéder à une auto-critique plutôt qu'à la critique des communicateurs. Ainsi, on affirme que l'influence du communicateur se mesure à la compétence et à l'esprit professionnel du journaliste ; pour le journaliste « pantouflard », le communicateur représente la solution de facilité, le point de départ et d'arrivée de son travail ; mais pour les journalistes plus perspicaces, le communicateur n'est qu'un outil, une ressource parmi d'autres, plus ou moins utile suivant les circonstances. Selon certains répondants, loin de nuire à l'intérêt public, les bons communicateurs vont mettre les journalistes sur des pistes et, à ce titre, représentent un prolongement du travail journalistique.

Il semble donc qu'on retrouverait de façon générale parmi les journalistes deux écoles de pensée à propos des communicateurs. Les uns manifesteraient une certaine ouverture à leur égard alors que les autres ne leur reconnaîtraient aucune légitimité et aucune crédibilité. Les commentaires des communicateurs confirment cette dualité des points de vue chez les journalistes :

> J'en ai rencontré (des journalistes) qui étaient bêtes comme leurs deux pieds et, avant même que j'ouvre la bouche, ils avaient tenu pour acquis que j'étais un maudit menteur parce que j'étais un relationniste ou un communicateur d'entreprise. Mais j'en ai vu d'autres qui avaient un comportement diamétralement opposé.

> J'ai monté un programme de formation aux relations avec les médias. Quand j'en ai parlé à des journalistes d'un peu partout, j'ai eu deux réactions opposées. Un groupe m'a dit : « C'est bien, on va pouvoir 'dealer' avec des gens qui sont en mesure de comprendre comment, nous, on fonctionne. » L'autre groupe m'est tombé dessus en me disant : « T'es un salaud parce que tu leur apprends à nous manipuler. » Ceux-là, il n'y a pas moyen de les faire changer d'avis ; ils se sentent menacés.

De façon générale, les communicateurs que nous avons rencontrés ont été réticents à formuler des critiques à l'égard des journalistes. Ce n'est pas que les communicateurs soient toujours satisfaits du travail des journalistes, mais, pour eux, les problèmes qu'ils perçoivent dans l'information journalistique ne sont pas attribuables aux journalistes eux-mêmes, mais plutôt à leurs conditions de travail. Selon les communicateurs, les journalistes font ce qu'ils peuvent dans des conditions qui ne permettent pas de produire une information qui soit toujours satisfaisante :

> Ce n'est pas la qualité des journalistes qui est en cause, ce sont les moyens qui manquent.

> Aussi longtemps que ces gens-là vont être « pognés » comme ils le sont pour faire le volume de travail, ils vont être obligés de « butcher » dans certains cas. T'en fais ton deuil.
>
> Plus on connaît les conditions dans lesquelles ils travaillent, plus ça devient difficile de lancer des accusations.

Comme nous l'avons vu, les contraintes des journalistes, notamment celles liées à l'organisation du travail dans les entreprises de presse, sont souvent perçues par les communicateurs comme des contraintes pour leur propre action ; c'est pourquoi ils souhaitent la levée de telles contraintes par une amélioration des conditions de travail des journalistes.

Ce qui semble surtout préoccuper les communicateurs, c'est la méfiance dont ils sont l'objet, méfiance qui amènerait les journalistes à mal interpréter le comportement des communicateurs. Un communicateur affirme : « Selon les journalistes, le communicateur cherche non pas à les induire en erreur, mais à les égarer dans la bonne voie... et ça, c'est quand on jouit d'une bonne crédibilité. »

La plupart du temps, le communicateur est dans une position où il doit persuader le journaliste de ses bonnes intentions et de l'intérêt de son message ; c'est donc lui qui souffre le plus d'un climat de méfiance, et c'est à lui que se pose de la façon la plus nette le problème de la crédibilité : « l'efficacité du relationniste, c'est sa crédibilité, un point c'est tout ». La façon la plus efficace que les communicateurs ont trouvée de se bâtir une crédibilité auprès des journalistes et de se défaire de l'image négative du relationniste manipulateur, c'est de jouer la carte de la transparence et de la collaboration :

> La façon la plus efficace, et en même temps la plus honnête, d'exercer une influence sur le journaliste, c'est de lui donner des dossiers complets et transparents et d'offrir ses services comme intermédiaires s'il veut rencontrer quelqu'un pour approfondir une question. L'influence se fait par la crédibilité, la compétence et l'honnêteté.
>
> Il faut que tu leur apportes tout le soutien nécessaire à ce qu'ils veulent et à ce qu'ils demandent. C'est ça le minimum et je me dis qu'on est là pour ça et que c'est notre job. (Un autre approuve en ajoutant :) Et c'est de là que vient le respect qu'on peut attirer à notre endroit.

Certains relationnistes vont même jusqu'à se définir comme les attachés de presse des journalistes auprès de leurs patrons. C'est peut-être noble dans leur esprit, mais ils se font répondre par des collègues :

> Faut pas charrier. On a un business, ça s'appelle vendre des idées à la presse. On est là pour leur (les journalistes) faciliter les choses, mais on est aussi là pour vendre un produit. C'est la bataille pour savoir qui va avoir la couverture. Il y a une masse d'événements qui se passent tout le temps, alors on est obligé d'employer des moyens parfois qui ne sont pas toujours catholiques pour avoir une page quelque part dans la presse.

Du côté des communicateurs, l'image et la crédibilité font problème ; ils doivent persuader les journalistes qu'ils sont des interlocuteurs valables, des partenaires respectables pour la négociation, et ils affirment haut et fort leur volonté de coopération. Ils préféreraient être perçus comme des alliés plutôt que des adversaires.

Chez les journalistes, l'empressement à coopérer est loin d'être aussi intense. Pour eux, les avantages de la coopération ne sont pas aussi clairs que pour les communicateurs. Au mieux, ils voient ceux-ci comme des personnes-ressources utiles à l'occasion, mais sans plus. Au pire, ils les voient plutôt comme des adversaires, des entraves à leur travail.

Les journalistes ont tendance à aborder le problème sous l'angle des principes : ils se réclament de l'intérêt général alors que le communicateur défend des intérêts particuliers ; dans leur esprit, le premier prime sur les seconds. Plusieurs ont le sentiment que leur cause est juste et légitime et qu'ils doivent la défendre contre les intentions malveillantes de certains communicateurs. Ils peuvent admettre que l'action des communicateurs est légitime ; mais il arrive que l'intérêt particulier soit contraire à l'intérêt général, d'où la nécessaire méfiance qu'ils doivent entretenir à l'égard des communicateurs.

En conséquence, et sans égard aux particularités de chaque jeu, on peut penser que les journalistes auront tendance plus souvent que les communicateurs à adopter une attitude conflictuelle plutôt que coopérative.

6.7 LA PRÉVISIBILITÉ DES COMPORTEMENTS DANS LA NÉGOCIATION

Les besoins des journalistes et les problèmes qui les touchent dans leur travail quotidien constituent des données de base dans l'élaboration des stratégies des communicateurs. Dans la logique persuasive qui est la leur, les communicateurs se demandent d'abord comment le journaliste réagira au message qui lui est transmis :

> Pour être efficace dans les relations avec les journalistes, il faut avoir la capacité de se mettre dans leur peau, de connaître assez bien leurs conditions concrètes de travail.
>
> On se met de plus en plus à la place du journaliste pour vérifier la pertinence d'une information, essayer de lui préparer le travail en organisant cette information, en la rendant compréhensible pour avoir une chance de passer la barrière. Et quand le travail est bien fait, ça me frappe toujours de voir qu'on retrouve nos communiqués avec nos titres à peu près intégralement.

Selon notre modèle de la négociation, le communicateur utilise ses propres ressources pour satisfaire les besoins du journaliste et orienter ainsi le comportement de ce dernier dans un sens favorable à ses intérêts propres. En général, c'est le communicateur qui cherche à influencer le comportement du journaliste, et non l'inverse[16] ; c'est pourquoi on constate que la connaissance qu'il peut développer de la situation de l'« adversaire » semble beaucoup plus importante pour le communicateur que pour le journaliste. Pour orienter le comportement du journaliste, le communicateur doit posséder des informations sur les contraintes, les ressources, les perceptions du journaliste, de façon à prévoir ses réactions et son comportement. Et c'est en fonction de sa capacité à prévoir le comportement des journalistes que le communicateur peut entreprendre une action efficace. Connaissant la situation et les besoins du journaliste et prévoyant son comportement, le communicateur en arrive à effectuer lui-même le travail du journaliste :

> Pour être sûr que le journaliste va passer quelque chose, il faut parfois lui envoyer un article tout fait où il n'a finalement qu'à changer deux ou trois phrases. Le journaliste est submergé, il n'a pas le temps et il reçoit quelque chose de tout fait, alors il met son nom dessus et ça passe.
>
> Les journalistes préfèrent l'information toute préparée d'avance. Ils vous diront que c'est faux, mais en réalité c'est vrai. Si c'était faux, nous (les relationnistes), on n'existerait pas. Quand ce n'est pas fait, ils s'en plaignent.

On peut donc dire que c'est dans la mesure où il peut prévoir le comportement du journaliste que le communicateur peut influencer la production journalistique. Le communicateur va donc utiliser des moyens pour réduire son incertitude quant au comportement du journaliste. Un de ces moyens est de négocier principalement avec les journalistes qu'il connaît et avec qui il a pu établir une relation de confiance : « Il y a des journalistes avec qui tu peux t'ouvrir, tu peux leur faire des confidences 'off the record' parce que tu les connais, mais tu ne peux pas faire ça avec tout le monde. » (Un communicateur.)

On pourrait être tenté de conclure que plus le comportement du journaliste est prévisible, plus le communicateur est en mesure d'exercer une influence sur lui. Mais la réalité n'est pas si simple. Le comportement du

---

16. La situation inverse est plus rare, mais elle se produit parfois. Comme l'explique un communicateur : « La 'game' se joue à deux. Quand un journaliste me demande de lui en dire un peu plus qu'aux autres et m'offre la première page en échange d'une exclusivité, c'est un genre de jeu qui se fait. » Un autre communicateur abonde dans le même sens : « Oui, ça va dans les deux sens. Un journaliste d'expérience, c'est celui qui réussit à te faire croire qu'il en sait plus qu'il n'en sait en réalité. Et toi tu lui en dis un peu plus parce que tu te dis que, de toute façon, il est déjà au courant. Après, tu cherches celui qui a lâché la nouvelle alors que c'est toi-même qui vient de la lui donner. »

journaliste n'est totalement prévisible que lorsque celui-ci ne dispose d'aucune marge de manœuvre. Or les limites à la marge de manœuvre du journaliste ne sont pas nécessairement favorables au communicateur ; il peut arriver que le communicateur, prévoyant le comportement de tel journaliste, puisse conclure qu'il ne réussira pas à l'influencer ou encore qu'il s'agit d'un incompétent avec qui il vaut mieux ne pas avoir affaire.

La prévisibilité du comportement de l'« adversaire » est une condition, sinon nécessaire, au moins propice à l'influence, mais ce n'est pas une condition suffisante. Autrement dit, ce n'est pas parce que le comportement du journaliste est totalement prévisible que le communicateur peut influencer ce comportement ; mais, pour l'influencer, le communicateur doit pouvoir prévoir ce comportement dans une certaine mesure. Les communicateurs nous ont donné des exemples lorsqu'ils ont discuté du peu de moyens dont disposent les journalistes, du peu d'initiative dont ils font preuve, de la bureaucratisation de l'appareil des médias, du poids de la routine, toutes choses qui devraient tendre à réduire la marge de manœuvre des journalistes et rendre leur comportement de plus en plus prévisible. C'est effectivement ce qui se passe jusqu'à un certain point, mais ce que les communicateurs observent également, c'est qu'il s'agit d'un alourdissement du poids des contraintes « négatives », c'est-à-dire des contraintes qui rendent prévisible le comportement des journalistes, mais qui ne se traduisent pas en possibilités d'influence pour les communicateurs. Pour qu'il y ait possibilité d'influence, il faut que le communicateur découvre des contraintes « positives », et qu'il puisse effectivement les utiliser à son profit.

Le problème de la prévisibilité des comportements amène les communicateurs à souhaiter une plus grande institutionnalisation du jeu. Ces derniers souhaitent que les règles du jeu soient plus claires, que les rôles soient mieux définis, que les journalistes reconnaissent la légitimité de leur action, qu'ils changent la perception qu'ils ont d'eux et qu'ils soient mieux informés des contraintes qui limitent leur marge de manœuvre :

> Les communicateurs connaissent mieux leurs méthodes de travail qu'eux connaissent les nôtres. Les journalistes ne se posent pas souvent la question de nos contraintes à nous.
>
> Je suis toujours étonné de constater jusqu'à quel point les journalistes méconnaissent nos méthodes de travail. Ils ne connaissent que la pointe de l'iceberg. Et s'il y a des effets d'antagonisme, c'est de là qu'ils viennent.

Les communicateurs souhaitent une meilleure intégration, un meilleur ajustement des comportements de la part des deux groupes. Ils font remarquer que les communicateurs se sont adaptés aux journalistes, mais que ces derniers tardent à s'adapter à leur tour. Et selon eux, s'il y a eu une évolution dans les relations entre les deux groupes, elle est principalement due à une adaptation des communicateurs et non l'inverse. Les stratégies grossières de manipulation fondées sur la distribution de cadeaux et d'« enveloppes » n'ont plus cours maintenant, disent-ils :

> Les relations entre les journalistes et les communicateurs ont changé et l'évolution est venue des communicateurs qui sont moins maquignons qu'ils l'étaient et qui sont devenus plus professionnels. Je me souviens d'une époque où le relationniste se pointait avec des cadeaux. Aujourd'hui, c'est très différent.
>
> Les changements sont venus à partir du moment où des gens sont arrivés avec une formation en relations publiques. Avant les gens n'avaient pas cette formation et ils arrivaient avec beaucoup de bonne volonté, mais sans méthode, ne sachant rien, ne sachant même pas à qui ils s'adressaient de l'autre côté de la barrière. Avec le temps on a compris qu'on pouvait donner de l'information, parce qu'il y avait en face des gens qui avaient besoin d'information ; on a compris qu'on pouvait parler aux journalistes.

Avec le temps les communicateurs ont été amenés à redéfinir leur rôle et à adopter des stratégies qui tiennent compte des prérogatives et de l'autonomie professionnelle des journalistes. Selon les communicateurs, leurs méthodes se sont raffinées, elles sont plus respectueuses de la fonction journalistique et elles reposent sur l'établissement de relations ouvertes et coopératives.

Du côté des journalistes, on n'observe pas une tendance équivalente. Ils ne cherchent pas à s'adapter à la présence des communicateurs ; au contraire, chez plusieurs journalistes, c'est une attitude de rejet qui domine. D'autres voient les relations avec les communicateurs comme utiles et profitables en certaines circonstances, mais il ne semble pas y avoir pour eux nécessité d'une adaptation particulière de leur part[17].

Bref, il est plus important pour le communicateur que pour le journaliste de chercher à réduire son incertitude en ce qui concerne le comportement de la « partie adverse ». C'est pourquoi le communicateur souhaite une plus grande institutionnalisation de la relation, ce qui lui permettrait de mieux prévoir le comportement des journalistes.

Le raffinement des méthodes dont parlent les communicateurs repose d'ailleurs sur une bonne connaissance du fonctionnement et des particularités

---

17. Cette absence d'adaptation de la part des journalistes est susceptible de provoquer frustration et agressivité chez certains communicateurs : « Ce que je reproche aux journalistes — et je pense que bien des relationnistes partagent ce point de vue — c'est qu'ils sont dans la merde et en plus ils nous le reprochent ! Nous, on fait notre travail et c'est à eux de s'organiser pour emboîter le pas. On ne va pas mettre les relationnistes au chômage parce qu'ils ne sont pas capables de suivre la course. »

de chaque média et sur la capacité qu'ont les communicateurs à prévoir le comportement des journalistes. Selon les communicateurs interrogés, une campagne de relation de presse intelligente doit s'appuyer sur une approche sélective. Ils affirment ne plus procéder comme autrefois par la méthode consistant à inonder le « marché » des médias par son message, mais plutôt en choisissant médias et journalistes en fonction des objectifs visés et en adaptant le message selon les particularités de chaque média : « Pour être efficace, il faut faire du 'sur mesure'. Il faut vendre au journaliste l'aspect du sujet, l'angle qui l'intéresse. »

Cette approche sélective s'est développée à la faveur de la montée de la presse spécialisée qui permet de rejoindre des publics cibles très précis, et à la faveur également de l'augmentation du nombre de chroniqueurs spécialisés dans les grands médias-omnibus, avec lesquels les communicateurs essaient d'entretenir des relations plus soutenues.

Certains communicateurs ont affirmé avoir recours à l'ensemble des journalistes, mais ils prennent soin de présenter l'information de façon différente selon qu'il s'agit de journalistes spécialisés ou de généralistes et selon qu'il s'agit de journalistes de la presse écrite, de la radio ou de la télévision. L'approche sélective s'exerce également dans le choix du mode de contact avec la presse. Dans une campagne de presse, le communicateur peut juger plus avantageux d'aménager des rencontres informelles de discussion entre une personnalité publique et quelques journalistes choisis, plutôt que de procéder par des traditionnelles conférences de presse. Parfois la stratégie visera surtout les éditorialistes.

L'approche sélective permet au communicateur de contourner le problème de la surabondance des messages, surabondance qui est sans aucun doute l'un des principaux facteurs limitant l'influence du communicateur. Un média ne peut pas publier ou diffuser tous les messages qui lui parviennent quotidiennement, mais il utilisera en priorité les messages qui conviennent le mieux à ses besoins. L'approche sélective consiste, pour le communicateur, à faire en sorte que le message soit le plus conforme possible à ce que recherche chaque média ou mieux, chaque journaliste.

Cette approche suppose une connaissance suffisante des particularités de chaque média et même de chaque journaliste, mais en retour elle permet de profiter au maximum de ces informations[18].

18. L'approche sélective n'est pas toujours possible ; elle n'est réalisable que dans les cas où les relations de presse sont planifiées et contrôlées par la source. Évidemment, ce n'est pas toujours le cas. Dans le feu de l'action et dans les situations de crise, la source a rarement la possibilité de choisir ses interlocuteurs comme elle le voudrait.

6.8 LES APPROCHES DANS LA NÉGOCIATION

Nous avons posé précédemment l'hypothèse suivante : les journalistes devraient être plus enclins à adopter une attitude d'opposition alors que les communicateurs devraient adopter une attitude plus coopérative. Nous avons également constaté que les communicateurs se préoccupaient des besoins des journalistes, mais que l'inverse ne se produisait pas. En fait, ces deux idées sont liées l'une à l'autre, car l'attitude qu'adopte un partenaire dans la négociation ne dépend pas seulement de l'importance qu'il accorde à la satisfaction de ses propres besoins ; elle dépend aussi, dans une certaine mesure, de l'importance qu'il accorde au fait que l'autre « joueur » atteigne on non ses objectifs.

Si, par exemple, un journaliste ne se préoccupe que de sa propre satisfaction sans égard à celle du communicateur, il aura tendance à adopter une attitude de conflit. Si le communicateur, quant à lui, se préoccupe prioritairement de la satisfaction des besoins du journaliste, il aura tendance à vouloir accommoder celui-ci, à lui accorder l'essentiel de ce qu'il demande.

Selon Lewicki et Litterer (1985), dans une relation de négociation, chaque partenaire peut adopter l'une des cinq approches suivantes :

1) La **compétition**, où A essaie de convaincre B — éventuellement par la menace ou la contrainte — d'adopter une position satisfaisante pour A ;
2) L'**accommodement**, où A, soit parce que l'enjeu de la négociation lui importe peu, soit parce que le maintien d'une bonne relation lui importe davantage que le résultat de l'échange, se préoccupe surtout de la satisfaction de B ; A aura tendance à céder à B ce que B demande ;
3) Le **compromis**, où A et B coupent la poire en deux de façon qu'il n'y ait ni gagnant ni perdant, mais où ni A ni B ne sont pleinement satisfaits ;
4) La **collaboration**, où A et B font équipe dans la recherche d'une solution satisfaisante pour les deux ;
5) Le **refus**, où A refuse ou évite la négociation parce qu'il pense qu'il a peu à gagner en négociant avec B.

La figure suivante situe les cinq approches sur un plan délimité par deux axes : l'axe vertical représente le degré d'intérêt du « joueur » par rapport à sa propre satisfaction ; l'axe horizontal représente le degré d'intérêt de ce « joueur » par rapport à la satisfaction de l'« adversaire ».

On peut, à partir de cette figure, résumer certaines observations faites jusqu'à présent. Les journalistes sont, bien sûr, très préoccupés par leur propre satisfaction, mais ils n'ont pas tendance à se préoccuper de la satisfaction des communicateurs. Leur approche devrait suivre l'axe vertical à gauche de la figure, c'est-à-dire passer, selon les circonstances, du refus à la compétition,

FIGURE 6.1
Les cinq approches possibles dans une négociation

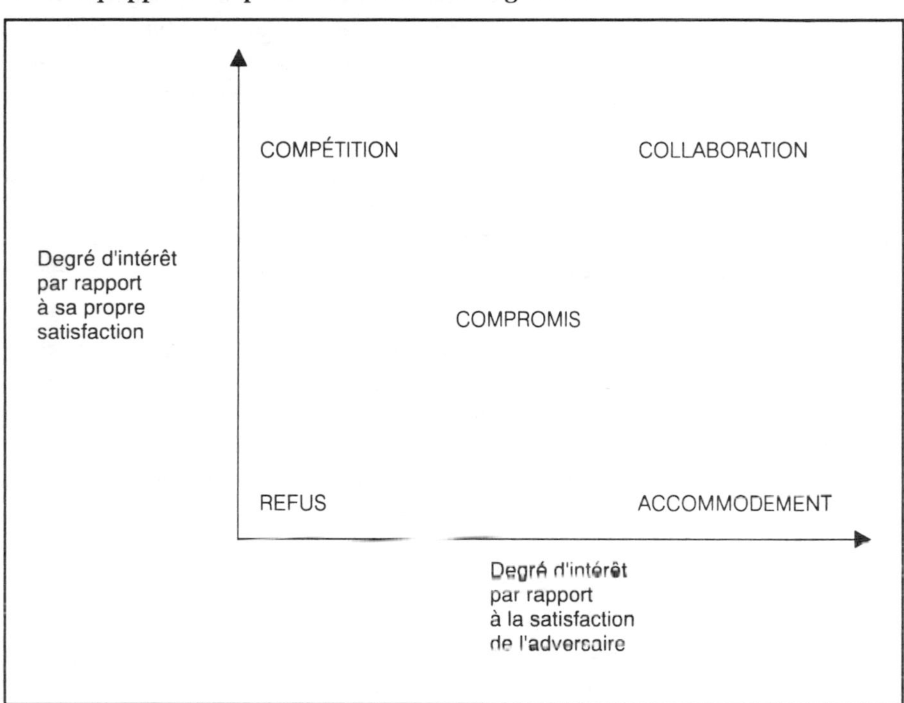

en passant par le compromis si nécessaire[19]. On peut voir un exemple de ce type d'approche lorsqu'un journaliste dit, à propos des relationnistes : « C'est un emmerdement. Notre façon de travailler, c'est de partir avec armes et bagages et de déjouer continuellement cette 'game-là'. »

Ce journaliste privilégie le refus ; pour lui, il n'y a pas d'intérêt à négocier avec des relationnistes. S'il se retrouve dans une situation où il doit négocier, il va « passer à l'attaque » en essayant de retirer le maximum sans faire de compromis. Le compromis est pour lui un extrême qu'il ne dépassera pas. La collaboration et l'accommodement sont exclus.

19. Cette hypothèse suppose une méfiance généralisée des journalistes à l'égard des communicateurs ; or ce n'est pas toujours le cas. Encore une fois, il faut insister sur le fait que l'approche adoptée par un joueur varie selon la nature du jeu. Dans les jeux où le communicateur détient un réel pouvoir de sanction, le journaliste n'a pas le choix de ne pas collaborer. Dans certaines circonstances, il pourra adopter une attitude d'accommodement, de façon à mieux se « positionner » pour une négociation future.

Les communicateurs semblent au contraire beaucoup plus préoccupés par la satisfaction de leurs « adversaires » journalistes. De façon générale, ils sont tenus de se préoccuper des problèmes des journalistes, car leur propre satisfaction dépend en grande partie de celle des journalistes. Et les communicateurs le savent : « Quand on est satisfait, le journaliste l'est tout autant, parce qu'il faut être deux pour danser le tango. »

Ils considèrent qu'en définitive ce sont les journalistes qui ont le dernier mot dans la négociation, puisque ce sont eux qui, en dernière instance, contrôlent la nouvelle : « Le pouvoir de sanction du journaliste est toujours plus fort que le nôtre, parce qu'on a toujours besoin de lui et que c'est lui qui a le dernier mot. »

En conséquence, ce que craint le communicateur, c'est une réaction de refus de la part des journalistes ; c'est, par exemple, de convoquer une conférence de presse à laquelle les journalistes ne viennent pas. Et, comme le faisait remarquer un communicateur : « Il y a plusieurs relationnistes qui vont trouver ça dur quand les journalistes vont décider de faire leur travail sans leur en parler... »

De façon générale, le communicateur devra donc se livrer à un jeu de séduction et de persuasion. Il le fera en tentant d'acquérir une crédibilité et en facilitant la tâche du journaliste, bref en se présentant à celui-ci comme un allié. Puisque la satisfaction des besoins du communicateur (relativement à la publicité et à l'image) passe par la satisfaction des besoins du journaliste (relativement aux nouvelles), le communicateur devra privilégier une approche de collaboration plutôt qu'une approche de compétition.

Dans les situations où l'image de son organisation n'est pas en jeu et où les avantages immédiats qu'il peut retirer de la négociation sont faibles, le communicateur devrait privilégier l'accommodement plutôt que le refus. Concrètement, cela signifie que le communicateur devrait se montrer disponible et répondre aux demandes du journaliste même dans les cas où il ne compte pas en retirer un bénéfice immédiat. L'accommodement représente alors un investissement qui vise à maintenir une bonne relation avec le journaliste ; le refus risquerait au contraire de mettre en péril cette relation et de nuire aux prochaines négociations.

Dans certains cas, la collaboration et l'accommodement peuvent comporter des risques pour le communicateur. À trop vouloir se montrer ouvert et accommodant, le communicateur pourrait en dire trop et mettre au jour ses propres faiblesses. De plus, la collaboration et l'accommodement ne sont pas toujours faciles à réaliser, surtout dans les jeux où les journalistes se montrent agressifs ou encore refusent la négociation. Pour collaborer, il faut être deux, et pour qu'il y ait accommodement de la part du communicateur, il faut bien qu'il y ait une demande de la part du journaliste. C'est pourquoi on peut penser que, même si le communicateur privilégie la collaboration et l'accommodement, face à des tactiques agressives des journalistes, il devra répondre par la recherche du compromis, c'est-à-dire jouer prudemment. Enfin, il n'est pas toujours facile pour le communicateur de faire valoir son esprit de collaboration auprès du journaliste qui peut y voir une manœuvre suspecte. On voit bien ici la difficulté de communiquer dans ce genre de situation où la méfiance brouille la perception des messages.

Le refus est une approche utilisée par le communicateur lorsque des moyens alternatifs son envisageables. Les communicateurs que nous avons rencontrés ont insisté sur le fait que les relations de presse ne représentent qu'une méthode de communication parmi d'autres. Le choix de la méthode dépend des objectifs à atteindre et de l'efficacité des méthodes, compte tenu de ces objectifs. Selon un communicateur :

> Les techniques de communication se sont spécialisées à un point tel que, de plus en plus, les intermédiaires de presse — je les appelle des intermédiaires — on est capable de les « by-passer ». On a des techniques avec lesquelles on peut rejoindre directement nos clientèles sans passer par le filtre de la presse. Je me dis que la presse doit être soucieuse de ça et elle doit s'assurer, quand elle parle de nos dossiers, qu'elle le fait de façon sérieuse, car, moins elle le fera de façon sérieuse, plus la tendance sera forte de faire le tour et de dire : « Si vous n'avez rien compris, tassez-vous, on va aller parler directement au monde. »

On peut douter que de telles menaces soient réellement efficaces dans tous les jeux, d'autant plus que les communicateurs n'ont pas toujours le choix ; dans les moments de crise, le refus du communicateur pourra être interprété par la presse comme l'aveu d'une faute et constituer un élément de nouvelle[20].

On en arrive à la conclusion qu'il est plus facile pour le journaliste que pour le communicateur de refuser la négociation. Dans la plupart des cas[21], si le journaliste refuse la négociation, les choses en resteront là, même si le communicateur est de mauvaise humeur. Si c'est le communicateur qui refuse, le journaliste a toujours la possibilité de rendre public le refus et de ternir ainsi l'image de l'organisation que représente le communicateur. Pour le journaliste, le refus est une façon de ne pas jouer, alors que, pour le communicateur, c'est une façon de jouer, et qui peut avoir des conséquences négatives.

Nous avons déjà dit que l'approche qu'adopte chacun des « joueurs » varie selon la nature du jeu. Il faut aussi remarquer que l'approche peut varier selon la position des « joueurs » dans un jeu donné :

---

20. C'est généralement de cette manière que la presse « punit » le refus de la part des sources dans les moments de crise.

21. Exception faite des cas où la source détient un réel pouvoir de sanction.

> Dans les relations de presse, il y a la situation où tu recherches le contact avec la presse, et l'autre situation où tu es recherché par la presse. Ce sont des situations assez différentes. Quand tu es le vendeur, c'est plus difficile. Mais dans l'autre cas, c'est plus facile, mais ça peut être plus risqué, parce que ça se fait dans le feu de l'action.

Il s'agit d'une distinction importante, mais les résultats de nos entrevues ne permettent pas de voir quelles approches correspondent à ces deux situations pour chaque « joueur ». On peut penser cependant que dans les situations où le « joueur » est vendeur, il prêtera une plus grande attention à la satisfaction de l'« adversaire », alors que dans les situations où il est courtisé par l'autre « joueur », il dirigera son attention surtout vers sa propre satisfaction[22]. Nos entrevues nous amènent à penser que, le plus souvent, c'est le communicateur qui est le vendeur.

CONCLUSION

La nature des relations entre les journalistes et les communicateurs est complexe et ambiguë. Les intérêts des deux groupes sont à la fois complémentaires et antagoniques, et donnent lieu à un type particulier de relations qui se caractérisent par un mélange de coopération et de conflit. Nous avons convenu de représenter de telles relations par un jeu de négociation dont l'enjeu est le message à transmettre à un ou des publics. Chacun lutte pour que ce message soit porteur de ses intérêts propres. Le journaliste et le communicateur ont tous les deux une image publique à défendre, une réputation à protéger, une crédibilité à maintenir. Et chacun, à des degrés divers, considère que son « adversaire » est susceptible de nuire à cette image, à cette réputation et à cette crédibilité. Mais en même temps ils sont tous les deux dans une situation d'interdépendance, ils ont besoin l'un de l'autre pour satisfaire leurs besoins et atteindre leurs objectifs. Alors ils recherchent le compromis, ils négocient.

Mais comment négocient-ils, comment en arrivent-ils à un compromis et surtout quelle est la nature de ce compromis ? Il faut d'abord noter qu'il ne s'agit pas nécessairement d'une négociation formelle à travers un processus d'échange de propositions et de contre-propositions semblable à ce qu'on peut observer entre des représentants patronaux et syndicaux. Si nous avons introduit le concept de négociation, c'est pour décrire une situation où la

22. À moins qu'il décide d'accommoder l'« adversaire » en échange d'avantages futurs, ce qui peut se produire dans les cas où sa propre satisfaction immédiate est minime et où l'accommodement est peu coûteux pour lui.

nature à la fois conflictuelle et coopérative de la relation entre le journaliste et le communicateur nécessite des ajustements de part et d'autre. Cette situation nécessite la recherche d'un *modus vivendi* à travers lequel chacun pourra, tant bien que mal, satisfaire ses besoins et ses intérêts.

Deuxièmement, le processus de négociation n'est pas nécessairement le même dans toutes les situations. On ne peut pas décrire un seul processus concret de négociation qui soit applicable à toutes les situations d'interaction entre des journalistes et des communicateurs. Les journalistes, pas plus que les communicateurs, ne forment un ensemble monolithique. Mais surtout, nous pensons que les manières qu'ont les journalistes et les communicateurs de se comporter les uns vis-à-vis des autres ne sont pas identiques d'un milieu à l'autre. C'est pourquoi nous avons introduit l'analogie du jeu en assimilant différentes situations d'interaction à autant de jeux, chaque jeu comportant ses règles propres. Nous faisons l'hypothèse qu'à mesure que les journalistes et les communicateurs dans un milieu donné entretiennent entre eux des relations récurrentes, ils contribuent à établir et à préciser des manières de faire, des règles originales qui régissent leurs comportements. Les problèmes auxquels font face les journalistes et les communicateurs et les manières de les résoudre ne sont pas nécessairement les mêmes dans le monde du sport, dans le monde de la politique municipale ou dans celui des arts et spectacles. Ce sont des milieux différents qui engendrent leur « culture » propre, qui correspondent à des jeux dont les règles peuvent varier.

On ne peut donc pas poser la question du compromis — et, à travers elle, la question centrale de l'influence — en termes généraux sans tenir compte des situations spécifiques. Il faudra analyser sur le terrain des situations concrètes de jeux pour en dégager et en comparer les règles afin de pouvoir ensuite expliquer le comportement des acteurs dans chacun de ces jeux.

Enfin, l'idée de négociation implique l'idée d'un échange qui se réalise à travers un compromis. Dans cette perspective, l'influence n'est pas vue comme un phénomène unidirectionnel par lequel le communicateur « manipule » le journaliste, mais comme un phénomène bidirectionnel par lequel le communicateur et le journaliste s'influencent mutuellement. Cela ne signifie pas que le jeu d'influence soit nécessairement équilibré ; cela signifie plutôt qu'aucun partenaire n'est totalement démuni face à l'autre, qu'il n'y a pas d'un côté le manipulateur (le communicateur) et de l'autre la marionnette (le journaliste). Le communicateur ne parvient à exercer une influence sur le journaliste que dans la mesure où il se plie jusqu'à un certain point aux exigences du journaliste, c'est-à-dire dans la mesure où il accepte de subir une influence de la part du journaliste. En se conformant ainsi aux exigences du journaliste et des médias, et en s'efforçant de répondre aux besoins du journaliste, le communicateur cherche à récupérer à son avantage les contraintes journalistiques. C'est en ce sens qu'il y a échange et compromis dans un rapport d'influence mutuelle. Pour que la relation perdure, il faut que le compromis procure une satisfaction minimale aux deux « joueurs ». En d'autres termes, si des relations entre des communicateurs et des journalistes se maintiennent et s'institutionnalisent dans un jeu, c'est que les acteurs parviennent à tirer leur épingle du jeu.

C O N C L U S I O N

QUI CONTRÔLE LE QUATRIÈME POUVOIR ?

Jean Charron,
Jacques Lemieux et
Florian Sauvageau

Les institutions, les organisations, les groupes se sont dotés depuis quelques années d'une expertise considérable en matière de communication publique. Par l'expérience, et aussi grâce aux précieux conseils de spécialistes de plus en plus nombreux, les acteurs sociaux ont appris les règles du jeu de la communication. Ils savent l'art de fabriquer des images et de faire passer des messages par les médias. Est-ce à dire que le quatrième pouvoir change de main et que la presse et les journalistes ont perdu le contrôle de la « production de l'actualité » ? Est-ce à dire que les prérogatives de la sélection, de la pondération et de l'interprétation des informations, que la presse croyait être seule à posséder, lui échappent ?

Les études de cas que nous avons réalisées montrent que les sources mettent en œuvre une grande diversité de moyens pour faire valoir leur point de vue et qu'elles obtiennent un certain succès. Dans tous les cas étudiés, les sources sont parvenues à faire inscrire une thématique à l'ordre du jour des médias. Ceux-ci n'ont pas transmis intégralement les messages des sources ; mais la conformité du message de presse avec celui des sources, bien que relative, est tout de même frappante, et, en tout cas, satisfaisante pour les sources. Le Parti conservateur voulait que la télévision diffuse de belles images du chef, Brian Mulroney, et il a obtenu ce qu'il cherchait. ALCAN a voulu faire de l'annonce de la construction de son usine de Laterrière un événement médiatique propre à favoriser l'image de l'entreprise ; l'opération a réussi. Le RAJ, un petit groupement sans ressources et totalement inconnu du public, a cherché, par quelques coups d'éclat, à faire de la parité de l'aide sociale l'objet d'un débat public ; ce fut un succès remarquable, même si le discours du RAJ a subi, par l'action des médias, quelques modifications. Quant à Québec 84, tant que l'échec de l'événement n'a pas été une évidence, les médias n'ont pas manqué d'enthousiasme et ils s'en sont faits les propagandistes.

Doit-on en déduire que les sources contrôlent la production de l'information, qu'elles manipulent les journalistes et que ceux-ci ne sont plus que des « courroies de transmission » ?

Une influence bilatérale

Notre conclusion sera plus nuancée. Ce que nous retenons de nos travaux, c'est, premièrement, le caractère bilatéral de la relation d'influence entre les journalistes et les communicateurs. En effet, on observe dans tous les cas étudiés le même mécanisme d'influence : si la couverture de presse a été relativement conforme à ce que souhaitaient obtenir les sources, c'est parce que celles-ci ont fourni aux journalistes une matière première relativement conforme à ce que les médias eux-mêmes (et, à travers eux, les journalistes) souhaitaient obtenir des sources. Donnez aux journalistes de la matière à copie, et ils feront de la copie. Donnez-leur de belles images, et ils diffuseront de belles images. C'est ce que semblent avoir appris les sources.

Mais, dans ces conditions, qui, finalement, contrôle la production de l'information ? Qui détient le quatrième pouvoir ? Nous pensons que ce contrôle implique un partage et une négociation. On pourrait dire, pour formuler la chose autrement, que la source parvient à exercer une influence sur la production de l'information à condition qu'elle se soumette elle-même à l'influence des médias, qu'elle produise une matière première conforme à ce que recherchent les journalistes et les médias, qu'elle se soumette, en somme, au langage et au code des médias.

Cette conclusion apporte de l'eau au moulin de ceux — des communicateurs, en l'occurrence — qui pensent que la communication publique n'est rendue possible qu'au prix d'une telle subordination au code des médias. Plusieurs estiment que, pour accéder à l'« espace public », il faut payer son dû à une presse réductrice qui aurait transformé cet « espace public » en un lieu de spectacle, de divertissement, de sensations fortes et d'images fugaces. Il y a là, indéniablement, une part de vérité, mais il faut préciser du même souffle que la source qui accepte cette soumission est en mesure d'exercer une influence considérable sur la production de l'information. Et n'est-ce pas ce que cherchent les communicateurs ?

C'est pourquoi nous avons proposé, au chapitre 6, d'envisager la relation entre les journalistes et les communicateurs (et les sources en général) comme une négociation entre des partenaires qui disposent chacun de leurs propres ressources d'influence et qui s'engagent dans la relation en vue d'un bénéfice ou d'un avantage quelconque. La source détient des informations susceptibles d'intéresser la presse ; elle est en mesure d'exercer un certain contrôle sur la forme du message émis par les médias ainsi que sur le moment, le lieu, le contexte de la diffusion de ces informations. La presse et les journalistes, quant à eux, contrôlent les modalités de l'accès à l'« espace public », ce qui n'est pas rien.

La complexité de la relation

Nos travaux conduisent à une deuxième conclusion qui nuance la première : il convient de rejeter tout diagnostic qui prétendrait faire l'économie de la complexité[1]. La multiplication des médias a entraîné une extraordinaire diversité dans le domaine de l'information, en même temps qu'un éclatement des « attitudes » journalistiques : il n'y a plus **un** journalisme, mais **des** journalismes, qui se distinguent les uns des autres, en même temps qu'ils s'influencent mutuellement.

Déjà, les hebdomadaires régionaux ne fonctionnaient pas nécessairement selon les mêmes modalités que les quotidiens nationaux. La prolifération des périodiques spécialisés a aussi entraîné une grande diversité dans ce secteur où l'on trouve le meilleur et le pire et où les « missions journalistiques » ont souvent peu en commun. La diversité se retrouve aussi au sein même des quotidiens. Alors que certains quotidiens (*Le Devoir*, par exemple) s'adressent à une clientèle particulière, d'autres tendent à adopter des formules « cafétéria », à offrir une diversité de nouvelles et d'informations de tous genres destinées à des publics variés. Les chroniques de services, les *soft news*, les cahiers spéciaux se multiplient, qui obéissent, chacun, à des modalités de production journalistique spécifiques, notamment quant au comportement à l'égard des sources.

Dans les médias électroniques, on trouve, à côté des émissions de nouvelles et d'affaires publiques, des émissions « magazines » et de variétés ainsi que des *talk shows* qui intègrent plus ou moins une dimension d'information. Dans ces émissions, on traite de sujets d'actualité selon des modalités qui sont différentes de celles des émissions d'information au sens strict. On y accueille des invités qui sont aussi des acteurs dominants sur la scène de l'actualité et qui, par leur présence, cherchent à influencer les perceptions du public.

Dans ce contexte, les portes d'accès à l'« espace public » se diversifient comme se diversifient les stratégies des sources et les réactions des « journalistes ». C'est pourquoi il faut beaucoup nuancer en ce qui concerne l'influence

1. Signalons que ces deux conclusions, celle ayant trait au caractère bilatéral de l'influence et celle concernant la complexité, sont corroborées par d'autres travaux menés soit dans le prolongement des nôtres (Charron, 1990), soit parallèlement aux nôtres (Ericson *et al.*, 1987, 1989). Charron a procédé à une autre analyse stratégique des relations entre les journalistes parlementaires et les membres de l'Assemblée nationale du Québec, alors que l'équipe d'Ericson, de l'Université de Toronto, a analysé les relations entre les journalistes et trois catégories de sources (la police, les tribunaux et l'Assemblée législative de l'Ontario). Ces travaux reprennent, chacun à sa façon, l'hypothèse de la négociation et aboutissent, dans les deux cas, à des conclusions nuancées, similaires aux nôtres.

exercée sur la production de l'information, en tenant compte de cette extraordinaire diversité.

Nos hypothèses de départ

Au moment d'entreprendre nos travaux, nous avions formulé quelques hypothèses de recherche qui, sans rendre compte de cette complexité, voulaient tout de même établir certaines conditions relatives à l'influence exercée par les sources. Nos études de cas montrent qu'en général ces hypothèses correspondent aux faits observés, à la condition d'être parfois nuancées et, dans certains cas, reformulées.

Certaines hypothèses résistent mieux que d'autres à l'analyse. Par exemple, il apparaît clairement que la capacité d'influence d'une source est fonction de la connaissance qu'a cette source du fonctionnement des médias. Il faut connaître les modalités de la production journalistique pour être en mesure d'offrir aux journalistes et aux médias ce que, précisément, ils recherchent. C'est cette expertise que les communicateurs peuvent faire valoir auprès des sources.

Par contre, notre hypothèse relative aux politiques d'information des entreprises de presse doit être nuancée. Le fait qu'une entreprise de presse se dote d'une politique d'information ou d'un plan de couverture n'est pas toujours une garantie d'autonomie vis-à-vis des sources ; tout dépend des objectifs qui sous-tendent cette politique. C'est ce que montre le cas de Québec 84 : *Le Soleil* avait élaboré une telle politique de couverture de l'événement ; pourtant, cela n'a pas empêché le journal de se faire le porte-parole des promoteurs.

Cet exemple nous rapproche d'une autre hypothèse, plus convaincante celle-là, selon laquelle plus il y a adéquation entre la stratégie de communication de la source et la stratégie de marketing des médias, plus le traitement journalistique du message de la source sera conforme aux objectifs de celle-ci. Les entreprises de presse ont un produit à vendre, et les nouvelles qui favorisent les ventes sont toujours les bienvenues. Il appartient aux sources d'agir en conséquence !

Une autre hypothèse semble devoir se confirmer : il apparaît en effet que plus le point de vue de la source fait l'objet d'un fort consensus social, plus le traitement journalistique sera conforme aux objectifs de communication de la source. Le cas du RAJ illustre assez bien ce phénomène. Les contestataires ont su utiliser les arguments d'évidence et le sens commun : en effet, pouvait-on, en 1984, vivre avec 152 dollars par mois ? Avant d'alerter les médias par des actions d'éclat, les leaders du mouvement avaient pris soin de sensibiliser différents organismes qui devaient finalement les appuyer publiquement, créant ainsi un effet de consensus auquel ni l'opinion publique ni la presse ne pouvaient demeurer insensibles.

Le cas de Québec 84 présente une variante intéressante du même phénomène : les médias, surtout ceux de Québec, pouvaient-ils s'opposer à un projet prometteur dont les retombées ne pouvaient qu'être bénéfiques pour la région ? Une attitude critique de la presse ne risquait-elle pas d'être mal interprétée par le public et les divers groupes sociaux ?

Deux autres hypothèses, vraisemblables à première vue, n'ont pas résisté à nos observations. Nous avions pensé que la presse régionale et les journalistes généralistes seraient plus vulnérables à l'influence des communicateurs que la presse nationale et les journalistes spécialisés, les seconds pouvant mobiliser davantage de ressources que les premiers pour résister à l'influence des communicateurs. Le cas d'ALCAN montre que les journalistes spécialisés de la presse nationale ont produit des articles plus conformes aux objectifs d'ALCAN que ceux de certains journalistes généralistes de la presse régionale. Toutefois, ce constat n'invalide pas le raisonnement qui sous-tend ces deux hypothèses ; il rappelle plutôt que certains journalistes régionaux constituent en quelque sorte des spécialistes des dossiers de leur région et que, sur ce plan, ils ont souvent une longueur d'avance sur leurs collègues spécialistes qui œuvrent dans les médias nationaux ; aussi sont-ils mieux en mesure de résister aux tentatives de séduction des communicateurs.

Le modèle basé sur la négociation, que nous avons présenté au chapitre 6, ajoute à la complexité (notamment en distinguant des secteurs de couverture) en même temps qu'il offre des instruments analytiques pour rendre compte de cette complexité. Selon ce modèle, les acteurs font face à des contraintes susceptibles de fournir des possibilités d'action à l'« adversaire », mais ils disposent aussi de ressources qu'ils utilisent en fonction de leurs intérêts.

Que font les journalistes de leur capacité d'influence ?

On a souvent dit — et c'est aussi notre point de vue — que si la présence de plus en plus forte des communicateurs pose des problèmes aux journalistes, c'est à ces derniers qu'il revient de régler ces problèmes, et non aux communicateurs. Tant qu'elle se situe dans les limites fixées par une éthique élémentaire de la communication publique, l'action des communicateurs demeure légitime.

Si on veut bien admettre que les journalistes ne sont pas complètement démunis face à l'« ennemi » et que le contrôle qu'ils exercent sur les modalités d'accès à l'« espace public » constitue un atout fondamental dans la négociation, il faut tout de même poser la question suivante : que font les journalistes de ces ressources dont ils disposent ? Et si on veut bien admettre que les journalistes sont rationnels (en ce sens qu'ils agissent conformément à leurs intérêts, ce dont personne ne doute), alors il faut se demander quels sont les intérêts véritables qu'ils cherchent à défendre dans la négociation qui les « oppose » aux communicateurs.

Les stratégies que mettent en œuvre les journalistes sont tributaires d'un ensemble d'intérêts spécifiques et de normes professionnelles qui sont socialement et historiquement déterminés. Ces stratégies, ainsi que les normes qui les inspirent, ne sont pas immuables, ni étrangères au contexte social dans lequel se déroule la négociation. Les stratégies journalistiques s'ajustent aux changements de valeurs qui se produisent dans la société ainsi qu'aux changements que connaît l'industrie des médias.

Or, au cours des dernières années, ces changements n'ont pas semblé avantager les journalistes ; ils ont plutôt favorisé une plus grande emprise des sources sur le processus de production de l'information. En effet, on peut observer un ensemble de phénomènes qui n'ont guère contribué au renforcement de la norme d'indépendance (sur laquelle repose la dimension de conflit dans la négociation) des journalistes face aux sources, notamment celles qui sont conseillées et assistées par des experts de la communication publique[2].

Les difficultés économiques du début des années 80 ont d'abord contribué à une forme de dépolitisation qui a caractérisé l'ensemble des sociétés industrialisées. Un repli dans l'« espace privé » a succédé à une vingtaine d'années d'effervescence sociale et de turbulence politique dans l'« espace public » (années 60 et 70). Les nouvelles valeurs individualistes, à tendance néo-libérale, qui ont vu le jour depuis dix ans tranchent avec les idéologies collectivistes à la mode au cours des décennies précédentes.

Les médias et les journalistes n'ont pas été insensibles, ni étrangers, à la propagation de ces nouvelles valeurs. C'est ainsi que bien des journalistes affichent maintenant un conservatisme de bon aloi, alors que d'autres, contestataires dans l'âme, se sont tus, en attendant des jours meilleurs. De mauvaises langues racontent — peut-être injustement — que les journalistes sont

---

2. Il faut noter ici que le discours des ténors de la profession (notamment au sein de la FPJQ), souvent marqué par un esprit d'opposition par rapport aux communicateurs, n'a pas toujours été le reflet fidèle de la pensée de l'ensemble de la profession. En effet, de nombreux journalistes ne s'entendent pas si mal avec les relationnistes et les communicateurs, quoi qu'on en dise. C'est du moins ce que suggèrent les résultats d'un sondage réalisé auprès de 423 journalistes par la firme Impact-Recherche pour le compte de la FPJQ (Impact-Recherche, 1988). Les relationnistes de presse sont peut-être considérés par 36 % des répondants comme « la source la moins aimée », ils sont tout de même perçus comme des personnes avec lesquelles les journalistes peuvent travailler de façon harmonieuse. Dans les réponses fournies aux enquêteurs, les propositions positives à l'endroit des relationnistes l'emportent de beaucoup sur les remarques négatives : en effet, si 8 % des journalistes interrogés s'en prennent au principe même de la tâche du relationniste, et si 32 % critiquent des individus exerçant cette fonction, 62 % formulent des remarques positives sur les relationnistes et leur travail.

plus intéressés à gérer leurs finances personnelles qu'à ranimer les débats sur les inégalités sociales[3].

Certains, dont François Demers (1989), pensent que l'éthique journalistique traditionnelle — qui s'inspire des idéaux de la démocratie et qui confère à la presse une responsabilité sociale — est de plus en plus « contaminée » par des valeurs qui lui sont étrangères. Lorsque le pragmatisme, l'individualisme et l'« affairisme » inspirent l'action des journalistes, cela ne peut pas faire autrement que de changer l'état des relations que les journalistes entretiennent avec les institutions sociales et les organisations qui constituent leurs sources d'information. Par exemple, les acteurs économiquement puissants, les héros de l'esprit d'entreprise, jouissent d'un préjugé plus favorable que ce n'était le cas au cours des décennies précédentes, et leurs relations avec les médias sont maintenant plus aisées et plus harmonieuses qu'autrefois.

Les journalistes ne sont pas sensibles qu'à l'esprit du temps. Ils sont aussi sensibles aux modifications structurelles profondes que connaît l'industrie des médias, modifications qui influent aussi, parfois substantiellement, sur les rapports des journalistes avec leurs sources d'information.

Le contexte économique difficile du début des années 80 a considérablement réduit la marge de manœuvre des journalistes au sein des entreprises de presse ; dans un contexte de lutte pour la survie, les gestionnaires ont tendance à raffermir leur contrôle sur l'entreprise et à imposer des orientations auxquelles les journalistes peuvent difficilement résister, même si ces orientations ne sont pas toujours compatibles avec leurs convictions.

L'éclatement et la diversification du marché des médias, la concurrence croissante et l'augmentation des coûts de production imposent des contraintes lourdes aux entreprises de presse et incitent les directions à imaginer des politiques d'information inspirées par les impératifs de survie et de rentabilité. Il faut d'ailleurs noter que ces directions sont de plus en plus formées de spécialistes de la gestion plutôt que de journalistes devenus gestionnaires, ce qui peut diminuer la sensibilité des directions aux questions d'information.

La recherche du profit n'est pas une préoccupation nouvelle pour les patrons de presse ; ce qui est nouveau, cependant, c'est la conjoncture économique qui incite les journalistes au « réalisme », c'est le peu de résistance que ces derniers sont en mesure d'offrir aux tendances lourdes de l'industrie.

Le souci de rentabilité accrue, qu'encourage aussi le contexte néo-libéral de la décennie, se manifeste d'abord par un contrôle serré des dépenses,

---

3. Voir la réflexion que livrait récemment dans *Le « 30 »* le journaliste Pierre Maisonneuve (1990) à propos des journalistes qui, de « travailleurs de l'information », sont devenus des « bourgeois de l'information ».

quitte, dans certains cas, à transférer les coûts des opérations vers les sources, c'est-à-dire à confier à celles-ci les coûteuses opérations de collecte et de traitement des informations. En quête d'*information subsidies*, comme le dit Gandy (1982), les entreprises de presse et les journalistes risquent de devenir de simples diffuseurs de messages définis par les sources. Ici, comme ailleurs, l'argent est le nerf de la guerre : lorsque les budgets des rédactions sont réduits, bien souvent l'autonomie des journalistes l'est aussi.

Dans ces conditions, il est à craindre que la contribution de la source soit évaluée non pas en fonction de la signification et de l'importance des informations qu'elle détient, mais en fonction de la valeur « économique » des informations offertes : nous évoquons ici la capacité de la source à fournir, à peu de frais pour le média, des informations qui feront vendre le journal ou qui assureront de bonnes cotes d'écoute.

Les sources qui fournissent une matière première ne nécessitant que des transformations mineures avant d'être mise en marché pourront être particulièrement avantagées. C'est précisément le rôle des relationnistes de presse et des conseillers en communication de s'assurer que la matière première réponde à ce genre d'exigences.

Les impératifs économiques se concrétisent aussi à travers la recherche d'un accroissement des revenus publicitaires. L'apparition de nouvelles entreprises, particulièrement dans le secteur des médias écrits spécialisés et dans les médias électroniques, morcelle le marché publicitaire et impose de nouvelles règles du jeu. La concurrence devient féroce. Dans ces conditions, la règle première consiste souvent à ne pas indisposer les annonceurs réels ou potentiels par une couverture journalistique malencontreuse ; il faut plutôt chercher à les satisfaire, quitte, dans certains cas, à confondre publicité et information dans des publi-reportages et des cahiers spéciaux. De plus, comme l'attrait publicitaire d'un média dépend de la quantité et de la qualité de sa clientèle, les entreprises de presse peuvent parfois être tentées de recourir à une logique de la séduction qui gruge lentement la fonction traditionnelle d'information et de critique de la presse. Pendant que certains médias sont tentés de jouer de la séduction pour attirer de plus larges auditoires, d'autres médias ciblent leur clientèle en fonction des besoins des annonceurs et véhiculent une information constituant un complément des messages publicitaires.

Le contrôle des dépenses et l'accroissement des revenus publicitaires se réalisent admirablement dans certains secteurs de l'information. C'est le cas, notamment, des secteurs où les objectifs sont à « dominance monétaire » (Tunstall, 1971 ; voir aussi les chapitres 1 et 6 du présent ouvrage) : qu'on pense aux articles et aux chroniques sur la mode, la bonne chère, l'automobile, l'immobilier, les voyages, les spectacles, etc. Dans ces secteurs, les sources (qui sont souvent elles-mêmes des annonceurs, ou qui sont associées à des annonceurs) alimentent les médias avec une matière première à partir de laquelle le journaliste fabriquera de « bonnes » nouvelles, c'est-à-dire des nouvelles qui, espère-t-on, feront vendre le journal ou augmenter les cotes d'écoute, et qui créeront un contexte rédactionnel favorable à la vente d'espace publicitaire. Dans ces secteurs, les sources d'information tendent à être perçues de moins en moins comme des acteurs sociaux cherchant à influencer la construction de la réalité sociale, et de plus en plus comme des fournisseurs, au même titre que les annonceurs.

La logique de la séduction atteint son paroxysme dans certains hebdomadaires distribués gratuitement qui se sont multipliés ces dernières années et qui tendent à éliminer du marché les hebdomadaires que les lecteurs doivent payer[4]. Lorsqu'ils sont distribués gratuitement, les hebdomadaires régionaux risquent fort d'être perçus d'abord comme les journaux des annonceurs (ceux qui paient) avant d'être ceux de leurs lecteurs. Si plusieurs hebdomadaires pratiquent un journalisme de qualité, d'autres se donnent une mission journalistique disons « minimale »[5], dont l'éthique est pour le moins « originale »... Il n'est pas rare d'y trouver des communiqués de presse publiés intégralement, des articles de complaisance et des publi-reportages mal ou non identifiés.

De plus, soucieuses d'affirmer leur présence dans la communauté, plusieurs entreprises de presse n'hésitent pas à commanditer des activités socioculturelles, sportives ou de loisir dont elles se feront souvent un point d'honneur d'assurer ensuite la couverture. Le cas de Québec 84 illustre la contradiction entre une éthique journalistique et une éthique d'entreprise. À quelle éthique devra se référer le journaliste qui doit couvrir des événements commandités par son journal ou sa station de radio : celle qui commande l'engagement de l'entreprise dans son milieu ou celle qui commande une couverture des événements autonome[6] ?

Par ailleurs, dans le secteur de l'information, le marché du travail est stagnant depuis plusieurs années, alors que celui de la promotion et des rela-

4. En 1960, 23 % des 176 hebdomadaires régionaux étaient distribués gratuitement, pour un tirage total se situant autour de 200 000 exemplaires. En 1990, les hebdomadaires gratuits représentaient 85 % des 230 titres, pour un tirage de l'ordre de 4 250 000 exemplaires. Pour plus de détails concernant la presse gratuite, voir Lavigne, 1991 (à paraître).

5. Selon une étude de la FPJQ (1983), le nombre moyen de journalistes dans les hebdomadaires régionaux était de 2 en 1983. Notre propre recensement, réalisé la même année, donnait une moyenne de 1,9 journaliste (il s'agit de journalistes permanents à temps complet). C'est peu pour remplir les pages d'un journal.

6. Pour un aperçu de ces nouvelles pratiques publicitaires (les publi-reportages, les cahiers spéciaux, les commandites), voir le dossier qui a été préparé pour la Fédération nationale des communications (FNC) par le journaliste Louis Falardeau (1990) et qui traite de l'« invasion tranquille » de la publicité dans l'information.

tions publiques « tous azimuts » a connu, jusqu'à tout récemment, une forte croissance[7]. Les jeunes journalistes qui ont voulu se faire une place au soleil ont dû le faire dans des conditions précaires et ont souvent été condamnés à la « polyvalence », c'est-à-dire à accepter, entre deux piges dans un journal, des contrats de relations publiques ou de rédaction publicitaire. On peut se demander si cette polyvalence ne marque pas l'esprit de ces journalistes au point qu'ils en viennent à confondre la logique journalistique et la logique publicitaire.

Les jeunes journalistes ne sont pas les seuls à succomber aux charmes du marché des « communicateurs ». Le développement de l'industrie des relations publiques a offert des possibilités alléchantes à des journalistes d'expérience désireux d'accepter des contrats de relations publiques ou d'agir comme experts-conseils auprès de certaines catégories de sources[8]. Il y a, là aussi, un risque évident de confusion des éthiques.

Que nous réserve l'avenir ?

Si nous voulions nous livrer au jeu de la prospective, nous pourrions être amenés, compte tenu de l'ensemble des phénomènes que nous venons d'évoquer, à imaginer un scénario plutôt pessimiste. L'ensemble de ces facteurs porteurs de changement pourrait en effet conduire médias et journalistes à redéfinir la conception qu'ils se font de leur rôle. Cette conception nouvelle, ce déplacement des valeurs pourrait, par conséquent, changer les intérêts ou les préférences des journalistes dans le jeu de la négociation avec les sources. Verra-t-on se généraliser une conception du journalisme selon laquelle la fonction première de la presse est de plaire aux annonceurs ainsi qu'aux auditeurs et aux lecteurs, sans égard à l'importance ou à la signification de l'information et sans égard au rôle social des médias ?

Cela pourrait être à l'avantage des sources. En effet, dans les relations avec les sources, les journalistes et les médias détiennent des ressources de pouvoir qui leur permettent de tirer leur épingle du jeu dans la négociation ; mais si l'éthique du quatrième pouvoir tendait à se diluer encore davantage au profit d'une « logique de la séduction », ces ressources cesseraient d'être pertinentes. Il n'y aurait plus de dimension conflictuelle dans la relation, puisque les intérêts des sources puissantes et ceux des médias coïncideraient.

---

7. La récession de 1991 pourrait bien freiner le développement des fonctions de communication dans les entreprises ; on pourrait assister à une « rationalisation » dans ce secteur d'activité.

8. Le sondage réalisé par Impact-Recherche (1988) nous apprend que 40 % des journalistes interrogés ont dit arrondir leurs fins de mois en effectuant des tâches reliées à la publicité et aux relations publiques.

Autrement dit, cette approche nouvelle qui se dessine dans le contexte actuel pourrait amener les journalistes à adopter envers les sources une attitude plus conciliante et plus « affairiste ».

Mais on peut aussi imaginer un scénario plus optimiste, si l'on considère que les tendances que l'on peut observer ne vont pas toutes dans le même sens. En effet, on voit apparaître dans le domaine de la communication publique, comme dans l'ensemble de la société, des phénomènes nouveaux suggérant qu'un mouvement contraire, qu'un retour du balancier pourrait aussi se produire.

Après toutes ces années de néo-libéralisme, dominées par le souci de la rentabilité et du succès matériel, les années 90 pourraient bien être celles de la responsabilité sociale, de la déontologie et de l'éthique. Aux États-Unis, l'éthique de la communication est un secteur de recherche et de réflexion en pleine expansion. Une publication spécialisée, *Journal of Mass Media Ethics*, rend compte des recherches, et des *newsletters*, *Media Ethics Update* et *Fine Line*, rapportent l'évolution des tendances. À Toronto, l'institut Ryerson a créé une chaire en éthique de la communication et du journalisme.

Le questionnement éthique fait aussi son chemin au Québec. Lors de colloques récents[9], les journalistes se sont interrogés sur les conséquences de la présence croissante de la publicité et du marketing dans l'information. Mais il n'y a pas que les journalistes que la confusion des genres agace. Le monde de la publicité s'inquiète, pour des raisons évidentes, des transferts de budgets publicitaires traditionnels vers la promotion, la commandite et les relations de presse. Des relationnistes aussi commencent à en avoir assez de diluer leurs messages, pour satisfaire aux exigences de spectacle de médias qui privilégient l'*infotainment* à l'américaine. Bref, le climat semble propice aux remises en question.

D'autant plus qu'il est loin d'être certain que les nouvelles formules à la mode (les sections thématiques, les *soft news*) et l'apparition d'un journalisme de seconde zone (moins critique, plus proche de la rédaction publicitaire et des intérêts des sources) qu'elles ont souvent engendré soient à ce point profitables aux médias. Dans les quotidiens, par exemple, la multiplication des chroniques de tous ordres n'a pas été accueillie avec un enthousiasme particulièrement manifeste de la part des lecteurs et n'a pas entraîné de hausse spectaculaire des tirages. La presse quotidienne pourrait, au contraire, trouver profit à se « spécialiser » davantage dans la nouvelle et dans son explication. Comme le rappelle Leo Bogart (1981, p. 260), qui a minutieusement étudié les habitudes des lecteurs des journaux, ce sont les nouvelles qui, avant tout, atti-

9. Notamment, celui de la FPJQ sur la confusion information-marketing, en décembre 1989, et celui de la FNC sur la publicité dans l'information, en juin 1990.

rent la plupart des lecteurs vers les quotidiens plutôt que vers d'autres sources d'information et de divertissement. Bogart estime que les journaux qui s'écartent de leur fonction journalistique traditionnelle et fondamentale sont plus vulnérables à une concurrence inattendue, notamment de la part de la presse spécialisée.

Bref, on peut espérer qu'un nouvel équilibre puisse s'établir dans la double fonction de l'entreprise de presse — la rentabilité et le service public — et que les médias, peut-être surtout les quotidiens, dont la fonction première est l'information, retrouveront une place plus importante au cœur du processus démocratique. Dans ce contexte, la relation source-journaliste retrouverait aussi des caractéristiques plus « normales », qui ont eu tendance à s'atténuer au cours des dernières années : des communicateurs et des sources auront des messages à « faire passer » et voudront faire des médias leurs porte-voix, et des journalistes s'en méfieront et chercheront à trouver ce que l'on cache, derrière l'image.

RÉFÉRENCES BIBLIOGRAPHIQUES

ADAMS, Williams et Fay SCHREIBMAN (compilateurs). *Television Network News : Issues in Content Research*, George Washington University Press, 1978, 235 p.

ALBERT, Pierre. « L'amont de la communication ou le rapport des sources avec l'information », *Schéma et schématisation*, nos 18-19, 1983, p. 33-38.

ALCAN. *L'ALCAN au Québec*, Service des communications d'ALCAN, Montréal, 1981, 31 p.

ALTHEIDE, David L. « Newsworkers and Newsmakers : A Study of News Use », *Urban Life*, vol. 7, no 3, 1978, p. 359-378.

ALTHEIDE, David L. *Media Power*, Beverly Hills, Sage Publications, 1985, 288 p.

ALTHEIDE, David L. et Robert P. SNOW. *Media Logic*, Beverly Hills, Sage Publications, 1979.

BACHRACH, Peter et Morton BARATZ. « Les deux faces du pouvoir » in Pierre BIRNBAUM, *Le pouvoir politique*, Paris, Dalloz, 1975, p. 61-73.

BAILEY, F.G. *Les règles du jeu politique : Étude anthropologique*, Paris, P.U.F., 1971, 246 p.

BAUER, Robert K. et Sandra J. BALL. « The Market Place Myth : Access to the Mass Media » in Rod HOLMGREN et William NORTON, *The Mass Media Book*, Englewood Cliffs (N.J.), Prentice-Hall, 1972, p. 47-62.

BALLE, Francis et Jean-G. PADIOLEAU. *Sociologie de l'information, Textes fondamentaux*, Paris, Larousse, 1973, 372 p.

BENTON, Marc et P. Jean FRAZIER. « The Agenda-Setting Function of the Mass Media at Three Levels of Information Holding », *Communication Research*, vol. 3, no 3, juillet 1976, p. 261-274.

BERNATCHEZ, Jean et Benoît QUENNEVILLE. *Qui influence les médias ? Une bibliographie sélective*, Université Laval, Département d'information et de communication (EDI-GRIC), 1984, 60 p.

BERNAYS, E.L. *Crystallizing Public Opinion*, New York, Liveright Publishing, 1961.

BLUMER, Herbert. « The Mass, the Public and the Public Opinion » in Bernard BERELSON et M. JANOWITZ, *Reader in Public Opinion and Propaganda*, Glenco (Il.), Free Press, 1953, p. 43-50.

BLUMER, Herbert. « L'opinion publique d'après les enquêtes par sondages » in Jean-G. PADIOLEAU, *L'opinion publique : examen critique, nouvelles directions*, Paris, Mouton, 1981, p. 145-163.

BLUMLER, Jay G. « Political Communication, Democratic Theory and Broadcast Practice », *Mass Communication Yearbook Review*, 1982, p. 621-637.

BLUMLER, Jay G. et Michael GUREVITCH. « The Political Effects of Mass Communication » in Michael GUREVITCH, Tony BENNETT, James CURRAN et Janet WOOLLACOTT, *Culture, Society and the Media*, New York, Methuen, 1982, p. 236-267.

BOGART, Leo. *Press and Public. Who Reads What, When, Where and Why in American Newspapers*, Hillsdale (N.J.), Lawrence Erlbaum Associates, 1981, 285 p.

BOGART, Leo. « Changing News Interests and the News Media », *Public Opinion Quarterly*, n° 32, 1968-1969, p. 560-574.

BOONE, Luk et Yves WINKIN. « Le "gatekeeper" et la sélection des nouvelles », *Information et média*, huitième rencontre des chercheurs en communication sociale, Bruxelles, 26 janvier 1979, p. 103-123.

BOORSTIN, Daniel J. *L'image*, Paris, Union générale d'éditions, 1971, 436 p.

BOURDIEU, Pierre. *Questions de sociologie*, Paris, Éditions de Minuit, 1980, 268 p.

BOURDIEU, Pierre. « La définition de la politique selon l'enquête d'opinion » in Jean-G. PADIOLEAU, 1981, p. 178-183.

BREED, Warren. « Social Control in the Newsroom : A Functional Analysis », *Social Forces*, vol. 33, n° 4, 1955, p. 326-335.

BRUCK, Peter A. « La production sociale du texte. Note sur la relation production-produit dans les médias d'information », *Communication-Information*, vol. 4, n° 3, été 1982, p. 92-123.

BUCKALEW, James K. et Robert W. CLYDE. « Inter-Media Standardization : A Q-Analysis of News Editors », *Journalism Quarterly*, vol. 46, n° 2, 1969, p. 349-351.

BUCKALEW, James K. « The Local Radionews Editors as a Gatekeeper », *Journal of Broadcasting*, n° 18, 1974, p. 211-221.

CARTER, Roy E. « Newspaper Gatekeepers and the Sources of News », *Public Opinion Quarterly*, vol. 22, n° 2, 1958, p. 133-144.

CHARRON, Jean. *Le pseudo-événement de contestation comme stratégie d'accès aux médias : une étude de cas*, Université Laval, Québec, mémoire de M.A. (science politique), 1986, 115 p.

CHARRON, Jean. *Les relations entre les élus et les journalistes parlementaires à l'Assemblée nationale du Québec : une analyse stratégique*, Québec, Université Laval, thèse de Ph.D. en science politique, octobre 1990.

CLOUTIER, Jean-François. *Journalistes et communicateurs au Québec, de 1983 à 1988*, Québec, Université Laval, Département d'information et de communication, 1988, 65 p. (rapport non publié).

COMBER, Mary-Ann et Robert S. MAYNE. *The Newsmongers : How the Media Distort the Political News*, Toronto, McClelland and Stewart, 1986.

CROZIER, Michel et Erhard FRIEDBERG. *L'acteur et le système*, Paris, Seuil, 1977, 353 p.

CUMMING, Carman. « The Impact of Television on Political Journalism », *Carleton Journalism Review*, vol. 2, nº 2, été 1979.

DAGENAIS, Bernard. *Le communiqué, ou l'art de faire parler de soi*, Montréal, VLB Éditeur, 1990, 168 p.

DAVEY, Keith. *The Rainmaker: A Passion for Politics*, Toronto, Stoddart, 1986.

DAVISON, W. Phillips, James BOYLAND et Frederick T.C. YU. *Mass Media : Systems and Effects*, New York, Praeger Publishers, 1976, 245 p.

DE BONVILLE, Jean. *Le journaliste et sa documentation. Sources d'information et habitudes documentaires des journalistes de la presse quotidienne francophone au Québec*, Québec, Université Laval, EDI-GRIC, 1977, 236 p.

DEMERS, François. « Le mauvais esprit, outil des journalistes », *Communication-Information*, vol. 4, nº 3, 1982, p. 63-76.

DEMERS, François. « Les sources journalistiques comme matériaux d'une stratégie de satisfaction du client », *Communication-Information*, vol. 6, nº 1, 1983, p. 9-24.

DEMERS, François. « Journalistic Ethics : The Rise of the "Good Employee's Model" : A Threat for Professionnalism ? », *Canadian Journal of Communication*, vol. 14, nº 2, 1989, p. 15-27.

DENTON, Robert E. et Gary C. WOODWARD. *Political Communication in America*, New York, Praeger, 1985.

DOIN, R. et D. LAMARRE. *Les relations publiques*, Montréal, Les Éditions de l'Homme, 1986.

DONOHUE, George, Phillip J. TICHENOR et Claire OLLEN. « Gatekeeping : Mass Media System and Information Control » in F.G. KLINE et P.J. TICHENOR (dir.), *Current Perspectives in Mass Communication Research*, Beverly Hills, Sage Publications, 1972, p. 41-69.

DONOHUE, Thomas R. et Theodore L. GLASSER. « Homogeneity in Coverage of Connecticut Newspapers », *Journalism Quarterly*, nº 51, 1978, p. 592-596.

ELLIOTT, Philip. « Media Organizations and Occupations : An Overview » in James CURRAN, Michael GUREVITCH et Janet WOOLLACOTT, *Mass Communication and Society*, London, Edward Arnold, 1977, p. 142-173.

EPSTEIN, E.J. *News from Nowhere*, New York, Random House, 1973, 321 p.

ERICSON, Richard V., Patricia M. BANAREK et Janet B.L. CHAN. *Visualizing Deviance : A Study of News Organizations*, Toronto, University of Toronto Press, 1987, 390 p.

ERICSON, Richard V., Patricia M. BANAREK et Janet B.L. CHAN. *Negociating Control : A Study of News Sources*, Toronto, University of Toronto Press, 1989, 428 p.

FALARDEAU, Louis. « *La publicité dans l'information : l'invasion tranquille* », numéro spécial de *La Dépêche*, Fédération nationale des communications (CSN), Montréal, juin 1990, 20 p.

FÉDÉRATION PROFESSIONNELLE DES JOURNALISTES DU QUÉBEC (FPJQ). *Pour que cesse l'exploitation des journalistes en région*, Montréal, FPJQ, 1983, 70 p.

FÉDÉRATION PROFESSIONNELLE DES JOURNALISTES DU QUÉBEC (FPJQ). *Actes du colloque de 1988 (Québec)*, Montréal, FPJQ, 1989, 144 p.

FISHER, Vincent et Roselyne BROUILLET. *Les commandites : la publicité de demain*, Montréal, Saint-Martin, 1990, 138 p.

FISHMAN, Mark. « Crime Waves as Ideology », *Social Problems*, vol. 25, nº 5, 1978, p. 531-543.

FISHMAN, Mark. *Manufacturing the News*, Austin, University of Texas Press, 1980, 180 p.

FISHMAN, Mark. « News and Nonevents : Making the Visible Invisible » in James S. ETTEMA et D. Charles WHITNEY, *Individuals in Mass Media Organization : Creativity and Constraint*, Beverly Hills, Sage Publications, 1982, p. 219-240.

FOWLER, J.S. et S.W. SHOWALTER. « Evening Network News Selection : A Confirmation of News Judgement », *Journalism Quarterly*, nº 51, 1974, p. 712-715.

FRANK, Robert S. *Message Dimensions on Television News*, Lexington (Mass.), Lexington Books, 1973.

FRANK, Robert S. « The Grammar of Film in Television News », *Journalism Quarterly*, vol. 51, été 1974, p. 245-250.

GALTUNG, Johan et Mari Holmboe RUGE. « The Structure of Foreign News » in Jeremy TUNSTALL, *Medial Sociology*, London, Constable, 1970, p. 259-298. Publié à l'origine dans *Journal of Peace Research*, vol. 2, 1965, p. 64-91.

GANDY, Oscar H. *Beyond Agenda-Setting : Information Subsidies and Public Policy*, Norwood (N.J.), Ablex Publishing Co., 1982, 243 p.

GANS, Herbert J. « The Famine in American Mass-Communications Research : Comments on Hirsch, Tuchman and Gecas », *American Journal of Sociology*, vol. 77, n° 4, 1972, p. 697-705.

GANS, Herbert J. *Deciding What's News : A Study of CBS Evening News, NBC Nightly News, Newsweek and Time*, New York, Pantheon Books, 1979, 393 p.

GANS, Herbert J. « News Media, News Policy, and Democracy : Research for the Future », *Journal of Communication*, vol. 33, n° 3, 1983, p. 174-184.

GIEBER, Walter et Walter JOHNSON. « The City Hall Beat : A Study of Reporter and Source Roles », *Journalism Quarterly*, n° 38, 1961, p. 289-297.

GIEBER, Walter. « Two Communicators of the News : A Study of the Roles of Sources and Reporters », *Social Forces*, n° 37, 1960, p. 76-83.

GIEBER, Walter. « News Is What Newspaper Make it » in Lewis DEXTER et David M. WHITE, *People, Society and Mass Communications*, New York, Free Press, 1964, p. 173-181.

GLASGOW UNIVERSITY MEDIA GROUP (GUMG). *Bad News*, Londres, Routledge and Kegan Paul, 1976.

GLASGOW UNIVERSITY MEDIA GROUP (GUMG). *More Bad News*, Londres, Routledge and Kegan Paul, 1980.

GOLDENBERG, Eddie N. *Making the Papers : The Access of Resource-Poor Groups to the Metropolitan Press*, Lexington (Mass.), D.C. Health, 1975, 164 p.

GRABER, Doris A. *Mass Media and American Politics*, Washington, Congressional Quarterly Press, 1970, 304 p.

GRAHAM, Ron. *One-Eyed Kings. Promises and Illusions in Canadian Politics*, Toronto, Collins, 1986.

GREGG, Allan. Conférence prononcée à l'occasion du troisième colloque du groupe Sociétal sur le marketing et les communications politiques, Montréal, 21 février 1985 (inédit).

GROUPE CANADIEN D'ÉTUDE DES QUESTIONS PARLEMENTAIRES. *Colloque sur la presse et le Parlement : adversaires ou complices*, colloque tenu à l'Assemblée nationale du Québec les 18 et 19 avril 1980, Ottawa, Imprimeur de la Reine, 1981, 82 p.

GUREVITCH, Michael, Hadassah HAAS et Elihu KATZ. « On the Use of the Mass Media for Important Things », *American Sociological Review*, vol. 38, 1973, p. 164-181.

HACKETT, Robert A. « Decline of a Paradigm? Bias and Objectivity in News Media Studies » in Michael GUREVITCH et Mark R. LEVY (dir.), *Mass Communication Review Yearbook : 5*, Beverly Hills, Sage Publications, 1985, p. 251-274.

HALLORAN, James D., Phillip ELLIOTT et Graham MURDOCK. *Demonstrations and Communication : A Case Study*, Harmondsworth, Penguin Books, 1970, 328 p.

HIRSCH, Paul. « Occupational, Organizational, and Institutional Models in Mass Media Research : Toward an Integrated Framework » in Paul HIRSCH (*et al.*), *Strategies for Communication Research*, Beverly Hills, Sage Publications, 1977, p. 13-42.

HOFFSTETTER, Richard C. *Bias in the News : Network Television Coverage of the 1972 Election Campaign*, Columbus (Ohio), University Press, 1980.

HOWITT, Dennis. *Mass Media and Social Problems*, Oxford, Pergamon Press, 1982, 204 p.

IMPACT-RECHERCHE. *Enquête auprès des journalistes québécois*, rapport présenté à la Fédération professionnelle des journalistes du Québec, novembre 1988, 49 p.

JOHNSTON, Donald H. *Journalism and the Media : An Introduction to Mass Communications*, New York, Barnes and Noble Book, 1979, 230 p.

JOSLYN, Richard. *Mass Media and Elections*, Reading (Mass.), Addison-Wesley, 1984.

KARP, Walter. « All the Congressmen's Men » : How Capitol Hill Controls the Press », *Harper's Magazine*, juillet 1989, p. 55-63.

KATZ, Elihu et Paul F. LAZARSFELD. *Personal Influence : The Part Played by People in the Flow of Mass Communications*, Glencoe (Ill.), Free Press, 1955, 400 p.

KATZ, Elihu. « Les deux étages de la communication » in Francis BALLE et J.-G. PADIOLEAU, 1973, p. 285-304. Paru à l'origine sous le titre « The Two-Step Flow of Communication », *Public Opinion Quarterly*, vol. 21, 1957, p. 61-68.

KEABLE, Jacques. *L'information sous influence : comment s'en sortir*, Montréal, VLB Éditeur, 1985, 229 p.

KLAPPER, J.F. *The Effects of Mass Communication*, New York, Free Press, 1960, 302 p.

LACY, Stephen et David MATUSTIK. « Dependance on Organization and Beat Sources for Story Ideas : A Case Study of Four Newspapers », *Newspaper Research Journal*, vol. 5, nº 2, hiver 1983, p. 9-16.

LANG, Kurt et Gladys LANG. *The Battle for Public Opinion : The President, the Press and the Pools during Watergate*, New York, Columbia University Press, 1983, 353 p.

LANG, Kurt et Gladys LANG. « Method as Master, or Mastery Over Method », *Mass Communication Yearbook Review*, Beverly Hills, Sage Publications, 1985.

LASSERRE, R. et D. MUZET. « La violence, moyen de communication », *Projet*, mars 1973, p. 306-314.

LASSWELL, Harold D. « Structure et fonction de la communication dans la société » in Francis BALLE et J.-G. PADIOLEAU, 1973, p. 31-41.

LAVIGNE, Alain. « La presse régionale gratuite : portrait d'un média et état de la situation au Québec », Université Laval, Département d'information et de communication, hiver 1991. (Cahiers de la recherche en communication publique.)

LAZARSFELD, Paul F., Bernard BERELSON et H. GAUDET. *The People's Choice*, New York, Duel, Sloan and Pearce, 1944, 178 p.

LAZARSFELD, Paul F. et Elihu KATZ. *Personal Influence*, Glencoe (Ill.), Free Press, 1954, 400 p.

LEMERT, James B. « Content Duplication by the Networks in Competing Evening Newscasts », *Journalism Quarterly*, vol. 51, nº 2, 1974, p. 238-244.

LEWICKI, Roy et Joseph A. LITTERER. *Negociation*, Homewood (Ill.), R.D. Irwin, 1985.

LIPSKY, Michael. « La contestation comme ressource politique » in Jean-G. PADIOLEAU, 1981, p. 336-367.

LUKES, Steven. « La troisième dimension du pouvoir » in Pierre BIRNBAUM, *Le pouvoir politique*, Paris, Dalloz, 1975, p. 73-78.

MAISONNEUVE, Pierre. « À la recherche du journaliste "BS" », *Le 30*, vol. 14, nº 7, juillet-août 1990, p. 6-7.

MANHEIM, Jarol B. et Robert B. ALBRITTON. « Changing National Images : International Public Relations and Media Agenda-Setting », *American Political Science Review*, vol. 78, 1984, p. 641-657.

MARTIN, Louis. « Le rôle des médias dans le processus politique », *Communication-Information*, vol. 2, nº 3, automne 1978, p. 129-136.

MAUSER, Gary A. *Political Marketing : An Approach to Campaign Strategy*, New York, Praeger, 1983.

MC COMBS, Maxwell E. et Donald E. SHAW. « The Agenda-Setting Function of Mass Media », *Public Opinion Quarterly*, vol. 36, nº 2, 1972, p. 176-187.

MC COMBS, Maxwell E. et Donald E. SHAW. « Structuring the Unseen Environment », *Journal of Communication*, nº 26, 1978, p. 18-28.

MC COMBS, Maxwell E. « Setting the Agenda for Agenda-Setting Research » in G.C. WILHOIT et H. DE BOCK, *Mass Communication Review Yearbook*, Beverly Hills, Sage Publications, 1981, p. 209-211.

MC COMBS, Maxwell E. et David WEAVER. « Toward a Merger of Gratification and Agenda-Setting Research » in K.E. ROSENGREN, L.A. WENNER et P. PALMGREEN, *Media Gratification Research : Current Perspective*, Beverly Hills, Sage Publications, 1985, p. 95-108.

MC NELLY, J.T. « Intermediary Communicators in the Flow of News », *Journalism Quarterly*, vol. 36, nº 1, 1959, p. 23-26.

MC QUAIL, Denis. « Uncertainty About the Audience and the Organization of Mass Communication », *The Sociological Review Monograph*, vol. 13, 1968, p. 75-84.

MC QUAIL, Denis et Sven WINDAHL. *Communications Models for the Study of Mass Communications*, New York, Longman, 1981, 110 p.

MC QUAIL, Denis. *Mass Communication Theory : An Introduction*, London, Sage, 1983, 245 p.

MISSIKA, Jean-Louis et Dominique WOLTON. *La folle du logis. La télévision dans les sociétés démocratiques*, Paris, Gallimard, 1983, 338 p.

MOLOTCH, Harvey et Marilyn LESTER, « News as Purposive Behavior », *American Sociological Review*, vol. 39, février 1974, p. 101-113.

MOLOTCH, Harvey et Marilyn LESTER. « Accidental News : The Great Oil Spill as Local Occurrence and National Event », *American Journal of Sociology*, vol. 81, nº 2, 1975, p. 235-260.

MOLOTCH, Harvey et Marilyn LESTER. « L'usage stratégique des événements : la promotion et le montage des nouvelles » in Jean-G. PADIOLEAU, 1981, p. 368-390 (traduction française de M. et L. 1974).

MURDOCK, Graham. « Political Deviance : The Press Presentation of a Militant Mass Demonstration » in Stanley COHEN et Jack YOUNG (dir.), *The Manufacture of News*, Beverly Hills, Sage Publications, 1981, p. 206-225.

NELSON, Joyce. *Sultans of Sleaze*, Toronto, Between the Lines, 1989.

NICKELSON, Sig. *From Whistle Stop to Sound Bite. Four Decades of Politics and Television*, New York, Praeger, 1989.

NIMMO, Dan. *News Gathering in Washington : A Study of Political Communication*, New York, Atherton Press, 1964, 282 p.

NIMMO, Dan et J.E. COMBS. « The Horror Tonight : Network Television News and Three-Mile Island », *Journal of Broadcasting*, vol. 25, nº 3, été 1981, p. 289-293.

NIMMO, Dan et J.E. COMBS. *Mediated Political Realities*, New York, Longman, 1983.

NOELLE-NEUMANN, Elizabeth. « Return to the Concept of Powerful Mass Media », *Studies of Broadcasting*, nº 9, mars 1973, p. 67-112.

NOELLE-NEUMANN, Elizabeth. « The Spiral of Silence. A Theory of Public Opinion », *Journal of Communication*, nº 24, 1974, p. 43-51.

NOELLE-NEUMANN, Elizabeth. « Mass Media and Social Change in Developing Societies » in G. Cleveland WILHOIT et Harold de BOCK, *Mass Communication Review Yearbook : 1*, Beverly Hills, Sage Publications, 1980, p. 657-678.

PADIOLEAU, Jean-G. « Systèmes d'interaction et rhétoriques journalistiques », *Sociologie du travail*, vol. 18, nº 3, 1976, p. 256-282.

PADIOLEAU, Jean-G. (dir.). *L'opinion publique, examen critique, nouvelles directions. Recueil de textes*, Paris, Mouton, 1981, 392 p.

PAILLET, Marc. *Le journalisme : fonctions et langages du quatrième pouvoir*, Paris, Denoël, 1974, 224 p.

PALETZ, David L. et Robert M. ENTMAN. *Media, Power, Politics*, New York, Free Press, 1981.

PALMGREEN, Philip et Peter CLARKE. « Agenda-Setting With Local and National Issues », *Communication Research*, vol. 4, nº 4, octobre 1977, p. 435-452.

PARK, Robert. « News as a Form of Knowledge » in R.H. TURNER, *On Social Control and Collective Behavior*, Chicago, University of Chicago Press, 1967, p. 32-52.

PATTERSON, Thomas E. *The Mass Media Election : How Americans Choose their President*, New York, Praeger, 1980.

PATTERSON, Thomas E. et Robert D. McCLURE. *The Unseeing Eye : The Myth of Television's Power in National Election*, New York, G.P. Putmam's Sons, 1976.

PERRY, Roland. *Hidden Power : The Programming of the President*, New York, Beaufort Books, 1984.

PHILLIPS, Barbara E. « What is News ? Novelty Without Change », *Journal of Communication*, vol. 26, nº 4, 1976, p. 87-92.

PHILLIPS, Barbara E. « Approaches to Objectivity : Journalistic Versus Social Science Perspectives » in Paul HIRSCH (*et al.*), *Strategies for Communication Research*, Beverly Hills, Sage Publications, 1977, p. 63-77.

POOL, Ithiel de SOLA et Isaac SHULMAN. « Newsmen's Fantasies, Audiences, and Newswriting », *Public Opinion Quarterly*, vol. 23, nº 2, 1959, p. 145-158.

POSTMAN, Neil. *Se distraire à en mourir*, Paris, Flammarion, 1986.

QUÉBEC. Assemblée nationale. *Journal des débats*, Québec, Assemblée nationale, 29 et 30 mai 1984.

QUENNEVILLE, Benoît. *La presse écrite locale et l'ordre du jour des affaires municipales en Mauricie*, Université Laval, Québec, mémoire de M.A. (science politique), 1984a.

QUENNEVILLE, Benoît. *L'exposition régionale de Trois-Rivières 1983 : analyse d'une stratégie de communication et de son impact dans les médias*, Université Laval, GREJAC, octobre 1984b, 104 p. (rapport non publié).

RADA, Stephen E. « Manipulating the Media : A Case Study of a Chicago Strike in Texas », *Journalism Quarterly*, vol. 54, nº 1, 1977, p. 109-113.

REGROUPEMENT AUTONOME DES JEUNES. *RAJ. Bilan (rapport moral)*, Comité de coordination national, 2e congrès national, tenu les 22, 23 et 24 juin 1984 à l'Université du Québec à Montréal, 11 p.

REGROUPEMENT AUTONOME DES JEUNES. *Programme pour l'exécutif du RAJ*, 14 septembre 1984, 5 p.

RHÉAUME, Luc. *Analyse du traitement journalistique de l'information politique au Québec : le cas du projet de restructuration scolaire de 1982*, Université Laval, Québec, mémoire de M.A. (science politique), 1984, 116 p.

RHÉAUME, Luc. *Un modèle d'analyse de contenu*, Université Laval, Département d'information et de communication, automne 1985, 20 p. (document de travail non publié).

ROSHCO, Bernard. *Newsmaking*, Chicago, University of Chicago Press, 1975, 160 p.

RYAN, Michael et David L. MARTINSON. « Public Relations Practitioners, Public Interest and Management », *Journalism Quarterly*, vol. 62, nº 1, printemps 1985, p. 111-115.

RYAN, Michael et David L. MARTINSON. « Journalists and Public Relations Practitioners : Why the Antagonism ? », *Journalism Quarterly*, vol. 65, nº 1, 1988, p. 131-140.

SAURIOL, Paul.« Le civisme et les techniques de diffusion », *Semaine sociale du Canada*, XXXIIe session, Cornwall, Institut social populaire, 1955, p. 130ss.

SAUVAGEAU, Florian et Simon LANGLOIS. « Les journalistes des quotidiens et leur métier », *Politique*, vol. 1, nº 2, 1982, p. 5-39.

SAWATSKY, John. *The Insiders. Government, Business and the Lobbyists*, Toronto, McClelland and Stewart, 1987.

SCHNEIDER, Michel. « Les médias face au terrorisme », *Contrepoint*, vol. 37, 1981, p. 37-46.

SOCIÉTÉ D'ÉLECTROLYSE ET DE CHIMIE ALCAN LIMITÉE (SECAL). *Rapport annuel aux employés*, Montréal, 1984, 48 p.

SEVERIN, Werner et James TANKARD. *Communication Theories*, New York, Hastings House, 1979, 286 p.

SHULMAN, Isaac et Ithiel de SOLA POOL. « Newmen Fantasies, Audiences and Newswriting », *Public Opinion Quarterly*, vol. 23, nº 2, 1959, p. 145-158.

SIGELMAN, Lee. « Reporting the News : An Organizational Analysis », *American Journal of Sociology*, vol. 79, nº 1, 1973, p. 132-151.

SODERLUND, Walter C., Walter I. ROMANOW, E. Donald BRIGGS et Ronald H. WAGENBERG. *Media and Elections in Canada*, Toronto, Holt, Rinehart & Winston, 1984.

STOETZEL, Jean et A. GIRARD. *Les sondages d'opinion*, Paris, P.U.F., 1973, 283 p.

STREITMATTER, Rodger « Theodore Roosevelt : Public Relations Pioneer » in *American Journalism*, printemps 1990, p. 96-113.

TREMBLAY, Gaétan, Enrico CARONTINI, Armande SAINT-JEAN et Michel SAINT-LAURENT. *La presse francophone québécoise et le discours de promotion*, Montréal, UQAM, Département de communication, rapport de recherche présenté à la FPJQ en novembre 1988, 52 p.

TUCHMAN, Gaye. « Objectivity as Strategic Ritual : An Examination of Newsmen's Notions of Objectivity », *American Journal of Sociology*, vol. 77, nº 4, 1972, p. 660-679.

TUCHMAN, Gaye. « Making News by Doing Work : Routinizing the Unexpected », *American Journal of Sociology*, vol. 79, nº 1, 1973-1974, p. 110-131.

TUCHMAN, Gaye. *Making News : A Study in the Construction of Reality*, New York, Free Press, 1978, 244 p.

TUNSTALL, Jeremy. « News Organization Goals and Specialist Newsgathering Journalists » in Denis MC QUAIL (compilateur), *Sociology of Mass Communications*, Londres, Penguin Books, 1972, p. 259-280.

TUNSTALL, Jeremy. *Journalists at Work : Specialist Correspondants, their News Organization, News Sources and Competitor-Colleagues*, Londres, Constable, 1971, 304 p.

TURNER, R. *Collective Behavior*, Englewood Cliffs (N.J.), Prentice-Hall, 1971, 547 p.

TUROW, Joseph. *Media Industries : The Production of News and Entertainment*, New York, Longman, 1984, 213 p.

WARNER, Malcolm. « TV Coverage of International Affairs », *Television Quarterly*, nº 7, 1968, p. 60-75.

WEAVER, David. « Media Agenda-Setting and Public Opinion : Is There a Link ? », *Communication Yearbook*, nº 8, Beverly Hills, Sage Publications, 1984, p. 680-691.

WEAVER, David et Swanzy Nimley ELLIOTT. « Who Sets the Agenda for the Media ? A Study of Local Agenda-Setting », *Journalism Quarterly*, vol. 62, nº 1, 1985, p. 87-94.

WEBSTER, John B. « Business Ethics May Serve Publishers Better Than Journalism Ethics », *Newspaper Research Journal*, vol. 3, nº 2, janvier 1982, p. 67-74.

WHITE, David M. « The Gate-Keeper : A Case Study in the Selection of News », *Journalism Quarterly*, vol. 27, nº 4, 1950, p. 383-390.

WHITNEY, D. Charles. « Information Overload in the Newsroom », *Journalism Quarterly*, vol. 58, nº 1, 1981, p. 69-76.

WILSON, Jeremy. « Media Coverage of Canadian Election Campaigns : Horserace Journalism and The Meta-Campaign », *Revue d'études canadiennes*, vol. 15, nº 4, hiver 1980-1981, p. 58-68.

INDEX DES AUTEURS

A

B

C

D

E

F

G

H

I

J

K

L

M

N

P

Q

R

S

T

W

INDEX DES SUJETS

D

E

F

G

H

I

J

P

Q

R

S

T

U